D1128742

DOSSIERS
DOCUMENTS

Du même auteur

* *Solidarité inc. Un nouveau syndicalisme créateur d'emplois* — Le Fonds de solidarité des travailleurs du Québec (FTQ), Montréal, Éditions Québec/Amérique, 1991.
* *Histoire du mouvement ouvrier au Québec. 150 ans de luttes*, en collaboration, Montréal, coédition CSN-CEQ, 1984 (nouvelle édition revue et augmentée).
* *FLQ. Histoire d'un mouvement clandestin*, Montréal, Éditions Québec/Amérique, 1982.
* *La police secrète au Québec*, en collaboration, Montréal, Éditions Québec/Amérique, 1978.
* *23 dossiers de Québec-Presse*, en collaboration, Montréal, Réédition-Québec, 1971.

LOUIS LABERGE

LE SYNDICALISME C'EST MA VIE

LOUIS LABERGE

LE SYNDICALISME C'EST MA VIE

Louis Fournier

ÉDITIONS QUÉBEC/AMÉRIQUE

425, RUE SAINT-JEAN-BAPTISTE, MONTRÉAL, QUÉBEC H2Y 2Z7 (514) 393-1450

Cet ouvrage a été publié grâce à une subvention du Conseil des Arts du Canada.

Données de catalogage avant publication (Canada)

Fournier, Louis, 1945-

Louis Laberge
Le syndicalisme, c'est ma vie

(Dossiers Documents)

ISBN 2-89037-565-X

1. Laberge, Louis, 1924- 2. Fédération des travailleurs et travailleuses du Québec - Histoire. 3. Syndicalisme - Québec (Province) - Histoire - 20e siècle. 4. Dirigeants syndicaux - Québec (Province) - Biographies. I. Titre. II. Collection: Dossiers Documents (Montréal, Québec).

HD6525.L32F68 1992 331.88'092 C92-096903-8

La forme masculine généralement utilisée dans ce livre désigne aussi bien les femmes que les hommes.

Dépôt légal:
4e trimestre 1992
Bibliothèque nationale du Québec
Bibliothèque nationale du Canada

Montage
Andréa Joseph

À la mémoire de mon grand-père, Edmond Fournier,
membre de la section locale 134 de la Fraternité
unie des charpentiers-menuisiers d'Amérique

Table des matières

Prologue

«C'était vraiment toute ma vie...»

«Ça n'a pas été une carrière, ni même un travail, mais une vie avec du monde que j'aimais... Et j'ai donné presque tout mon temps au syndicalisme, c'était vraiment toute ma vie...»

Louis Laberge, le Vieux Lion, se remémore les cinquante années qu'il a vécu jusqu'à présent, avec passion, dans le mouvement ouvrier. Un demi-siècle d'histoire.

De quoi raconter une ribambelle de souvenirs. Avec beaucoup de plaisir et d'humour, mais aussi une certaine nostalgie qui lui met parfois la larme à l'œil.

En ce printemps 1992, alors qu'il vient de fêter ses 68 ans, le grand syndicaliste qu'on appelle Ti-Louis est encore bien vert, bon vivant et très actif. Il a quitté la barre de la Fédération des travailleurs et travailleuses du Québec (FTQ), mais il œuvre toujours, à plein temps, comme président du conseil d'administration d'une institution financière syndicale unique en son genre, dont il est le père fondateur: le Fonds de solidarité des travailleurs du Québec. Son bébé, son enfant chéri.

Qui aurait pu dire lors de sa naissance à Sainte-Martine le 18 février 1924, sous le signe du Verseau, que le huitième enfant de Clémentine Roy et d'Éphrem Laberge, fils d'un père charpentier-menuisier et syndicaliste, allait parcourir tant de chemin? Qu'après avoir grandi sur le Plateau Mont-Royal à Montréal, le petit mécanicien en aéronautique deviendrait le leader de son syndicat des machinistes à l'avionnerie Canadair? Tout en étant père de triplets... Puis qu'il serait élu président du Conseil du travail de Montréal et conseiller municipal à l'Hôtel de Ville, d'où il serait expulsé par le maire Jean Drapeau?

Qui aurait cru qu'après avoir été défait puis congédié de son poste de représentant syndical, il reviendrait en force chaque fois? Qu'il quitterait son syndicat des machinistes pour celui des travailleurs de l'automobile et de l'aérospatiale et, finalement, qu'il serait élu en 1964 à la présidence de la plus grande centrale syndicale québécoise, la FTQ? Qui aurait même pensé qu'il serait réélu à la tête de la centrale, sans opposition, pour un long règne de 27 ans, jusqu'en juin 1991? Avec, en prime, un séjour de près de six mois en prison...

Louis Laberge est une force de la nature. Un leader syndical batailleur qu'affectionnent les ouvriers qui se reconnaissent en lui parce qu'il est sorti du rang et qu'il est resté col bleu dans l'âme. Et qu'il a la couenne dure mais un cœur gros comme ça. Il a passé sa vie à aider les travailleurs, les travailleuses, les gens les plus mal pris dans notre société. Il s'est battu pour leur assurer plus de dignité et de respect.

«Le syndicalisme, c'est l'histoire de ma vie...» La vie d'un homme qui incarne la force d'une petite idée toute simple: la solidarité.

Chapitre 1

Une force de la nature

Certains de ses amis l'appellent «le gros Louis», mais la plupart le surnomment Ti-Louis ou Ti-Oui, avec affection.

Sa rondeur tranquille, sa solidité et son large sourire enjoué lui donnent, le plus souvent, un air rassurant et chaleureux. Mais il a parfois l'air bourru et féroce d'un bouledogue quand il passe à l'attaque ou se défend avec une vigueur impitoyable.

Trapu, cou de taureau et larges mains, la poigne solide, l'homme est taillé tout d'un bloc. Il a de petits yeux clairs et vifs, souvent espiègles, qui vous guettent derrière ses lunettes. Et la voix forte du tribun populaire qui a son franc parler. Une voix rocailleuse de gros fumeur qui, dans un geste familier, tape sa cigarette sur son paquet de Players sans filtre avant de l'allumer.

Sa force physique est quasiment légendaire. Ses amis disent qu'il est «fait fort» comme un bœuf, comme un cheval ou «comme un Romain»! Lui-même n'est pas peu fier d'affirmer: «Dans le temps, si des confrères voulaient m'essayer, c'était tant pis pour eux... J'en ai couché plusieurs.» Un de ses vieux copains observe: «Pousse pas dessus, tu vas tomber avant lui...» Doué d'une grande résistance, il a une santé de fer qui l'a éloigné des médecins presque toute sa vie, «le Bon Dieu aidant»

Il dort très peu, à peine quatre à cinq heures par nuit, mais récupère vite. Il pouvait veiller jusqu'à l'aube ou passer des nuits entières à éplucher des dossiers, ou à jouer aux cartes, et être «sur le piton» le matin pour présider une réunion ou un congrès. Son secret: il fait de petites siestes. Il peut même piquer un somme sur sa chaise et ronfler aussitôt. Ce couche-tard n'est cependant pas un lève-tôt.

Il aime être bien habillé. Mieux: tiré à quatre épingles, impeccable. «Les travailleurs — dont je suis — m'ont toujours dit: si tu veux nous représenter correctement, habille-toi comme du monde!» Il porte des costumes bien coupés, des cravates choisies avec soin — plutôt voyantes à une époque — et des souliers en cuir verni. Après avoir porté des chapeaux comme c'était naguère la mode, il a opté pour la petite casquette de feutre brun ou de velours gris. Et la tuque à l'occasion en hiver.

Il aime être «bien de sa personne» Son épouse Lucille dit d'un air coquin: «Louis passe pas mal de temps dans la salle de bain à faire sa toilette. C'est son plus gros défaut: il est un petit peu vaniteux...» Cet homme bien mis n'hésite cependant pas, lors d'assemblées syndicales fiévreuses et enfumées, à laisser tomber la veste, à rouler ses manches de chemise jusqu'au coude et à desserrer sa cravate pour mieux faire face à la musique.

Il arbore deux bagues, une à chaque main: son alliance au petit doigt de la main droite et, à l'annulaire de la main gauche, une chevalière où sont gravées les lettres FTQ. Une autre bague lui a été offerte à sa sortie de prison, en 1973, par ses «confrères et consœurs« du syndicat dont il est membre à vie, la Loge 712 de l'Association internationale des machinistes et des travailleurs de l'aéronautique à l'avionnerie Canadair.

Vaillant à l'ouvrage

Louis Laberge est une boule d'énergie, un travailleur infatigable. Un homme pétulant qui a du cœur à l'ouvrage. Il ne compte pas ses heures et a souvent affirmé: «La présidence de la FTQ, ce n'est pas un travail pour moi, c'est comme une drogue...» Et il a du plaisir à l'ouvrage: «Je suis un bon vivant non seulement dans ma vie privée mais au boulot.»

Il décrit ainsi ses longues journées de travail: «Des journées de 14 à 15 heures et ça déborde presque toujours sur les fins de semaine. Cours d'un bord, cours de l'autre, des coups de téléphone en masse, des rendez-vous le matin, des réunions l'après-midi, des assemblées le soir. Éteins des feux, des petits et des gros. C'est souvent une vraie affaire de fou, mais je ne pourrais pas m'en passer. Je pense que j'ai besoin de cette bousculade, de cette frénésie par moments. Je me sens comme un poisson dans l'eau, je vis dans le présent.»

Des assemblées syndicales, beaucoup d'assemblées certes, mais aussi des lignes de piquetage, des manifestations, des conférences de presse à la queue leu leu. Des coups de fil, par milliers, car Ti-Louis aime bien «parler au monde directement dans le nez« et il retourne tous ses appels. «C'est beaucoup plus expéditif que les lettres et, de toute façon, je ne suis pas fort sur le courrier.»

Homme de contacts personnels, il affectionne les dîners et les soupers où l'on peut régler, en tête-à-tête, bien des problèmes. Cela se passe le plus souvent dans le salon particulier qu'il réserve à son restaurant préféré et qu'on a vite baptisé le «salon Laberge»: autrefois *Chez Butch Bouchard* sur le boulevard de Maisonneuve, maintenant *Chez Pierre*, rue Labelle dans le centre de Montréal. Une bouteille de Mouton Cadet rouge frappé l'y attend toujours, au frais dans son seau à glace. «Le salon Laberge, c'est son deuxième bureau», disent ses deux anciennes secrétaires, Gisèle Roth qui a œuvré à ses côtés pendant 17 ans et Marie-Claude Deschênes, son adjointe pendant 10 ans. Elles ont pour «Monsieur Laberge» une admiration et une affection rares.

Le président de la FTQ essaie d'être omniprésent, de participer à toutes les activités syndicales ou sociales où l'on sollicite sa présence. Y compris les baptêmes, les mariages, les funérailles... Les ligues de quilles et les tournois de golf. Il a le sens du devoir et se rend disponible, en particulier pour aider à régler des conflits de travail. Il se montre tellement disponible qu'il en devient utile, puis nécessaire et même parfois indispensable! «C'est mon arme secrète, un des secrets de ma réussite», glisse-t-il, l'air malicieux.

Cette grande disponibilité, il la doit notamment à sa femme Lucille, qui l'accompagne presque partout et lui sert souvent de chauffeur dans ses nombreux déplacements. Ti-Louis se promène aujourd'hui en Cadillac, lui qui n'a pu avoir sa première automobile qu'à l'âge de 31 ans, en 1955: une «vieille» Chevrolet 1952.

Déjà fort occupé comme président de la FTQ, il l'a été encore davantage, à partir de 1983, lorsqu'il a assumé de surcroît la tâche accaparante de président du conseil d'administration du Fonds de solidarité. Il participait aussi au conseil d'une kyrielle d'organismes dont la Commission de la santé et de la sécurité du travail, le Conseil consultatif du travail et de la main-d'œuvre, la Caisse de dépôt et placement du Québec. À la Caisse, où il siège depuis 1970, il est le doyen des administrateurs.

«Monsieur Laberge a toujours voulu en faire tellement, dit son ex-secrétaire Marie-Claude Deschênes. Il se prenait parfois pour Superman! Il est très exigeant pour lui et pour les autres.» Gisèle Roth se souvient elle aussi de ses longues journées d'ouvrage: «C'est le genre d'homme qui vous demande pour aujourd'hui ce qui devrait normalement être prêt demain... Le genre à accepter trois rendez-vous le même jour à la même heure. Il avait beaucoup de fers au feu, au point que je devais souvent lui rappeler les choses à faire. Il me traitait parfois de radoteuse...» Selon son adjointe au Fonds de solidarité, Carole Parent, «il prend la peine de s'occuper de tous les problèmes que les gens lui soumettent, même les plus petites choses. Il ne sait pas dire non...»

«Louis est vaillant à l'ouvrage», dit Fernand Daoust qui, à titre de secrétaire général de la FTQ, a formé pendant 22 ans avec Laberge le plus vieux couple du mouvement syndical, avant de lui succéder à la présidence. «Il est toujours prêt à rendre service et on peut compter sur lui parce qu'il est fiable.» Son plus gros défaut au travail? «Ce n'est pas un modèle de ponctualité, tout comme René Lévesque...», se plaint à peine «le grand Fernand», toujours diplomate.

Les retards de Ti-Louis sont légendaires. Marcel Pepin, l'ancien président de la Confédération des syndicats nationaux (CSN), en parle d'abondance: «Nous avons siégé côte à côte pendant des années au Conseil consultatif du travail et de la main-d'œuvre. Louis arrivait toujours au moins une demi-heure en retard, me demandait à mi-voix où on en était puis sautait dans les discussions comme s'il avait été présent depuis le début. Il faut dire que c'est un homme intelligent, très *smatte.*» Gisèle Roth se souvient: «Parfois quand il était vraiment en retard pour aller à un rendez-vous, je le dérangeais dans son bureau et je lui mettais son chapeau sur la tête...»

Les réunions de l'exécutif de la FTQ, prévues pour neuf heures du matin, ont toujours commencé à dix heures, se rappelle le fougueux Clément Godbout, longtemps directeur du Syndicat des Métallos, maintenant secrétaire général de la FTQ et dauphin de Laberge. «Mais lors des réunions, Louis était sévère et exigeant. Il ne tolérait pas les gens mal préparés ou qui parlaient à travers leur chapeau, ça l'impatientait. Lui-même était toujours préparé et avait lu ses dossiers. Il ne tolérait pas non plus le chiquage de guenille et les gros éclats de voix. Il nous disait: "Arrêtez-moi ces folies-là, on est tous une *gang de chums...*"»

C'est que Laberge a une approche positive, il est optimiste de nature. C'est aussi un homme sociable, grégaire, qui aime le coude à coude et... lever le coude! «Un gars de *gang*, le genre bon gars, pas du tout individualiste», indique Jean-Guy Frenette, le conseiller économique puis politique de la FTQ, qui côtoie Laberge depuis 25 ans. Fernand Daoust ajoute: «Louis aime la compagnie, il s'ennuie tout seul et aime bien se sentir entouré.» Voilà pourquoi il compte des amis dans tous les milieux. «Avec Louis, précise Frenette en souriant, tu ne peux pas entretenir uniquement des relations formelles, officielles: tu deviens son *ami*...»

Laberge reconnaît: «C'est vrai que je m'attache facilement aux gens, que j'aime le monde. Mais comment tu fais pour ne pas aimer ce monde-là, les syndiqués de la FTQ, les travailleurs et les travailleuses, les gens ordinaires?»

Un homme de cœur

Ce qui fascine les nombreux *amis* de Louis Laberge et presque tous les gens qui le connaissent un tant soit peu, c'est son côté profondément humain. Sous sa carapace, il a une sensibilité à fleur de peau.

Il y a d'abord son naturel, sa simplicité, son style bon enfant qui le rendent attachant. «Je ne me suis jamais pris pour quelqu'un d'autre», dit-il. Et il a le cœur gros comme ça. «C'est un homme facile à émouvoir, il a facilement la larme à l'œil», dit Marie-Claude Deschênes. Sa femme Lucille confie: «À la FTQ, Louis a parfois l'air d'un dur à cuire, d'un *toffe*, mais à la maison, il est doux et tendre.» Une flamme complice brûle entre Lucille, qu'il appelle affectueusement «ma noironne», et Ti-Louis, qu'elle appelle familièrement «mon Ti-Pit...»

Un des amis intimes et confidents de Laberge, Jean Lavallée, président de la FTQ-Construction, donne son témoignage: «Même s'il a la couenne dure, Louis a le cœur sur la main.» L'aîné de ses garçons, Michel Laberge, ajoute: «Mon père est un homme très sensible mais qui contrôle généralement bien ses émotions. Quand il est trop ému, il va souvent pousser une blague...»

«Louis a un grand cœur et son cœur est du côté des travailleurs», affirme Jean Gérin-Lajoie, l'ex-directeur du Syndicat des Métallos, qui fut pendant plus de 20 ans vice-président de la FTQ et l'un des rares à s'opposer à Laberge à plusieurs reprises. «Sa sensibilité vient de ce qu'il est moins sûr de lui qu'il en a l'air. Il sait être attentif aux autres.» Celui qui a succédé à «Gérin« à la tête des Métallos, Clément Godbout, abonde dans le même sens: «On dit que ça prend bien plus d'énergie pour écouter que pour parler. Or Louis met beaucoup d'énergie à écouter, avec une patience d'ange parfois. Si tu écoutes bien, tu risques moins de te tromper...»

«En cas de coup dur, tu peux compter sur lui», explique un de ses vieux et chers amis, «le gros Jacques» Brûlé, ancien directeur du Syndicat canadien de la fonction publique (SCFP). «Il trouve le temps de te parler et les mots qui conviennent dans les épreuves. Une accolade, une tape sur l'épaule, un sourire. Plus tu es dans le trouble, plus il est près de toi.»

Le P.-D.G. du Fonds de solidarité, le «businessman de gauche» Claude Blanchet, raconte: «J'ai rarement rencontré une personne qui a un tel sentiment d'humanité envers les petites gens, les gagne-petit. Louis est prêt à donner sa chemise pour aider du monde à se trouver une job ou pour dépanner des amis et les amis des amis. Le défaut de sa qualité, c'est qu'il est souvent prisonnier de ses *chums* et qu'il ne peut pas garder la distance nécessaire.»

Pour son bon ami Marcel Melançon, patron d'une PME, «Louis n'a jamais travaillé pour lui-même, il pense d'abord aux autres. Par exemple, l'argent ne compte pas pour lui. Il m'a souvent dit: j'ai tant de plaisir à la FTQ que je paierais presque pour y travailler!..» Jean Lavallée renchérit: «Louis ne s'est jamais vraiment occupé de sa situation financière personnelle. Ainsi, jusqu'en 1982, il n'avait même pas de régime de retraite comme président de la FTQ. Et son salaire annuel n'était pas très élevé.»

* * *

Si Louis Laberge est un homme de cœur, il est aussi doué d'une intelligence vive. Une intelligence pratique, concrète, car ce n'est pas un homme d'abstraction mais un homme d'action. Pas un intellectuel enclin à théoriser mais une force de la nature qui se bat sur le plancher des vaches. Il n'en est pas moins un homme studieux qui a réussi à terminer douze années d'études et qui épluche soigneusement ses dossiers.

«C'est l'un des hommes les plus intelligents que j'aie rencontrés», dit, comme plusieurs autres, Jean-Guy Frenette, l'intellectuel à la barbe rousse qui fut son proche conseiller. Il est, à sa façon, visionnaire et avant-gardiste. Capable d'idées nouvelles, hors des sentiers battus, comme il l'a montré avec le Fonds de solidarité.

Il est doué d'une mémoire légendaire. Une mémoire très «politique» aussi: «Il peut te rappeler durement certaines choses bien précises pour te remettre à ta place et te fermer la trappe», raconte André Messier, autre intellectuel barbu et ancien vice-président plutôt radical de la FTQ, aujourd'hui directeur des communications de la centrale.

Sa vivacité d'esprit lui permet d'être ce que Godbout appelle «un gars malin», astucieux, futé. Un Vieux Renard, rusé et madré, un Vieux Singe à qui on n'apprend pas à faire des grimaces, qui sait être ratoureux au besoin. Il a une sorte d'instinct qui lui permet de sentir le vent. Il a du flair, du nez, «un pif incroyable», dit le leader du Parti québécois, Jacques Parizeau, pour qui Laberge a beaucoup d'estime et qu'il a déjà invité chez lui avec sa femme Alice. «C'est toujours bon de savoir d'où vient le vent», dit Ti-Louis qui se défend pourtant d'être une girouette.

Il fait preuve d'une «grande agilité mentale», observe diplomatiquement Gérin-Lajoie, qui s'est souvent colleté avec lui. Selon son vieux compère Marcel Pepin, «Louis peut affirmer une chose un jour et dire le contraire un autre jour. Mais y a-t-il des gens qui ne sont pas en contradiction avec eux-mêmes de temps à autre?...» Pour Yvon Charbonneau, l'ancien président de la Centrale de l'enseignement du Québec (CEQ), «Louis est brillant dans ses entourloupettes, ses pirouettes: il peut se contredire et retomber sur ses pattes rapidement.»

Selon André Thibaudeau, un ancien directeur du SCFP

et secrétaire de la FTQ, Laberge a un beau coup de patin: «Il est très habile, ce qui lui permet de conter des petits mensonges de temps en temps.» Par exemple, il a toujours aimé jouer au chat et à la souris avec les médias lors de la multitude de conférences de presse qu'il a données dans sa vie, mais il a cultivé une certaine complicité avec les journalistes.

Cet homme intelligent est-il anti-intellectuel? Jean-Guy Frenette, digne représentant de l'intelligentsia syndicale, répond: «Louis m'a dit, à quelques reprises, que la FTQ et le mouvement syndical devraient avoir davantage d'intellectuels à leur service. Ce qu'il n'aime pas, ce sont les gens plus enclins à placoter qu'à agir. Le problème, c'est qu'il se fie parfois trop à son pif, sans faire d'analyse plus approfondie. Il m'a déjà dit, mi-blagueur: pas besoin d'être économiste pour parler d'économie! Mais il a ajouté jusqu'à un certain point...»

Pour André Leclerc, un autre «idéologue» de la FTQ, permanent de la centrale depuis plus de 20 ans, «Laberge a longtemps fait des farces sur les intellectuels et je crois qu'il s'en méfiait à ses débuts à la présidence dans les années 60. Mais on s'est apprivoisés et on a bien travaillé ensemble, malgré les plaisanteries.»

* * *

Des blagues, des taquineries, des pitreries même, Laberge en aura fait autant comme autant dans sa vie. Mais sous sa façade de «gros comique», le Vieux Renard sait bien où il s'en va... la plupart du temps.

Avec son sens de l'humour et sa bonhomie gouailleuse, il peut dérider une salle. Goguenard, il sait décocher la boutade qui détend l'atmosphère lors d'une séance de négociations, qui désarçonne l'adversaire ou qui met tout simplement de l'entrain dans une assemblée. Des blagues parfois cinglantes comme celle-ci, sur les trois grandes centrales syndicales québécoises: «La CSN le dit, la CEQ l'écrit et la FTQ le fait...»

«C'était un vrai plaisir de travailler avec lui à l'exécutif de la FTQ», dit en souriant Clément Godbout. «Il faisait le clown à l'occasion et c'était l'une de ses tactiques», note un ancien trésorier de la centrale, René Rondou du Syndicat du tabac. Pour Jacques Brûlé, «Louis est passé à mes yeux d'une réputation de bouffon à une stature de grand leader syndical."

Selon Yvon Charbonneau, «avec ses bons mots, il a l'art de mettre les rieurs de son côté et de retourner en sa faveur les situations difficiles». «Quand il est coincé, il tourne souvent ça en farces», confirme son fils Michel.

Jean Gérin-Lajoie a apprécié la compagnie joyeuse de Laberge, même s'il a goûté à la malice de ce joueur de tours, comme en témoigne l'anecdote suivante. Lors d'un voyage d'étude en France en 1970, la délégation de la FTQ avait eu trois jours de rencontres autour du thème de la planification économique. Ce matin-là, elle devait faire le point sur la question avec un très haut fonctionnaire à Paris. Ce dernier s'enquiert avec une politesse toute guindée:

— Alors, Messieurs, vous êtes là depuis trois jours, avez-vous des questions?

— Certainement, répond Laberge. Nous en avons préparé et nous avons demandé à notre vice-président, Jean Gérin-Lajoie, de vous les poser...

Gérin-Lajoie se souvient: «J'ai été pris complètement par surprise, les culottes baissées, car nous n'en avions pas du tout parlé entre nous.» Il n'a jamais oublié le sourire fendu jusqu'aux oreilles de Ti-Louis quand celui-ci s'est tourné dans sa direction pour lui céder la parole...

«Paf sur la gueule!...»

Autant Laberge peut se montrer charmant et plein de jovialité, voire de courtoisie, autant il a un tempérament de feu et peut à l'occasion être de mauvais poil, sec, impatient. Et très mordant, caustique. «C'est vrai que je suis assez carré et un peu fruste», admet-il. Bon cœur et mauvais caractère, comme dit le dicton?

«Une vraie tête de cochon», lance tout de go un de ses meilleurs amis, Jean Lavallée. «Louis est assez baveux sur les bords et parfois blessant. Il peut devenir méchant et te mordre fort. On a eu des petites chicanes pas piquées des vers...»

«Il lui arrive d'être mal engueulé, dit un autre de ses vieux complices, Jacques Brûlé. Il peut te couper la parole et te passer dans le tordeur quand il n'est pas content. C'est un gars entier: même quand il fait une gaffe, il ne la fait pas à moitié! Je suis pareil. On a eu de grosses chicanes, jusqu'à deux semaines sans se parler. Sa secrétaire, madame Roth, faisait de l'arbitrage entre nous deux...»

«Il peut te déculotter et te faire mal, il est très sarcastique», témoigne Clément Godbout. «Il a le sens de la repartie: paf sur la gueule! Mais après t'avoir planté bien raide, il sait arranger les choses. Quoi qu'il arrive, il te le dit en pleine face, tu n'as pas besoin de traduction simultanée...» Gérin-Lajoie renchérit: «Louis peut être très soupe au lait, surtout le matin de bonne heure... Il est parfois excessif, très tranché, pas minutieux. Il tourne les coins rond.» Godbout ajoute: «Il travaille à la hache et n'est pas habile dans les détails. Ce n'est pas un gentleman raffiné et sophistiqué comme Fernand (Daoust), qui est plutôt méticuleux.»

Un vieux routier des Métallos et de la FTQ, Émile Boudreau, est l'un de ceux qui a pu tenir tête à Laberge, «le prendre de front et lui parler sur le même ton», dit-il: «Louis peut se comporter comme une vraie tête de cochon mais ça tombe bien, moi itou! Gérin-Lajoie aussi pouvait être frondeur avec Louis. Il était capable de l'accoter et de s'imposer." Laberge dit de son côté: «J'ai été l'un des rares à avoir pu tenir tête à Émile Boudreau... et à Jean Gérin-Lajoie...»

Marie-Claude Deschênes essaie de faire la part des choses: «Monsieur Laberge peut avoir des impatiences vives, des sautes d'humeur, des colères noires même, mais sa mauvaise humeur ne dure jamais. Il est un peu boudeur mais pas rancunier. C'est un homme très franc et direct: avec lui, tu sais toujours où tu en es. Et quand c'est dit, on passe à autre chose.»

Pour Alphonse («Ti-Phonse») De Césaré, leader du Syndicat de la boulangerie et du tabac et partenaire de cartes de Laberge, «Louis ne te fait pas faire ses messages et il ne te conte pas de contes. Faut juste pas que tu lui piles sur les pieds, ils sont sensibles...»

Bref, il ne faut surtout pas écraser la queue du Vieux Lion car il va rugir et donner un terrible coup de patte!

Surtout que c'est un homme plutôt susceptible et qu'«il n'aime pas qu'on lui fasse trop d'ombrage», dit Lavallée. Son garçon Michel en témoigne: «Papa est un gars plus que fier, orgueilleux.» Son ex-secrétaire Gisèle Roth aussi: «Monsieur Laberge n'est pas un homme prétentieux, mais son honneur passe avant tout.» «Il y a un brin de vanité chez lui», glisse Marie-Claude Deschênes. Et Gérin-Lajoie: «Louis est très conscient de son image personnelle et de celle de la FTQ. Il aime bien être reconnu, dans tous les sens du terme. Il a beaucoup d'amour-propre.» Pour son ami Marcel Melançon, «Louis a du mal à piler sur son orgueil: il va finir par admettre qu'il s'est trompé, mais ça lui est plus facile strictement en privé et après quelques bonnes bouteilles de vin...»

Un exemple de son tempérament carré et ombrageux? Lors d'une assemblée des permanents des syndicats affiliés en 1979, il voit surgir inopinément dans la salle quelques employés temporaires de la FTQ, contrairement à une décision prise par l'exécutif de la centrale. Ce petit coup de force survient au beau milieu des négociations collectives entre la FTQ et le syndicat de ses employés. Laberge déclare alors franchement qu'il ne présidera pas l'assemblée si les trouble-fête ne quittent pas les lieux. Il propose lui-même un vote là-dessus et, contre toute attente, il est défait. Homme d'honneur, il se lève et dit à la cantonade: «Salut, tout le monde, bonne journée!» Puis, drapé dans sa dignité, il quitte la salle. Résultat: l'assemblée n'a pas eu lieu!

Laberge a été suivi de tous les membres de son exécutif sauf un, le vice-président contestataire Robert Bouchard, du Syndicat des communications. Peu après, Laberge lui dit, pince-sans-rire: «Voyons donc, Bob, je savais pas que tu souffrais de rhumatismes...»

* * *

Pour tout dire, Louis Laberge est un batailleur, qui aime prendre le taureau par les cornes. Un homme qui a du cran et même du culot. Un «front de beu», selon l'expression populaire québécoise.

Son ami Jean Campeau, ancien président de la Caisse de dépôt et placement du Québec, a été frappé par son «tempérament bagarreur»: «C'est d'abord un homme qu'on craint, on l'aime ensuite... Il crâne parfois, mais il peut te planter raide. Il est incapable de ne pas dire ce qu'il pense. Au conseil de la Caisse où il siégeait, je me disais dans certains dossiers: pourvu qu'il ne soit pas contre moi...» Il sait inspirer la crainte qui est, paraît-il, le commencement de la sagesse.

Selon Marcel Melançon, «Louis a appris à se battre pour se faire une place au soleil. Ce n'est pas le genre à manger une claque sur la gueule et à te dire merci. Tu risques plutôt en retour de recevoir un coup de pied dans le cul!» Pour Jean-Paul Ménard, un syndicaliste de la construction qui lui a succédé à la présidence du Conseil du travail de Montréal, «il était prêt à se battre pour les ouvriers, peu importe les conséquences pour lui, jusqu'à la prison s'il le fallait». Il n'a jamais eu peur des grèves, du piquetage, des manifestations et même des affrontements avec la police.

«Il a des réflexes très combatifs: une fois la lutte commencée, il se bat comme un lion, même s'il avait pu avoir des réserves au début», note l'ex-journaliste Pierre Richard, qui fut pendant 12 ans directeur des communications à la FTQ. «C'est un bulldozer. Il cultive d'ailleurs son image de personnage capable de revirer le Québec à l'envers!»

D'après Pepin, «Louis fait parfois un peu le matamore, il aime les combats de coqs, mais il a beaucoup de courage. Il est prêt à prendre des risques... tout en ménageant ses arrières." «Il est fringant et va résolument de l'avant, dit Gérin-Lajoie. Il ne sait pas toujours jusqu'où il va aller, mais il y va avec aplomb!»

Il est vrai que Laberge a le goût du risque et du coup de poker, son jeu de cartes préféré. Selon Daoust, «c'est un homme intrépide, un gars de paris. Il n'a pas peur de se mouiller et a pris beaucoup de risques dans sa vie». Pour Claude Blanchet, il a «un sens naturel de l'entrepreneuriat et donc du risque». Il affiche une grande force de caractère, celle des gens qui veulent gagner, et n'accepte pas la défaite: c'est un mauvais perdant — sauf aux cartes, semble-t-il. «C'est un bon *gambler* qui s'arrange pour gagner», dit un de ses bons amis et partenaire de cartes, l'ingénieur et homme d'affaires Antonio Accurso.

Un de ses leitmotivs préférés: il ne faut rien tenir pour acquis et se battre jusqu'au bout. Il est donc persévérant, têtu, patient; il ne se décourage pas et revient à la charge. Et cite souvent ce vieux dicton: petit à petit l'oiseau fait son nid.

Et quand il lui arrive de tomber, il finit toujours par se relever. Son instinct de survie. «Louis retombe sur ses pattes comme un chat... un chat qui a neuf vies», estime Jean Lavallée. Il a une capacité de rebondir, surtout dans les pires moments. «Même quand il est mal pris, il est dur à attraper et peut ressembler à une vraie couleuvre», soutient un de ses anciens confrères syndicalistes à Canadair, Robert Lavoie.

En fin de compte, Louis Laberge est une bête politique, avec un instinct sûr. Un grand politicien syndical. Un homme de pouvoir, donc, ambitieux aussi. Et qui a pu conserver le pouvoir pendant 27 ans à la présidence de la FTQ en étant, littéralement, imbattable: il a toujours été réélu par acclamation.

Un gars de la base

Son pouvoir, Louis Laberge le doit à son charisme, au magnétisme de sa forte personnalité.

Premier «atout« chez ce grand joueur de cartes: il est, selon ses propres termes, «un gars de la base», il a toujours été proche de son monde et représentatif de ses membres. «C'est l'incarnation même du leader bien enraciné qui fait corps avec son monde», constate son ancien compagnon de prison Yvon Charbonneau. Pour l'ancien sous-ministre du Travail, Claude Mérineau, «c'était un chef tricoté pour sa centrale, le prototype de l'ouvrier de métier qualifié membre d'un syndicat industriel de la FTQ, un col bleu avec une bonne formation.»

Selon Clément Godbout, «Laberge a toujours eu les réflexes syndicaux du travailleur venu de la base. Il est juste un petit peu en avant de ses membres parce qu'il veut toujours sentir dans son cou le respir de ceux qui le suivent. C'est un leader plein de gros bon sens, un gars prudent qui ne s'emballe pas facilement.» «Avec le temps, il a su encore mieux s'adapter et évoluer avec ses membres et avec le Québec», considère Jean-Guy Frenette.

Capable de se mettre au diapason de son monde, Ti-Louis peut donc faire preuve d'une grande force d'adaptation, d'un opportunisme évident. «C'est un homme de principes, mais c'est aussi un fin politicien, calculateur», remarque Émile Boudreau. «Il voit venir la vague de loin et peut surfer dessus», ajoute Gérin-Lajoie. Selon André Thibaudeau, «il est capable d'être opportuniste en maudit... Ce n'est pas un ange Ti-Oui, c'est un politicien syndical, un vrai chef.» Pour Guy Cousineau, vice-président contestataire de la FTQ, «quand il préside une assemblée, il sent toujours sa salle: il sait jusqu'où aller et revenir, quand affronter ou reculer. Il avance à petits pas mais avec une énorme détermination."

Autre atout de Laberge: c'est un tribun populaire comme il s'en fait peu. «Un excellent orateur», dit l'ex-président de la CSN, l'austère Marcel Pepin. «Un *debater* redoutable et un bon plaideur», ajoute un ancien avocat patronal devenu premier ministre du Canada, Brian Mulroney. Populiste, un tantinet démagogue, irrévérencieux, Ti-Louis a toujours parlé pour se faire comprendre. Avec une verve, une faconde, un brio rares et, au besoin, quelques jurons et «sacres» bien québécois.

Son bagout et son franc-parler l'ont parfois conduit à des coups de gueule et à des écarts de langage. Il a laissé échapper quelques petites phrases célèbres du genre «Il faut casser le régime!» ou «Il faut se débarrasser de ce bâtard de gouvernement Bourassa»... Et des chansons polissonnes comme «Un...

deux... trois coups de matraque, ça frappe en tabarnak...» «Dans le feu de l'action, on dit tant de choses», déclare-t-il sans remords.

«Ses paroles ont parfois dépassé sa pensée», disent avec diplomatie Fernand Daoust et Jean-Gérin-Lajoie, qui lui ont reproché à l'occasion ses excès de langage. Laberge n'a jamais eu la langue dans sa poche et a cultivé l'art de l'hyperbole plutôt que celui de la litote. Mais ses déclarations à l'emporte-pièce tenaient, bien souvent, de la bravade et de la rodomontade. Il est un peu hâbleur. Selon Jean Lavallée, «Louis a eu quelques incartades qu'on n'accepterait de personne d'autre, mais on lui pardonne volontiers ses fredaines...»

* * *

En dépit de son verbe haut et flamboyant, deux mots caractérisent bien le leadership de Laberge: **pragmatisme** et **réalisme**. Il est contre tous les dogmatismes et tous les extrémismes, de gauche comme de droite.

Lui-même homme de gauche modéré, social-démocrate et réformiste, il n'aime pas les gens doctrinaires, les théoriciens purs et durs qui heurtent son sens pratique et son tempérament d'homme d'action. Par exemple, devenu un ardent militant de la souveraineté du Québec, il n'est pas d'accord avec les «séparatistes« à tous crins qui ne veulent rien savoir des liens d'association à conserver avec le Canada.

«Il a toujours été au centre-gauche et, surtout, très terre-à-terre», estime Claude Mérineau. «Louis n'est pas dogmatique pour deux sous, constate Jacques Parizeau, il est plutôt du genre: qu'est-ce qui est possible et faisable? Il est réaliste mais vibrant aussi, prêt à s'enflammer pour certains enjeux. C'est un idéaliste qui a un grand sens pratique.» Pour le premier ministre Bourassa, «ce n'est pas un chef syndical idéologique comme d'autres. Là-dessus il est très nord-américain. C'est un homme responsable. Il ne cherche pas... il ne cherche plus à tout casser.»

Pour Laberge, il faut garder son idéal mais perdre ses illusions. Il faut toujours essayer d'améliorer au maximum le sort des travailleurs, des gens les plus mal pris, et essayer de changer la société. Mais il y a le souhaitable et il y a le réalisable. Quand on veut vraiment changer le monde, concrètement et non pas théoriquement, le monde nous change aussi. On apprend l'art du possible, on apprend à mieux s'y prendre pour avancer.

Chez certains de ses dénigreurs, à la CSN notamment, on a dit que Ti-Louis évoquait le traditionnel *labor boss* à l'américaine, partisan du «syndicalisme d'affaires». «Le mouvement syndical travaille pour des changements maintenant, pas pour dans 100 ans, dit-il. Il faut arriver à des résultats, en fonction du rapport de forces, quitte à faire un pas en arrière pour mieux faire deux pas en avant.» Et comme dit le proverbe chinois, qu'importe que le chat soit noir ou gris, pourvu qu'il attrape les souris!

Laberge a donc le sens du compromis et sait mettre de l'eau dans son vin... C'est un virtuose de la concertation, des alliances tactiques et stratégiques. Selon Émile Boudreau, «il a recherché honnêtement les compromis, pas les compromissions, quoi qu'en aient dit certains puristes. C'est un gars droit, "drette", qui n'utilise pas de faux-fuyants.»

Mais il est capable de jouer sur plusieurs tableaux, d'organiser des manifestations et de faire du lobbying, d'appuyer furieusement une grève et de jouer de petits jeux de coulisses pour essayer de régler le conflit. Selon André Messier, il fait flèche de tout bois: «Il peut planter un de ses adversaires en conférence de presse puis lui expliquer au téléphone, une heure plus tard, qu'il n'avait pas le choix et qu'il a un compromis à lui proposer.» Durant son long règne à la FTQ, il a su alterner la confrontation et la concertation, la contestation et la négociation.

«Louis peut t'ouvrir des portes partout, il a ses entrées partout», constate Jean Lavallée. Il a les bons contacts qui font les bons amis. «Avec le nombre de *chums* que je me suis fait, c'est sûr que les affaires avancent et débloquent plus vite», explique-t-il avec un sourire entendu. Plus acerbe, l'ancien président de la CSN, Marcel Pepin, soutient que «Louis est l'homme des "IOU" ("I owe you"), des petits services qui en attirent un autre.»

D'après Gérin-Lajoie, grâce à ses contacts, Laberge ressemble parfois à un «magicien» qui réussit des tours de passe-passe, qui sort des lapins de son chapeau! «Ses contacts sont fort précieux et utiles. Mais il ne peut pas toujours tout régler sur un simple coup de téléphone.» Pour Daoust, «Louis se sert de ses amis bien placés pour aller chercher le maximum. Avec les gouvernements, par exemple, il a toujours voulu faire un bout de chemin, surtout en début de mandat.»

Laberge a une ligne directe avec Québec et Ottawa: «Pas de problèmes pour rejoindre les hommes politiques, ils le rappelaient assez vite», dit Marie-Claude Deschênes. «Il ne coupe jamais les ponts avec les politiciens, ajoute Godbout. Il a de bonnes *connexions* avec eux: c'était toujours René (Lévesque) par-ci, Robert (Bourassa) par-là...» Pour Bourassa, Laberge est «capable de s'entendre avec tous les gouvernements, sauf en période de campagne électorale...» Pour son homologue canadien Brian Mulroney, «il n'aime pas les politiciens sauf ceux qui sont au pouvoir! Mais il aime bien faire de la politique...»

Sur les liens de Laberge avec les gouvernements, Marcel Melançon lance cette boutade: «Il a toujours été dans l'opposition tout en ayant le pouvoir...» D'autres disent: les gouvernements passent, Ti-Louis et la FTQ restent.

La parole donnée

En négociations, Laberge sait mettre de la pression, bâtir un rapport de forces puis utiliser à fond la politique du donnant-donnant *(give and take)*: «Tu fais des concessions, j'en fais.» Il se garde des portes ouvertes, il ne se laisse pas enfermer. Et «il laisse toujours une porte de sortie honorable à son adversaire, il n'essaie pas de le tuer», constate Gérin-Lajoie.

Selon le président du Conseil du patronat, Ghislain

Dufour, «c'est un négociateur habile, un vieux malcommode comme on dit, mais il est parlable. Il respecte la parole donnée et livre la marchandise; il ne m'a jamais fait dans les mains.» D'après l'ex-ministre du Travail, Jean Cournoyer, «c'est un dur négociateur, mais il négocie pour régler. C'est un gars qui n'a qu'une parole.»

Un homme de parole, fiable, c'est ce que disent tous ceux qui ont eu à négocier avec Laberge: Dufour, Cournoyer, Bourassa, Mulroney, Parizeau et tant d'autres. Le chef du PQ résume l'opinion générale: «Certains disent que Louis est un vieux roublard, un paysan normand... mais sur le fondamental, la parole de Laberge, ça vaut de l'or."

Un autre de ses atouts majeurs, c'est sa capacité de faire des consensus, de chercher et de trouver des terrains d'entente. Il sait comment s'y prendre pour remplacer le face à face par le coude à coude. «C'est une de ses forces», dit un syndicaliste qui n'a guère d'atomes crochus avec lui, Claude Morrisseau, longtemps directeur du SCFP et vice-président de la FTQ, aujourd'hui l'un des hauts cadres du Fonds de solidarité. «Il arrive à dégager des consensus et, bien souvent, à amener en douceur les autres à ses positions. C'est un bon manœuvrier.»

Un ex-vice-président de la FTQ qui a été dans l'opposition, André Messier, met son grain de sel: «Il m'a déjà dit: "Quand une personne te conteste trop, va la chercher et essaie de l'amener avec toi." Il essaie de te récupérer, de te couper l'herbe sous le pied. À l'exécutif de la FTQ, il a toujours cherché à bâtir une dynamique consensuelle. Il est à l'aise là-dedans.» «Louis préfère retarder des décisions pour se laisser le temps de tricoter un consensus. Les votes sont rarissimes au bureau», confirme Claude Ducharme, directeur du Syndicat de l'automobile. «C'est un rassembleur», dit Robert Bouchard, un ancien vice-président de la FTQ qui a souvent divergé d'opinion avec Laberge: «Il dialoguait beaucoup et, comme c'est un fin renard, il arrivait à t'embarquer...»

Ti-Louis explique avec son gros bon sens: «Avec la structure décentralisée de la FTQ et parce que l'adhésion des syndicats est volontaire, facultative, tu as intérêt à essayer de faire des consensus. Avant de prendre une décision, je consulte, j'en discute, je m'arrange pour avoir des appuis.» Un des fruits de cette approche: la FTQ n'a jamais connu de scissions ou de désaffiliations massives, contrairement à la CSN, par exemple.

Laberge ne serait donc pas un leader autoritaire? «Pas vraiment», estime Jean-Guy Frenette, parfois considéré comme une éminence grise de la centrale. «Louis est un meneur d'hommes assez rude, il a de la poigne, mais il savait que son autorité lui venait des syndicats affiliés qui sont très indépendants. Il devait en tenir compte. C'est un homme qui peut te laisser de la marge de manœuvre et te faire confiance, il n'essaie pas de tout contrôler. Mais il m'a souvent dit: "si tu veux prendre les décisions, fais-toi élire!"»

Gérin-Lajoie confirme: «Louis tenait trop compte de la base, et de la direction où soufflait le vent, pour être autoritaire. Je ne veux pas dire par là qu'il était du genre: "je suis leur chef, donc je les suis", au contraire! Mais il faisait très attention à la température...» Marcel Pepin jette plus cyniquement: «Louis est beaucoup trop souple pour être autoritaire...»

Par contre, certains à la FTQ trouvent qu'il a souvent «bulldozé« la centrale quand il voulait arriver à ses fins. «Il a lancé le Fonds de solidarité à peu près sans débats et avant que le congrès l'approuve», lui reproche son ancien conseiller en communications, Pierre Richard. Selon Guy Cousineau, «quand il a un projet dans les tripes, il peut déplacer des montagnes! On l'a vu pour le Fonds de solidarité et pour la construction du Complexe FTQ. C'est justement parce qu'il allait trop vite avec le Fonds que je me suis opposé au projet au début. J'ai quelquefois été dans l'opposition, mais je dois dire que Louis respecte les gens qui l'affrontent et qui ont le culot de défendre leurs idées, même s'il les trouve parfois achalants ou exaltés...»

«Je me suis fait accuser d'avoir été vite en affaires avec le Fonds de solidarité et c'était bien vrai, admet Laberge. Mais je suis persuadé que si on n'avait pas été vite, on serait encore en train d'en discuter! Et puis le projet a été approuvé, à toutes les étapes, par le bureau de direction de la FTQ et par le conseil général, l'instance suprême entre les congrès.»

Vite sur ses patins, certes, mais autoritaire? Laberge est porté à affirmer son ascendant, parfois brusquement. Il a presque toujours dirigé ses congrès de main de maître, avec son petit maillet présidentiel et une autorité sûre, souvent féroce pour ses adversaires. Les débats étaient menés rondement, «sans tataouinage et dans la bonne humeur, dit-il, dans une grande complicité avec les délégués». Et les propositions mises aux voix selon sa procédure familière: «Ceux et celles qui sont pour? Contre *s'il y en a* ?... Adopté!»

«La démocratie syndicale a toujours été bien vivante aux congrès de la FTQ», dit Fernand Daoust. Des congrès qui ressemblaient parfois à un cérémonial avec un rituel bien établi et dont Ti-Louis était le grand officiant, mais «des congrès pas toujours faciles à mener», dit-il: «Fernand et Jean Gérin-Lajoie, qui ont parfois présidé en mon absence, ont eu maille à partir avec la salle et ils étaient bien contents quand je revenais...»

Tout compte fait, Laberge a-t-il été plus autoritaire à la direction de la FTQ que René Lévesque — un grand démocrate qu'il admirait — l'a été à la barre du Parti québécois?

Le «parrain»

En définitive, Laberge aura été un chef syndical remarquable que plusieurs n'hésitent pas à considérer comme le «parrain» du mouvement ouvrier au Québec. Un chef influent sur qui on peut compter pour obtenir aide, appui et bons conseils, surtout qu'avec les années il est devenu une sorte de vieux sage. Un chef de clan et de tribu, un caïd au sens originel du terme, c'est-à-dire un personnage considérable dans son milieu.

Selon un de ses grands amis à qui il donne l'accolade, l'homme d'affaires Antonio («Tony») Accurso, «Louis est un vrai parrain, un *godfather*. Il a acquis beaucoup de pouvoir et de puissance, assez pour t'aider ou te nuire. Mais il se sert essentiellement de son pouvoir pour rendre service, pour les bonnes causes.» Et pour «rendre des petits services», insiste Aimé Gohier, un copain et ancien confrère à Canadair, ex-vice-président de la FTQ. Laberge dit pour sa part: «Il n'y a pas de *petits* services...»

«Au fil des années, comme un parrain, Louis a rendu tellement de services qu'il a réussi à ce qu'à peu près tout le monde lui en doive une», estime le directeur des communications de la FTQ, André Messier. «Il a cultivé des contacts partout et les gens des syndicats de la FTQ l'appelaient pour avoir son aide en cas de problème. Il avait toujours les bons contacts, même très haut placés, et se rendait disponible. Il a aidé à régler un paquet de problèmes. Cela a eu pour effet de susciter une grande loyauté à son égard, parfois aveugle. Beaucoup se rangeaient spontanément de son bord, peu importe les enjeux."

Laberge dit: «Comment tu fais pour ne pas aider ton monde? Et aimer ton monde? Je ne suis pas capable de dire non: quand quelqu'un est dans le besoin et te tend la main, il faut que tu donnes la tienne.»

C'est encore plus vrai pour ses amis, *a fortiori* pour ses meilleurs amis.

Ses amis intimes sont peu nombreux, comme c'est évidemment le cas pour presque tout le monde. Chez les syndicalistes, ils forment un carré d'as ou une suite royale comme au poker! De vieux confrères de la FTQ comme Jean Lavallée et Jacques Brûlé, ses frères d'armes, et aussi Alphonse De Césaré, un de ses partenaires de cartes, ainsi que Jacques Vanier, son compagnon de pêche. Et des amis plus récents, Clément Godbout et aussi Jean Martin, premier vice-président du Fonds de solidarité. À l'extérieur de la FTQ, il y a les hommes d'affaires Marcel Melançon et Antonio Accurso.

«Louis a très peu d'intimes», raconte Melançon, qui considère Laberge comme un véritable «père»; Ti-Louis lui a d'ailleurs servi de père lors de son deuxième mariage. «Contrairement à ce que l'on pense, c'est un homme réservé: il ne s'ouvre pas facilement, par prudence et même par timidité. Mais quand il devient ton ami, il est d'une fidélité à toute épreuve. Il nous reçoit chez lui, ma femme Diane et moi, à la bonne franquette autour de la table de la cuisine, avec Lucille. Louis n'est pas un gars de salon, c'est un gars de cuisine!»

Jean Lavallée renchérit: «Louis et Lucille sont très recevants à la maison. Avec mon épouse Nicole, on a passé de grandes soirées avec eux à bien manger, à boire un bon coup, à placoter et à s'amuser jusque tard dans la nuit. Louis n'est pas un casseux de veillée... Et surtout, il est loyal envers ses amis."

Laberge se définit comme «un gars droit et sincère qui ne laisse pas tomber ses amis.» Il confie: «Avec Jean, le gros Jacques, Marcel, Tony et quelques autres un peu moins proches, j'ai vraiment de solides et fidèles amitiés. J'ai beaucoup d'affection pour eux.»

* * *

Mais il n'y a pas que les amis, il y a aussi sa femme, Lucille Chaput, et sa famille. «Ce sont ceux qui comptent le plus pour moi...»

Son amour pour Lucille, sa complice, remonte à leur rencontre au milieu des années soixante; ils se sont mariés en 1980 et coulent des jours heureux dans leur coquet bungalow de L'Assomption, au bord de la rivière. «C'est la femme de ma vie. Une vraie soie...» Il l'adore, disent ses intimes.

Son amour est tout aussi fervent pour ses enfants, ses trois garçons Michel, Pierre et Jean, nés de son premier mariage avec Thérèse Vaillancourt. Michel est informaticien à Bell Canada, Pierre, ingénieur à Hydro-Québec et Jean, fonctionnaire à la Commission de la santé et de la sécurité du travail.

Il y a aussi les enfants de Lucille: Monique, Manon, Sylvie et Roger. Et les petits-enfants, au nombre de dix, qui grandissent sous l'œil protecteur de ce grand-père un peu bourru mais affectueux. Et puis il a encore deux sœurs et deux frères auxquels il est très attaché.

En fait, il est devenu le pivot familial, et c'est chez lui que se tiennent les grandes réunions de famille, une dizaine de fois par année: la réception du Jour de l'An, l'épluchette de blé d'Inde en août, les fêtes, anniversaires et retrouvailles de toutes sortes. «Mon père nous a toujours donné sa bénédiction paternelle au Jour de l'An», dit son fils aîné Michel. «C'est un homme croyant et il a longtemps été très pratiquant.»

À l'été 1989, Laberge a loué un autobus pour aller voir, en famille, le barrage hydro-électrique de Manic 5 sur la Côte-Nord. «Une vingtaine dans l'autobus, douze heures de route et ça valait la peine: une vraie œuvre d'art. Et c'est notre or blanc."

Mais en règle générale, il est plutôt casanier et préfère rester à la maison même en vacances. Bien qu'il soit allé à l'étranger lors de voyages officiels, il n'aime pas beaucoup les pérégrinations hors du pays. C'est d'ailleurs l'une de ses plaisanteries préférées: «Les grands voyages, je laisse ça à Fernand (Daoust), surtout la France. Lui c'est deux semaines sur la Côte d'Azur, moi deux jours sur la Côte-Nord!»

Les voyages qu'il préfère, ce sont les parties de pêche avec Lucille et quelques amis. Durant les vacances d'été, ils se rendent à un chalet au lac Faillon, près de Senneterre en Abitibi, pêcher le doré et le brochet durant une semaine. En prime, le lac possède une belle plage de sable et ils aiment bien se baigner, surtout Lucille qui ne craint pas l'eau froide.

Un de ses petits plaisirs est de se prélasser chez lui dans son oasis de verdure, au bord de la piscine, avec un *drink*, et de faire des saucettes de temps en temps. «J'aime bien mes pantoufles. Dès que je cesse de travailler je commence à relaxer, à faire le vide. Et la maison est un havre de repos, de paix et de sérénité. Ça me permet de recharger mes batteries. Si, après une journée, houleuse c'est encore houleux chez vous, ça ne peut pas marcher. Mais avec Lucille, pas de problème...»

À la maison, il aime bien travailler de ses mains. Il coupe

son bois, tond son gazon, plante les piquets des plants de tomates dans le jardin de Lucille. En hiver il passe la souffleuse à neige. «Mais je ne suis pas très discipliné: je ne déblaierais pas l'entrée de garage le jour même si je n'étais pas obligé de sortir mon auto...»

Dans ses moments de loisirs, il essaie de lire quelques livres mais n'a guère le temps: «Je suis obligé de lire un tas de dossiers sérieux. J'ai parfois un œil sur mes documents et un autre sur la télévision quand passe un bon film." Pour se délasser, il aime bien dévorer un roman policier, un roman d'espionnage ou d'aventures, surtout avant de se coucher. «Il est friand de romans policiers, c'est son évasion», dit Marie-Claude Deschênes.

Laberge assiste parfois à des pièces de théâtre pour se détendre, comme *Broue*. Côté musical, il préfère la chanson populaire et aime bien des artistes comme Édith Piaf, Ginette Reno, Gilles Vigneault, Fernand Gignac etPatrick Normand.

«À vrai dire, je n'ai pas beaucoup de temps pour des activités culturelles. De toute façon, j'avoue franchement qu'entre le plus beau spectacle en ville et une partie de cartes avec de bons joueurs, des amis en plus, je n'hésite pas une miette!»

Un autre de ses petits plaisirs est de «faire une bonne bouffe» avec Lucille, la famille ou les amis: «Je suis un bon vivant. Chaque bon coup, chaque victoire, on célèbre ça autour d'une table bien garnie, un repas arrosé avec une couple de bonnes bouteilles de vin... Je peux rester à table longtemps juste pour jaser...»

Ses plats préférés? D'abord ceux que lui prépare Lucille: le bœuf selon la recette de Janette Bertrand, le pâté chinois, le rosbif, les frites maison. Puis les mets qu'il se fait lui-même sur son barbecue, au charbon de bois, les hot-dogs et les hamburgers mais surtout le steak *T-Bone* avec sa sauce spéciale. «C'est sa recette, dit Lucille, et il ne rate pas sa cuisson.»

Mais ce qu'il préfère peut-être entre tous les mets, ce sont les fondues, bourguignonne ou chinoise: «Ça donne le temps de jaser tranquillement en mangeant.» Au restaurant, un de ses plats de prédilection est le homard Thermidor; il s'en commande un à l'occasion *Chez Pierre*.

Quant aux réunions du bureau de direction de la FTQ, le menu y était presque toujours le même: le midi, on se faisait livrer du poulet barbecue des Rôtisseries Saint-Hubert...

Un p'tit coup... et une partie de poker

«Prendre un p'tit coup, c'est agréable...»

Il est de notoriété publique que Ti-Louis a pris un coup solide dans sa vie. «Un gars qui en a pris autant que moi sait de quoi il parle...», dit-il mi-figue mi-raisin... rouge, comme la couleur de son vin préféré. Il a dû, à l'occasion, mettre de l'eau dans son Mouton Cadet.

Il a toujours eu un petit bar dans son bureau à la FTQ. Pendant longtemps il fut un adepte du *chaser*, comme disent les Anglais, du verre qu'on prend pour en faire descendre un autre. Il s'est spécialisé dans la technique «un cognac, une bière»: le cognac Rémi Martin VSOP, qu'il a remplacé par du Gaston De Lagrange, et la bière O'Keefe portant l'étiquette de fabrication syndicale, bien sûr. Il ne détestait pas non plus le gin ni le Bloody Mary. Quand il a cessé de boire du cognac, il est passé au vin rouge et a finalement opté pour le Mouton Cadet. «Je le prends froid, il est tellement meilleur frappé. Et plus facile à digérer.»

Ses grands amis qui ont pris un coup assez fort avec lui, Jacques Brûlé et Jean Lavallée, n'hésitent pas à dire que «Louis pouvait accoter et même coucher tout le monde». Mais le stress et la fatigue accumulée aidant, «il en a aussi payé le prix en allant parfois trop loin», constate Brûlé. Fernand Daoust dit avec circonspection: «Louis s'est parfois laissé aller: l'enthousiasme du moment, les amis, la pression...» Jusqu'à ce qu'il soit obligé de se mettre temporairement au régime sec durant sa dernière année à la présidence de la FTQ. «Ça ne me fera sans doute pas vivre plus longtemps, mais le temps va me paraître plus long», avait-il trouvé le moyen de plaisanter.

Lavallée, qui fut un bon buveur de cognac, dit que Laberge a dû à l'occasion mettre la pédale douce: «À quelques reprises, à partir du début des années 70, ses *chums* du bureau de direction de la FTQ lui ont dit, très franchement, de modérer ses transports. Et même que ça ne pouvait plus continuer comme ça. Et il a réellement fait des efforts. Mais je reste persuadé que si Louis n'avait pas pris un coup, il ne se serait pas rendu aussi haut dans le mouvement syndical... Mais oui! Comme pour beaucoup de leaders syndicaux, prendre un verre avec ton monde, ça t'aide à faire ton travail et à régler des problèmes. Les gens te parlent davantage. C'est sans doute de valeur, mais c'est souvent comme ça. Prends Marcel Pepin à la CSN: il ne donnait pas sa place lui non plus...»

Qu'en pense Laberge? «Mon comité préféré à la FTQ est le comité sur l'alcoolisme et les autres toxicomanies... En janvier 1992, j'ai réduit radicalement ma consommation afin de perdre du poids, à la suite d'un pari avec certains de mes amis qui ont décidé de relever le même défi. C'est une gageure pour six mois. Après on verra...»

Un *gambler* comme Laberge ne pouvait pas résister à un tel pari.

Car Ti-Louis est un joueur et un parieur. Non seulement possède-t-il dans son sous-sol une table de billard et une belle machine à boules, mais c'est un joueur de cartes passionné et un amateur de blackjack dans les casinos. Fort heureusement, ce n'est pas un joueur invétéré et compulsif: il joue pour se détendre et s'amuser avec ses amis.

«Louis n'est pas un joueur d'habitude, dit Daoust. Il le fait pour se divertir avec ses copains et il aime la compétition. Mais j'ai remarqué qu'il était plus grognon quand il avait perdu aux cartes...» Godbout ajoute: «Quand j'étais coordonnateur des Métallos sur la Côte-Nord et qu'il venait nous voir à Sept-Îles, il pouvait passer presque toute la nuit à jouer aux cartes pour s'amuser et jaser. Et le lendemain matin, il était frais comme une rose pour l'assemblée syndicale...»

Parmi ses partenaires de cartes, outre sa femme Lucille et

son fils Michel, il y a notamment deux «Italiens», l'ingénieur-patron Antonio Accurso et le syndicaliste Alphonse De Césaré, ainsi qu'un Libanais, un Tchèque et un Polonais. «Une petite Société des Nations et tous de bons Québécois», dit-il.

De Césaré raconte: «On passe moins souvent qu'autrefois des nuits blanches. Dans le temps, on se donnait rendez-vous chez Louis une fois par mois, le vendredi soir à huit heures, et on se quittait le lendemain matin vers huit heures... On a du plaisir et on relaxe, avec la vie trépidante qu'on mène. On joue en prenant une bouchée, on boit un verre, puis du café aux petites heures du matin. On joue au poker, au bluff, au blackjack — aussi appelé le vingt-et-un. Louis est un bon *gambler* mais il n'abuse pas des gageures. N'empêche qu'une fois, au blackjack, il y avait une sacrée mise sur la table... Pour les dettes de jeu, on s'écrit de petits billets puis on se règle ça ensuite par chèque."

Selon Accurso, «Louis sait comment jouer au jeu de la vie, qui inclut les cartes... Il a du caractère: si tu lui passes un bluff, il va t'en passer un. C'est un bon comédien: ses airs, ses mimiques... L'ambiance est décontractée, on discute en jouant et Louis est plein d'esprit. On a beaucoup de plaisir. Ça finit normalement quand il commence à faire clair...»

D'après De Césaré et Accurso, Laberge a un tempérament de gagnant, mais ce n'est pas un mauvais perdant. C'est ce qu'affirme aussi sa femme Lucille, qui se qualifie de mauvaise perdante. Selon son compère Jacques Brûlé, «une fois on a dû jouer pendant des heures au "500" jusqu'à ce qu'il gagne! Mais il n'est pas rancunier.»

Laberge tranche: «J'aime jouer même si je perds... Et c'est pareil au casino où je ne joue qu'au blackjack: j'y vais avec un certain montant, je sais que je vais généralement perdre, mais j'ai du plaisir à jouer pendant trois jours d'affilée.» Il a joué notamment à Las Vegas — où se tiennent souvent des congrès syndicaux américains —, à Atlantic City, à Monte-Carlo en France et à Aruba, une île des Antilles néerlandaises.

Il conclut: «J'aime vraiment jouer aux cartes, je ne connais rien de plus relaxant au monde. René Lévesque m'a déjà dit la même chose. Je regretterai toujours de n'avoir pas eu la chance de jouer une bonne partie de poker avec René...»

À l'instar de l'ancien premier ministre Lévesque et de tant d'autres, dans le monde politique et ailleurs, le fait de jouer au poker a sans doute aidé Laberge à devenir un meilleur négociateur, à peaufiner ses stratégies et ses tactiques de négociations syndicales. Comme tout bon joueur, il a appris à garder des cartes dans son jeu. Il a appris à bluffer, c'est-à-dire à impressionner et intimider l'adversaire. Il a su quand parier et risquer gros. Et quand se retirer.

Ti-Louis avait appris à jouer aux cartes tout jeune avec son père Éphrem, charpentier-menuisier et... syndicaliste lui aussi.

Chapitre 2

Clémentine, Éphrem et leurs 10 enfants

C'est une modeste maison en bois grise, avec son toit en pente couvert de neige et sa cheminée qui fume, blottie au bord de la rivière Châteauguay. Une maison campagnarde à pignons et à lucarnes, sise dans le village de Sainte-Martine sur la rive sud de Montréal.

En ce 18 février de l'hiver 1924, il fait un froid glacial. Mais Éphrem Laberge est bien au chaud à l'intérieur, en train de fumer sa pipe. Il veille auprès de sa femme, Clémentine, qui vient d'accoucher d'un gros garçon pétant de santé et doué d'une bonne voix... Le huitième enfant d'une famille qui en comptera dix.

Ce nouveau-né, dont nul ne sait qu'il est promis à un brillant avenir, on va le prénommer Louis. Joseph Léo Louis. Plus tard, beaucoup l'appelleront Ti-Louis ou Ti-Oui.

Une famille ouvrière

Il n'y a pas si longtemps, Éphrem Laberge était encore cultivateur sur sa ferme. Comme l'avait été avant lui son père

Émery, maintenant décédé, qui avec sa femme, Ermeline Marleau, avait élevé neuf enfants. Aujourd'hui, à 35 ans, Éphrem travaille comme charpentier-menuisier sur les chantiers de construction.

Six ans après la naissance de Louis, au début de la Grande Crise en 1930, la famille Laberge quittera Sainte-Martine et ira s'établir «en ville« à Montréal, dans le quartier du Plateau Mont-Royal.

Éphrem est un homme trapu, un petit costaud qui n'a pas froid aux yeux. Sur ses bras courent de grosses veines bleues, il a des doigts noueux et quand il fend son bois, il a un bon «swing» de hache. Il marche parfois des milles à pied pour aller travailler, au grand air, à faire des carrés de maisons. Souvent en chômage, il doit trimer dur pour joindre les deux bouts.

Une fois installé à Montréal et déjà assez âgé, il s'inscrira à des cours de formation professionnelle et deviendra spécialiste dans la finition des maisons. «Un des bons faiseurs d'escaliers», raconte Ti-Louis avec fierté. «Jeune, j'avais été très impressionné de le voir étudier avec ses livres et ses dessins sur la table, le soir, ses lunettes sur le bout du nez. Ça m'a profondément marqué.»

Éphrem Laberge est un homme fier, voire orgueilleux, prompt et «obstineux». Dans la famille Laberge — encore de nos jours — quand on lance à quelqu'un «Fais pas ton petit Éphrem!», ça veut dire: «Arrête d'argumenter et de faire ton faraud, ton petit coq!» Pas étonnant qu'il y ait du Éphrem chez Louis Laberge: c'est un trait de famille. Et le fait que son père ait été «un gars de la construction», comme il dit, va le marquer: c'est un milieu, une *gang* où il aura ses meilleurs amis et ses plus forts appuis.

Mais ce qui a influencé le plus vivement le jeune Louis, c'est que son père ait été un ardent syndicaliste pendant une bonne partie de sa vie. Il est donc tombé dans la potion magique quand il était petit... Éphrem Laberge est en effet un fougueux militant du Syndicat du bâtiment de la Confédération des travailleurs catholiques du Canada (CTCC) —

aujourd'hui la Confédération des syndicats nationaux (CSN). Très actif au sein du groupe des charpentiers-menuisiers, élu à l'exécutif, il est délégué à plusieurs congrès de la centrale. Il en parle beaucoup à la maison et emmènera son fils adolescent à des assemblées syndicales, généralement de celles qui se terminent par une petite fête.

Dans les années 40, le père et le fils auront quelques discussions corsées lorsque Louis Laberge commencera à militer dans une «union internationale», l'Association des Machinistes, qui n'a rien de catholique et de canadien-français mais qui, au contraire, est neutre, américaine et «socialiste» selon la CTCC. On est encore à la vieille époque où les «syndicats catholiques», mis sur pied par le clergé, luttent contre les «unions internationales» — c'est-à-dire nord-américaines — plus anciennes, plus progressistes et largement majoritaires au Québec. Devenu président de la FTQ et invité à un congrès de la CSN rivale, Laberge lancera cette joyeuse boutade: «Un fils n'est quand même pas responsable des péchés de son père!»

Au demeurant, le fils et le père s'entendent fort bien. Surtout quand ils jouent aux cartes. Éphrem n'aime rien tant qu'une bonne partie de «500» ou de cœur — de dame de pique — agrémentée d'une petite gageure, tout en fumant une pipe odorante. C'est un joueur aguerri et il y prend grand plaisir. Ti-Louis, qui a les cartes dans le sang, a de qui tenir.

Éphrem est un bon vivant , un «gars de party»; il aime chanter dans les réunions de famille et prendre un petit coup de «fort». Ti-Louis se souvient du premier verre de whisky blanc, acheté en contrebande des îles françaises de Saint-Pierre et Miquelon, que son père lui a offert vers 14 ou 15 ans, le matin du Jour de l'An, après la bénédiction paternelle: il en a eu les yeux pleins d'eau!

Éphrem aime bien aussi jouer aux «pichenottes» — aux croquignoles — mais avec ses gros doigts noueux, il frappe souvent les poteaux au centre du jeu et les pions volent par terre. Ça le met en rogne et ça fait rire les enfants. Et plus les enfants ricanent, plus il est «en maudit»...

Le vieux charpentier-menuisier mourra à l'âge de 77 ans, en 1966. C'était un peu plus d'un an après l'élection de son fils à la présidence de la FTQ, ce dont Éphrem avait tiré une grande fierté.

Louis est toujours resté proche de son père, jusqu'à la fin. Il se rappelle volontiers qu'enfant, il aimait fouiner dans le coffre à outils d'Éphrem et que celui-ci lui avait dit un jour: «Les outils d'un travailleur, ce n'est pas fait pour jouer mais pour gagner sa vie...»

* * *

Sa mère Clémentine Roy, qui a 34 ans au moment de la naissance de Louis, est aussi une bonne joueuse de cartes. Forte femme, plutôt grande, énergique, elle est née dans une famille de cultivateurs du rang du Marais à Sainte-Martine; elle a travaillé sur la terre et besogné dur toute sa vie.

Elle a accouché de ses dix enfants à la maison. D'aspect sévère, elle est pourtant bonne comme du bon pain. Elle adore recevoir son monde à l'occasion des fêtes de famille, spécialement le Jour de l'An alors que la maison est pleine: elle se prépare des mois à l'avance.

Clémentine aime bien cuisiner, de la «grosse nourriture» comme des ragoûts et des pâtés chinois. Chaque automne, son frère Aimé Roy, cultivateur à Sainte-Martine, fait boucherie et lui donne un quartier de bœuf et la moitié d'un porc. Elle taille les morceaux qu'elle saupoudre de gros sel et enveloppe soigneusement dans de vieux journaux et de la jute, puis on enfouit ce trésor dans un banc de neige qui sert de glacière. Il faut garder à l'œil les chiens, les chats... et les voisins qui rôdent trop près!

La famille n'est pas riche, mais les enfants mangent à leur faim et sont habillés correctement pour aller à l'école. Clémentine n'est pas gaspilleuse, se souvient Laberge. Elle fait du neuf avec du vieux. Elle commence à économiser ses sous dès janvier pour le prochain réveillon de Noël ainsi que le repas et les étrennes du Jour de l'An. Pas pour acheter des jouets mais des choses utiles comme du linge, une paire de bottes ou de bottines, des mitaines, un sac d'écolier.

Les parents de Ti-Louis n'ont jamais pris de vraies vacances. Leur plus grande sortie, c'est d'aller visiter la parenté à la campagne, dans le coin de Sainte-Martine, durant les Fêtes et à l'été.

Clémentine Roy, après avoir élevé sa grosse famille et fait des prodiges pour y arriver, mourra alors qu'elle aurait pu commencer à se reposer un brin, à 67 ans, en 1956. Son fils Louis, qui se trouvait alors à un congrès syndical à San Francisco, reviendra *in extremis* pour assister à des funérailles émouvantes et très fleuries. «Ma mère aimait tellement les fleurs et il y en avait à profusion, plusieurs landaus...»

«Si mon père m'a fait comprendre l'importance du syndicalisme et de la solidarité, conclut-il, ma mère m'a inculqué l'idée qu'on n'a rien sans travail et sans effort...»

* * *

Huitième d'une famille de dix enfants, Louis Laberge arrive donc parmi les derniers d'une ribambelle de petits dont les naissances s'échelonnent de 1910 — année du mariage de ses parents — à 1929, à la veille de la Crise. En fait, il a quatre sœurs et quatre frères, l'une de ses sœurs, Rose-Éva, étant décédée en bas âge.

L'aînée des enfants, Yvette, fera carrière comme institutrice de campagne à Sainte-Martine. Elle est «maîtresse» dans une école de rang où l'on se chauffe au poêle à bois et où l'on enseigne aux élèves de différentes années dans la même classe, à une époque où l'enseignement est une vocation. Une autre des sœurs Laberge, Juliette, sera maîtresse d'école en ville.

Les deux autres sœurs de Louis, Laurette et Anita, sont ouvrières dans des manufactures à Montréal, à la Biscuiterie Sélect et chez les Gâteaux Stuart. Anita travaillera plus tard comme couturière dans des ateliers de vêtements pour dames et deviendra membre de l'Union de la robe (UIOVD).

Toutes deux militeront dans la Jeunesse ouvrière catholique.

Du côté des garçons, le plus vieux, Lionel, a d'abord travaillé dans la construction comme monteur d'acier de structure; il a ensuite été employé de banque puis fonctionnaire au service du gouvernement fédéral. Quant à Aimé, après avoir travaillé dans des industries de guerre et à la brasserie Molson, il sera chauffeur de taxi et garçon de taverne. Louis a aussi deux frères cadets: Robert, un vendeur d'automobiles qui sera plus tard actif dans l'Union des vendeurs d'autos affiliée à la FTQ, et Gérald, le plus jeune, un courtier en assurances qui deviendra président et chef des opérations de la grande firme Gérard Parizeau.

À travers les vicissitudes de la vie, les frères et sœurs Laberge vont réussir à rester proches. Ils ont quelques chicanes de famille, orageuses à l'occasion, mais quand l'un ou l'autre est mal pris, tous sont là pour l'aider.

Le Plateau Mont-Royal

1930. C'est le début de la crise économique, la Grande Dépression des années 30 avec son sombre cortège de pauvreté et de misère. La famille Laberge vient de déménager ses pénates à Montréal, dans le quartier central du Plateau Mont-Royal. Louis a six ans.

Ayant vendu sa terre à Sainte-Martine, Éphrem a loué un grand logement au 5231 de la rue De Lanaudière, juste au nord de Laurier, une rue animée où s'alignent des rangées de solides habitations ouvrières en briques, des duplex et des triplex égayés de grands escaliers extérieurs, de balcons et de galeries. Quelques années plus tard, les Laberge se déplaceront sur la rue d'à côté, au 5153, Garnier, puis encore une rue plus à l'est, au 5237, Fabre.

Quand on leur demande où ils habitent, Éphrem et Clémentine, bons catholiques très dévots, répondent qu'ils demeurent dans la paroisse Saint-Stanislas-de-Kostka. La belle et opulente église Saint-Stanislas dresse orgueilleusement ses deux clochers sur le boulevard Saint-Joseph, le boulevard des belles maisons bourgeoises et du «grand monde», planté d'arbres et agrémenté d'un terre-plein.

«Nous n'avons jamais été riches, nous étions même plutôt pauvres, mais nous n'avons jamais manqué du nécessaire», dit Laberge en se rappelant son enfance durant les années de la crise. Ce sont pourtant des années de privations, des années dures pour les Montréalais. Au plus fort de la dépression, en 1932-1933, entre le quart et le tiers de la main-d'œuvre est sans emploi dans la métropole. Éphrem Laberge doit souvent chômer l'hiver, mais il décroche assez régulièrement de l'ouvrage durant la belle saison. Fort heureusement, il n'aura pas d'accident grave sur les chantiers.

Très tôt, les plus vieux des enfants travaillent aussi et donnent la moitié de leur salaire à la famille, une somme fort bienvenue même si certains ne gagnent que le salaire minimum, soit 12 cents l'heure! La vie n'est pas facile et Clémentine fait littéralement des économies de bouts de chandelles. Mais Ti-Louis se souvient d'avoir eu une enfance heureuse.

* * *

À son arrivée à Montréal, le jeune Louis est inscrit en deuxième année à l'école primaire Saint-Stanislas, rue De Lanaudière, dirigée par les Frères de l'Instruction chrétienne. C'est un bon élève, studieux, appliqué, et sa mère insistera auprès de son père pour le «garder à l'école» le plus longtemps possible, quitte à s'imposer quelques sacrifices. Ti-Louis sera donc l'un des seuls dans la famille à faire douze années d'études. Il terminera avec succès sa douzième année (scientifique) à la réputée École supérieure Saint-Stanislas, «l'ÉSSS», rue Laurier. Il sera diplômé «avec distinction« en juin 1941.

Bien sûr, tous les étés et souvent les fins de semaine durant l'année scolaire, il doit travailler pour gagner ses études et aider sa famille. Il livre des commandes d'épicerie à bicyclette, sa petite casquette sur la tête; il travaille comme aide au restaurant Lemire, ou encore comme messager ou commis. L'été, il est embauché à la biscuiterie Stuart, rue Laurier: d'abord comme «équeuteur« de fraises puis comme «détôleur» de gâteaux. Par une température qui peut monter jusqu'à 140-150 degrés Fahrenheit, il décolle les gâteaux des moules en tôle qui sortent brûlants du four. Il doit travailler si vite qu'il garde le souvenir de quelques bonnes brûlures! Son père lui dit souvent avec sa mentalité d'ouvrier: «Apprends à te salir les mains, mon garçon! C'est comme ça qu'on doit gagner sa vie...»

Et pourtant Ti-Louis aime l'école et il y réussit bien. Mais il doit travailler fort, dit-il, pour faire ses devoirs et apprendre ses leçons. Il a une mémoire d'éléphant qui lui servira abondamment toute sa vie, il est bon en sciences, en dessin, en grammaire française et en grammaire anglaise. Il a surtout la bosse des mathématiques: c'est sa matière forte et aussi celle qu'il préfère. «Après ma douzième scientifique à l'ÉSSS, je pouvais entrer directement à l'université. Et mon rêve, c'était d'aller à l'École Polytechnique et de devenir ingénieur. Mais la vie étant ce qu'elle est, j'ai dû commencer à travailler...»

Une longue pause, un soupir, et il continue: «Mais c'était déjà beau dans le temps de compléter une douzième année. Et puis j'ai un de mes fils, Pierre, qui est devenu ingénieur...»

Un gars tranquille...

Durant son enfance et sa jeunesse, Laberge était «le gars le plus tranquille du monde», affirme-t-il. On a peine à le croire quand il raconte, fort sérieusement: «Plus jeune, j'étais un gars qui ne parlait quasiment pas... Je m'installais dans un coin avec un livre et je ne voulais pas qu'on m'achale.»

Son témoignage est confirmé en partie par ses sœurs, Laurette et Anita, qui se souviennent de leur «petit frère« comme d'un garçon «calme, docile et même gêné, timide de nature». Pour tout dire, «jeune, il n'annonçait absolument pas ce qu'il allait devenir». À tel point que lorsqu'il a commencé à être un homme public, sa mère Clémentine s'est une fois exclamée: «Je ne peux pas croire que mon Louis en est rendu là! Il ne jasait pas beaucoup, il était souvent en train de lire, il n'était pas trop débrouillard...» Une larme brillant au coin de l'œil, elle frémissait de fierté en couvant du regard son Ti-Louis.

S'il est vrai que Laberge est peu loquace à cette époque, quand il donne son opinion elle sort souvent drue. Il peut être sec, fendant, mais essaie de se rattraper par la suite. Il a déjà un bon sens de l'humour et un esprit positif. On l'entend rarement se plaindre pour rien.

Quand on parle avec ses frères Aimé et Gérald, faut-il s'en surprendre, le son de cloche est différent: si Ti-Louis est plutôt tranquille à la maison, à l'extérieur il est capable de «mener le diable», de se tirailler et il n'a pas froid aux yeux dans les petites «guerres de gangs» au parc Laurier. C'est aussi un sportif qui a la réputation d'être dur, d'aimer le jeu rude. Il ne déteste pas non plus une bonne bataille avec les jeunes «Anglais» du quartier, à coups de poing sur la gueule, aux côtés de son grand gaillard de frère Aimé — le «bouscouilloux» de la famille — et de son frère cadet Robert, un autre costaud qui ne craint pas de «fesser dans le tas». Laberge se rappelle: «Sur la rue, c'était pas toujours facile. On disait que dans notre "boutte", il y avait deux sortes de gars qui avaient toutes leurs dents: ceux qui étaient capables de se défendre et ceux qui couraient vite!»

Ti-Louis pratique à peu près tous les sports, à commencer par ceux qui peuvent se jouer dans la rue en face de chez lui! En hiver, on se fait une patinoire de fortune, on se confectionne des jambières avec de vieux journaux et on joue au «hockey-bottines» en se prenant pour des as du Club Canadien de Montréal. Le jeune Louis est un solide hockeyeur, même s'il patine un peu sur la bottine avec les vieux patins de ses frères aînés. Il joue aussi au ballon-balai et s'adonne au «ski-bottines» suspendu dangereusement aux pare-chocs arrière des automobiles en marche.

L'été, il joue à la balle-molle, au ballon-chasseur, au ballon-volant. C'est aussi un amateur de ping-pong. Et il s'entraîne à l'endurance physique et à la discipline dans les cadets de l'armée — la milice — alors très présents dans les écoles. Mais ce qu'il affectionne par-dessus tout, c'est de jouer aux... cartes. Déjà, il est prêt à donner gros pour une bonne partie.

Durant trois étés, il aura la chance, avec son frère Aimé, de passer quinze jours à la colonie de vacances des Grèves, au bord du fleuve Saint-Laurent à Contrecœur, grâce à l'aide de la paroisse. À l'église Saint-Stanislas, il chante dans la chorale du Tiers-Ordre. Comme à peu près tous les petits Canadiens français de cette époque, Ti-Louis est un catholique pratiquant qui fait même partie des enfants de chœur!

Était-il déjà revendicateur dans sa jeunesse? Bien sûr, répond-il en racontant une anecdote. Quand il a été enfant de chœur à l'église Saint-Stanislas, dans les années 30, il avait convaincu les autres servants de messe de réclamer un meilleur «salaire». Le curé l'avait averti qu'il irait en enfer, mais il avait tenu le coup! Ses camarades aussi. Et ils ont pu gagner quelques sous.

Ti-Louis a vu, pour la première fois, la force de l'action collective et de la solidarité. Depuis lors, il est allé bien souvent en enfer et s'en est sorti chaque fois...

Chapitre 3

Les années de la guerre: de la United Shipyards à Canadair

«Ça prend des gars parfaits pour aller se faire tuer...»

En cet été 1941, alors que le jeune Laberge vient de terminer ses études et qu'à 17 ans il doit commencer à travailler pour gagner sa vie, on est en plein cœur de la Deuxième Guerre mondiale.

En vertu de la Loi de mobilisation pour la défense du Canada, tous les hommes en âge de faire leur service militaire sont tenus de s'inscrire auprès du gouvernement fédéral. Un prélude à la conscription pour service outre-mer, autorisée par plébiscite en 1942 malgré l'opposition farouche des Québécois qui voteront NON à 72 %. Le père de Laberge, Éphrem, est parmi les plus ardents anticonscriptionnistes. Mais il n'est pas contre l'effort de guerre: ça donne de l'emploi à tous les anciens chômeurs de la longue crise des années 30.

Ti-Louis, qui doit aller s'inscrire, est réformé pour raisons de santé. «Ça prend des gars parfaits pour aller se faire tuer», raille-t-il. Or sa vue n'est pas assez bonne — même s'il n'a jamais eu froid aux yeux... — et il a un sérieux problème de surdité à l'oreille droite, séquelle d'une rougeole qu'il a contractée tout jeune.

Pour le reste, il jouit d'une bonne santé et il est «fait fort», comme vont le prouver amplement les années à venir: il réussira à rester «sur le piton« même en brûlant parfois la chandelle par les deux bouts. Il a une méfiance un peu campagnarde envers les médecins: «Si t'es en bonne santé, pourquoi irais-tu voir des docteurs?...»

* * *

Ti-Louis commence donc à travailler pour de bon. Le premier emploi qu'il décroche ne durera que trois mois: il est vendeur dans un magasin d'articles religieux en gros, la firme Genin & Trudeau, rue Saint-Paul dans le Vieux-Montréal. Il débute à un maigre salaire de 6$ par semaine. Après un mois, il se négocie une piastre de plus! Puis il récidive en demandant une autre augmentation d'une piastre. Devant le refus de son patron, le «père» Trudeau, il répond qu'il va se dénicher un nouvel emploi. Aussitôt dit, aussitôt fait.

Diplômé de l'«École supérieure», sachant bien lire, écrire et compter, il trouve un travail de bureau à la biscuiterie Sélect, rue Gilford. Le salaire est déjà plus alléchant: 12 $ par semaine. Il s'occupe de la facturation et du courrier. Il gardera cet emploi durant une année.

Congédié pour activités syndicales

Ce qui pousse Laberge à changer de travail, c'est de reluquer les grosses paies que rapporte son frère aîné, Aimé, qui est ouvrier à la United Shipyards, un nouveau chantier naval ouvert à l'occasion de la guerre et situé près du pont Victoria dans le port de Montréal.

Il faut travailler dur, 50 heures par semaine, mais le

salaire grimpe jusqu'à 25 $ et 30 $, soit de 50 à 55 cents l'heure comparé à une moyenne d'environ 40 cents ailleurs. C'est ce qu'on appelle «une bonne job». Ti-Louis est embauché — en anglais — comme «piecework checker» (vérificateur de production) auprès des équipes de riveteurs qui travaillent à la pièce. Il dit à sa mère Clémentine: «Mon diplôme de l'ÉSSS, je le mets dans le tiroir jusqu'à la fin de la guerre. C'est bien mieux de travailler dans l'industrie de guerre.»

La United Shipyards est un grand chantier bourdonnant de centaines de travailleurs qui y construisent des bateaux pour la marine britannique, des cargos de 10 000 tonnes. En cet automne 1942, à 18 ans, Laberge se retrouve au coude à coude avec des machinistes et des monteurs d'acier de structure, des hommes d'expérience qui lui donnent le goût du travail bien fait et de la solidarité ouvrière. C'est dur toutefois, avec des conditions de travail pénibles et des contremaîtres «baveux» qui poussent à la production.

Quelques mois après son arrivée au chantier naval, Laberge s'engage corps et âme dans la fondation d'un syndicat. «Je ne me suis jamais posé de questions sur l'utilité de me syndiquer, c'est venu tout naturellement, tout bonnement. La première fois qu'un gars m'en a parlé, j'ai dit "amène tes cartes" puis je suis parti faire signer des membres.» Il est encouragé par l'exemple de son père, certes, et il possède lui-même certains atouts qui le rendent utile: «Je savais lire et écrire un peu plus que la moyenne et je commençais à être assez bon bilingue. Je me suis senti poussé là-dedans par mes camarades qui me faisaient confiance."

C'était un mouvement spontané, sans beaucoup de préparation, mais le groupe de Laberge à la United Shipyards est en contact avec le Conseil des métiers de la métallurgie («Metal Trades Council»), un comité de liaison de syndicats formé à l'initiative de l'Association internationale des machinistes pour syndiquer les travailleurs des industries de guerre. Ce comité est relié au Conseil des métiers et du travail de Montréal qui regroupe, dans la métropole, les unions «internationales» affiliées à l'American Federation of Labor des États-Unis.

Avant même que le syndicat soit implanté au chantier naval, un court arrêt de travail éclate. Laberge fait partie de la délégation qui va rencontrer le directeur du chantier, «un grand escogriffe d'Anglais très impressionnant», pour discuter des revendications des grévistes. Un dialogue de sourds. Ti-Louis en a gardé un vif souvenir, et pour cause: «Le *boss* a fini par nous dire: "Go back to work immediately *(Retournez au travail sur le champ)*". Toute la délégation est retournée au travail sauf deux personnes, moi et un de mes compagnons, Peter Molloy, un Gaspésien. On voulait continuer à discuter. Résultat: on s'est fait saprer dehors tous les deux!»

À l'automne 1943, à 19 ans, Laberge vient de vivre sa première expérience syndicale. Et le voilà congédié, dans la rue.

Machiniste à Canadair

Après son congédiement pour activités syndicales, il ne reste pas longtemps sans emploi. En novembre 1943, il est embauché à l'immense avionnerie Canadair, à Cartierville dans le nord-ouest de Montréal.

Les installations du boulevard Laurentien, qui s'étendent sur plusieurs kilomètres, produisent à plein rendement pour appuyer l'effort de guerre, avec une petite armée qui mobilise alors près de 8 000 ouvriers, la plupart hautement qualifiés. On y fabrique essentiellement des avions de guerre, des bimoteurs PBY Catalina.

Ti-Louis est en quelque sorte forcé d'aller travailler à Canadair par le service national de sélection de la main-d'œuvre, qui place les ouvriers dans les industries de guerre. «Avec le service sélectif, si tu refusais la job tu étais passible d'emprisonnement!» Il commence sur la ligne d'assemblage, au bas de l'échelle à 40 cents l'heure, soit environ 20$ par semaine — moins que ce qu'il gagnait à la United Shipyards. Sa semaine normale de travail est de 48 heures: cinq jours de neuf heures et trois heures le samedi matin.

Sa première job, comme assembleur, est celle d'apprenti-riveteur, d'«accoteur» («bucker») comme on dit dans le jargon du métier. Il travaille en duo avec un riveteur: c'est lui qui maintient le rivet, de l'autre côté de la cloison. Par la suite, il deviendra mécanicien en aéronautique après avoir fait son apprentissage et suivi des cours de formation professionnelle donnés par la compagnie, notamment des cours spécialisés de dessin. Comme mécanicien, il va travailler sur la ligne finale d'assemblage puis faire partie de l'équipe spéciale qui monte à bord des avions, après le premier vol d'essai effectué par le pilote, afin de procéder aux ultimes vérifications.

Son coffre à outils renferme beaucoup d'instruments de précision et il a la fierté du métier. Il appartient à l'aristocratie des ouvriers manuels, dont les salaires s'élèvent au-dessus de la moyenne industrielle au Québec. À Canadair, comme dans toutes les grandes industries modernes à Montréal, la langue de travail est alors l'anglais.

Laberge, qui demeure loin de l'usine, doit se lever avant cinq heures du matin pour se rendre à son quart de travail qui débute à sept heures. Sa boîte à lunch à la main, il prend le tramway — les «p'tits chars» — sur la rue Mont-Royal, un long trajet jusqu'à Cartierville qui lui donne le temps de lire, entre autres, le quotidien populaire *Montréal-Matin*, de la première à la dernière page. Le sifflet de quatre heures trente marque la fin de sa journée et il rentre chez lui pour le souper. Au début des années 50, il se rendra au travail dans l'automobile d'un confrère de travail, en covoiturage avec d'autres ouvriers de Canadair. Il n'aura sa première voiture qu'en 1955: une belle Chevrolet de l'année... 1952.

* * *

L'un des premiers gestes de Laberge après son embauche à Canadair, c'est évidemment de signer sa carte de membre du syndicat!

À cette époque, l'adhésion syndicale est volontaire.

L'employeur accepte de prélever la cotisation de ceux qui en font la demande, mais les délégués d'atelier doivent aussi «ramasser à la mitaine», tous les mois, les «dus« de plusieurs ouvriers. On est encore loin de la retenue syndicale obligatoire à la source.

Les travailleurs syndiqués de Canadair appartiennent à la «Loge d'avionnerie» 712 de l'Association internationale des machinistes et des travailleurs de l'aéronautique (AIM). Les Machinistes, qui comptent alors au-delà d'un demi-million de membres en Amérique du Nord, sont affiliés à l'American Federation of Labor (AFL), la grande centrale américaine. Comme l'indique le vieux terme de «Loge», emprunté à la société secrète des Francs-Maçons en ces temps pas si lointains où les syndicats devaient œuvrer dans la clandestinité, les Machinistes forment l'un des plus anciens syndicats nord-américains: ils ont été fondés en 1888 aux États-Unis par des ouvriers spécialisés des chemins de fer. Au Québec, le syndicat s'est implanté en 1890 grâce à la Loge Victoria N° 111 des machinistes de la grande compagnie ferroviaire Canadien Pacifique à Montréal.

Quant à la Loge 712, elle est fraîche éclose: elle a vu le jour le 1er mars 1940 pour syndiquer les milliers de travailleurs des avionneries de la région de Montréal. C'est la plus grande section locale de machinistes au Canada durant la guerre. Elle rassemble les travailleurs de Canadair (l'ex-division de l'avionnerie de la Canadian Vickers) et de deux autres entreprises, la Fairchild Aircraft à Longueuil et la Noorduyn Aviation à Cartierville. C'est un syndicat de type industriel: il regroupe tous les travailleurs de l'entreprise indépendamment de leurs métiers.

La Loge 712 a signé sa première convention collective, après une menace de grève, en novembre 1941. Les gains sont appréciables: la semaine normale de 48 heures, une hausse de salaire de cinq cents et une prime (un «boni») de vie chère, ainsi qu'une semaine de vacances payées.

En août 1943 — trois mois avant l'embauche de Laberge à Canadair — les quelque 12 000 membres de la Loge 712 se sont mis en grève; au total, plus de 20 000 employés ont été touchés. L'arrêt de travail a été le plus considérable au Canada durant la Deuxième Guerre mondiale et le deuxième en importance après la célèbre grève générale de Winnipeg en 1919. Grâce à une intervention politique au plus haut niveau à Ottawa, le débrayage a pris fin au bout de douze jours par un règlement négocié à propos de la prime de vie chère.

Un syndicat communiste

Quand le jeune Laberge, qui a moins de 20 ans, signe sa carte syndicale à Canadair, il ne le sait pas encore très bien mais il devient membre d'un syndicat communiste...

Un vrai de vrai, et non pas un de ces syndicats qualifié de «communiste« par les gens des syndicats catholiques sous prétexte qu'il s'agit d'une «union internationale« progressiste comme les Machinistes. La Loge 712 était en effet un authentique syndicat «rouge», contrôlé par des militants du Parti communiste. Un parti qui avait changé son nom pour celui de Parti ouvrier-progressiste, en 1943, afin d'exhiber une image plus rassurante. Laberge se souvient: «Dans ce temps-là, les gens de droite des syndicats catholiques nous traitaient de communistes, les gars comme moi, mais les vrais communistes, c'étaient pas nous!»

Les «rouges» étaient des militants syndicaux très actifs, très organisés, qui avaient fait «entrer l'union« à Canadair. Des militants aguerris comme Robert Haddow, Jean Paré, Irving Burman, Bill Mitchell, Marcel Gélinas, Roméo Duval et plusieurs autres. Le chef de file était «Bob» Haddow, le plus influent syndicaliste communiste au Québec à l'époque, un organisateur chevronné et un orateur impressionnant, le type même du leader charismatique[1].

Représentant permanent des Machinistes dans la région de Montréal, Haddow est le grand artisan de plusieurs campagnes de syndicalisation réussies dans les industries de guerre. Son plus gros défaut: il ne parle pas un traître mot de français. Né en Écosse, il a émigré à Montréal au début des années 30. Il se fait aider par des organisateurs francophones comme Jean Paré et Adrien Villeneuve. Ce dernier est un syndicaliste astucieux qu'on surnomme le «Renard argenté« à cause de ses cheveux gris, bien qu'il soit jeune encore; il fera sa marque dans le mouvement ouvrier et sera l'un des pères de Laberge dans le syndicalisme.

Vers la fin de la guerre, une âpre lutte intestine éclate au sein de la Loge 712 entre les communistes et leurs opposants, de plus en plus nombreux. Le diable est aux vaches. Des membres de l'exécutif démissionnent avec fracas pour dénoncer «la mainmise des rouges». Des compagnons de route des communistes, comme Adrien Villeneuve, se livrent à une dénonciation virulente de leurs anciens camarades. Ils n'acceptent pas que la «ligne syndicale» soit remplacée par la «ligne du parti», explique Laberge, qui n'est alors qu'un simple militant sans responsabilité syndicale encore.

«Ils essayaient de nous convaincre de ne pas revendiquer d'augmentation de salaire parce qu'il fallait ouvrir un deuxième front pour aider la Russie, dit-il. Ils étaient contre les grèves qui nuiraient à l'effort de guerre. J'étais scandalisé: ils étaient plus communistes que syndicalistes. Je leur disais: vous vous occupez davantage de votre maudite Russie que de vos membres à Canadair! Je n'étais pas contre les idées de gauche en général: si tu n'es pas à gauche au moins un peu, surtout quand tu es jeune, tu n'as pas ta place dans le mouvement syndical. Mais la mystique communiste, la ligne de Moscou, le parti unique, le totalitarisme, Staline, c'est une autre paire de manches. On a vu d'ailleurs ce que ça a donné...»

En décembre 1945, Bob Haddow et quelques-uns de ses camarades sont suspendus de leurs fonctions par la haute direction de l'Association internationale des machinistes; ils sont expulsés pour de bon au début de 1946. On les accuse de comploter l'affiliation de la Loge 712 au Syndicat international des ouvriers unis de l'électricité («United Electrical Workers» ou «UE»), une organisation rivale affiliée au

Congress of Industrial Organizations (CIO) et dominée par le Parti communiste. La Loge 712 est mise sous tutelle par les Machinistes.

Loin de se compter pour battus, Bob Haddow et son groupe lancent une nouvelle organisation, la Montreal Aircraft Workers Local Union (MAWLU), liée à un autre syndicat international rival des Machinistes et qui compte un fort noyau de militants du Parti communiste, les Travailleurs unis de l'automobile et de l'aérospatiale (CIO). La MAWLU lance une campagne de maraudage agressive en vue de déloger la Loge 712 à Canadair.

La riposte s'organise rapidement et Louis Laberge, qui va bientôt avoir 22 ans, sera l'un des plus farouches adversaires des communistes: «Au début de 1946, on s'est retrouvé pratiquement sans union, le syndicat était à terre et la direction de Canadair ne voulait même plus le reconnaître. Grâce à Adrien Villeneuve et à quelques autres, on a pu le rebâtir, encore plus fort qu'avant. Adrien avait travaillé avec les rouges, mais c'était un Chevalier de Colomb et donc un bon catholique! Il a recruté quelques poteaux solides comme Roger Laframboise et surtout Rosaire Déry, un ferblantier, qui est devenu président du comité syndical d'usine. Rosaire était un bon gros gars pas peureux, car les communistes étaient d'attaque et pas mal plus aguerris que nous autres. Il est venu me voir et je peux dire que c'est vraiment lui qui m'a embarqué dans l'union: il m'a aidé à mettre le pied sur le premier barreau de l'échelle.»

Ti-Louis délégué syndical

Pourquoi Rosaire Déry est-il allé voir le «confrère» Laberge — ainsi que s'appellent entre eux les militants des «unions"?

«Parce que malgré la bisbille dans le syndicat, j'étais l'un des membres, peu nombreux, qui payaient encore leurs cotisations volontaires à la Loge 712, via le *check off*. J'ai donc accepté d'aller à une première réunion pour réorganiser la Loge, convoquée par Adrien Villeneuve et le tuteur nommé par les Machinistes, Jimmy Doyle, un Irlandais de la Loge 111 des usines Angus. C'est là que j'ai accepté d'être délégué d'atelier, *committeeman*. J'ai accepté l'insigne. Je dois dire que mon père m'a grandement encouragé.»

«Puis on a commencé à faire du recrutement: j'ai fait signer des dizaines et des dizaines de cartes de membres, en commençant par tout mon atelier, celui où on réparait les réservoirs d'essence des avions. J'avais un enthousiasme syndical débordant. J'étais jeune et plein d'ardeur. Je faisais signer des cartes pendant les heures de travail, sur le plancher de l'usine. J'achalais tout le monde au point que je me suis fait saprer dehors une couple de fois pour activités syndicales. J'ai été réengagé grâce au syndicat. La première fois, j'ai demandé à être présent quand on a discuté de mon grief avec la compagnie. La deuxième fois, j'étais devenu membre du comité des griefs.»

La campagne contre la MAWLU de Bob Haddow est féroce et tourne à l'affrontement. Des escarmouches éclatent. Laberge se souvient d'un incident en particulier: «Nous étions en train de distribuer des circulaires — des tracts — aux portes de l'usine, de bonne heure le matin, quand les communistes ont "retonti". Ils nous ont enlevé nos papiers des mains et les ont jetés dans le fossé... Lorsque j'ai su qu'ils feraient eux aussi une distribution de circulaires, tu peux t'imaginer que j'étais là avec mon monde. J'avais recruté des syndiqués assez bien plantés, des "bouscouilloux" comme Raoul Bergeron et Émile Théroux, ainsi que Georges Caron et les frères Dugas, des anciens lutteurs... On leur a remis la pareille: bang, on a garroché leurs papiers dans le fossé... sauf qu'on avait oublié de leur enlever des mains... Les communistes ont mangé une volée et ont foutu le camp. Après, on a eu moins de misère à distribuer nos tracts. La meilleure défense, c'est toujours l'attaque.»

Durant toute la campagne, il y a donc eu «quelques coups de poing qui ont revolé sur la margoulette, quelques claques sur la gueule, car on était jeunes et en bonne forme physique», plaisante Ti-Louis en agitant ses mains larges et fortes comme des battoirs. Le pire incident est survenu quand un militant des Machinistes, Lou Adamson, un vieil officier syndical, s'est fait bousculer violemment et que sa tête a heurté le bord d'un lavoir en granit. Il est resté plusieurs jours dans le coma. «Un cas bien malheureux mais on s'en est servi abondamment contre les communistes.»

Par contre, le groupe de Laberge reçoit un cadeau empoisonné: le président de Canadair convoque tous les employés en assemblée spéciale, à l'heure du midi, pour leur dire que la direction les encourage à demeurer membres de la Loge 712 des Machinistes! «On a passé pour des "téteux de boss", ça nous a pas aidés le diable.»

Finalement, la Loge 712 va remporter la bataille mais avec un coup de pouce du gouvernement anticommuniste de Maurice Duplessis, chef de l'Union nationale, qui a pris le pouvoir en 1944 pour un long règne de 16 ans: la Commission des relations ouvrières du Québec, aux ordres de Duplessis, déboute la MAWLU de sa requête en accréditation, alléguant qu'il ne s'agit pas d'un syndicat de bonne foi *(bona fide)*. En clair, c'est un syndicat communiste. De toute façon, les «rouges» n'avaient pas la majorité des membres, soutient Laberge.

Vaincu, Bob Haddow ira travailler quelque temps pour les Travailleurs de l'auto et aussi pour le syndicat rouge des Ouvriers unis de l'électricité («UE») avec ses camarades Irving Burman et Jean Paré. Laberge dit qu'il a eu du respect pour Paré, qui fut directeur des «UE» au Québec et militant du Parti communiste jusqu'à sa mort en 1977. «Un des rares communistes pour qui j'ai eu de l'estime, lui et Willie Fortin du Syndicat des salaisons, un militant dévoué...»

Il faut rappeler qu'au moment où sont survenues ces escarmouches, la Guerre froide commençait à faire rage dans le monde entre le bloc communiste et le bloc occidental. En mars 1946, le seul député communiste au Parlement du Canada, l'électricien Fred Rose, représentant de la circonscription cosmopolite de Montréal-Cartier et ami de Bob

Haddow, a été arrêté et accusé d'espionnage au profit de l'Union soviétique. Il est condamné à six ans d'emprisonnement. Le gouvernement libéral de Mackenzie King, à Ottawa, et celui de Duplessis, à Québec, se lancent dans une chasse aux sorcières semblable à la purge contre les «rouges» qui sévit aux États-Unis. Les temps allaient être durs pour les communistes dans le mouvement syndical comme ailleurs.

* * *

En juillet 1946, la Loge 712 signe un bon contrat de travail pour les quelque 5 000 ouvriers de Canadair. La hausse de salaire atteint 10 %. Les compagnons à l'outillage gagnent dorénavant 1,10 $ l'heure. La semaine de travail est réduite de 48 à 45 heures, sur cinq jours.

Les années de l'après-guerre, comme celles de la guerre, seront des années de relative prospérité et d'augmentation rapide du niveau de vie. Le taux de chômage reste inférieur à 3 % au Québec. À Canadair, la compagnie a adapté sa production et remplacé la fabrication des avions de guerre Catalina par celle des quadrimoteurs civils DC4, des North Star 145 et d'autres modèles.

Mais la grande peur des travailleurs de l'avionnerie, c'est la hantise des mises à pied massives: tout dépend des contrats que décroche l'entreprise et des commandes en carnet. Le personnel fluctue à la hausse ou à la baisse, comme les vagues de la mer. Les ouvriers mis à pied peuvent quand même profiter des maigres prestations du premier régime fédéral d'assurance-chômage en vigueur depuis 1941, une des grandes conquêtes symdicales.

«J'ai tellement vécu l'insécurité d'emploi à Canadair, dit Laberge, je sais ce que peuvent ressentir les gens qui perdent leur job.» Il s'en souviendra toute sa vie.

Chapitre 4

Thérèse, les triplets et la Loge 712

Le mariage avec Thérèse

Moins d'un an après son entrée à Canadair, Louis Laberge a pris une grande décision: le 4 septembre 1944, à l'âge de vingt ans, il s'est marié avec sa blonde Thérèse Vaillancourt, une jeune femme de dix-neuf ans qu'il aimait d'amour tendre depuis des années. Ils auront quatre enfants.

Ti-Louis connaissait Thérèse depuis l'âge de douze ans et ils se voyaient assidûment. Pour tout dire, c'est la première femme qu'il ait fréquentée et pour elle, c'était le premier homme. Thérèse est une blonde aux yeux bleus, toute menue et délicate. C'est une voisine de quartier qui habite rue Laurier, au coin de Fabre, sur le Plateau Mont-Royal. «Nous étions en amour comme on peut l'être à cet âge, raconte-t-il. Des fois je m'arrêtais chez elle après mes cours, c'était sur mon chemin. Des fois elle venait m'attendre à la sortie de l'école Saint-Stanislas, en bas du grand escalier. J'ai passé des heures chez elle...»

Thérèse est fille unique. Son père, Edgar, vend de la

vaisselle fine chez Cassidy. C'est un homme raffiné, un musicien dans l'âme: il joue du piano, de la musique classique et des airs populaires pour accompagner sa femme Orthélia qui aime chanter. Il donne des cours de piano aux enfants du voisinage. Thérèse fréquente l'école des Saints-Anges et, après ses cours, s'assoit sur la galerie chez elle et attend son Louis: «Il fallait qu'il passe devant chez nous...»

Elle se souvient de lui comme d'un garçon charmeur, tranquille, un peu gêné, qui ne parle pas beaucoup mais qui lance déjà des pointes d'humour. Il est réfléchi et «à son affaire», studieux et passionné de lecture. Un jeune homme «travaillant» aussi, qui a gagné ses sous pour payer ses études. Et tellement fier, sinon orgueilleux.

Après qu'il a décroché un bon emploi à Canadair, même si son salaire est encore modeste (environ 25 $ par semaine), Thérèse et lui décident de se fiancer puis de se marier. «J'ai pris ma semaine de vacances et nous sommes allés en voyage de noces à Saint-Sauveur, dans les Laurentides. Exactement neuf mois et quatre jours après le mariage, c'était la naissance de notre premier enfant, Michel, le 8 juin 1945. Nous n'avions pas perdu de temps... Nous avions même peur que le bébé arrive trop vite car dans le temps, ça aurait été très mal vu. On a prié le petit Jésus...»

Coïncidence heureuse: le petit Michel vient au monde l'année même où sont versées les premières allocations familiales au Canada.

Après leur mariage, Thérèse et Louis se sont installés dans un tout petit logement de deux pièces, rue Des Carrières près de Cartier, en haut du Plateau Mont-Royal. Après la naissance de leur garçon, ils déménagent dans un peu plus grand — un trois-pièces... — au 5910, rue des Érables dans le Petit Rosemont. Surprise: ils héritent du logement de Maurice Richard, le joueur de hockey étoile du Club Canadien de Montréal. «Maurice m'a même vendu une partie de son ameublement, je n'étais pas peu fier.»

Laberge est d'autant plus ravi qu'il est lui-même un amateur de hockey et, bien sûr, un farouche partisan du

Canadien. Il se souvient que lors d'un match auquel il assistait au Forum à l'époque, il a aidé Richard à compter un but... «Mais oui, raconte-t-il les yeux pétillants. J'étais assis au bord de la bande et Maurice se chamaillait pour avoir la rondelle, juste devant moi, avec Ted Lindsay des Red Wings de Détroit. J'ai retenu un peu le bâton de Lindsay, Maurice a pu s'échapper avec la rondelle et il a compté un sapré beau but!» Et de conclure d'un air coquin: «Le pire, c'est qu'on a oublié de me décerner une assistance sur ce but...»

Avec Louis, Thérèse espérait une vie tranquille et stable, aux côtés d'un mari ayant des horaires réguliers de travail, qui rentre à l'heure pour souper et qui passe presque toutes ses soirées à la maison en famille, avec sa femme et ses enfants. «Comme ma mère l'avait vécu avec mon père», dit-elle. Elle ne savait pas ce qui l'attendait...

Louis et elle s'aimaient beaucoup, mais quand son mari commencera à faire intensément du syndicalisme, les relations deviendront plus tendues. «Ma femme n'a pu accepter vraiment le genre de vie que j'avais choisi, et je la comprends», constate Laberge. Plus de vingt-cinq ans après leur mariage, au début des années 70, il y aura des décisions douloureuses à prendre.

Sur les traces de John L. Lewis

À Canadair, le «confrère» Laberge, jeune délégué d'atelier, s'engage à fond de train dans l'action syndicale.

À 23 ans, en 1947, il est élu secrétaire-archiviste de la Loge 712: «J'avais une douzième année, je savais écrire pas trop mal et j'étais devenu bon bilingue. J'avais de l'énergie à revendre et le syndicalisme me plaisait de plus en plus.»

Puis il devient membre, à temps plein, du comité des griefs et se bâtit une réputation de solide négociateur. «J'aimais régler des griefs. J'avais deux façons de le faire: l'une où j'arrivais avec ma convention collective en mains, l'autre où je ne pouvais pas me servir de ma convention mais où je négociais des arrangements.» Du *give and take*, du donnant-donnant.

Dans les assemblées syndicales, cet homme qui autrefois parlait peu se révèle un bon orateur, au charisme certain, dit son ancien camarade Robert Soupras. Il sait aussi détendre l'atmosphère par quelques bons mots dont il a le secret. Le jeune militant lit beaucoup et vite; il dévore tous les ouvrages qu'il peut dénicher sur le syndicalisme et le mouvement ouvrier.

Ti-Louis gagne en popularité, car les membres apprécient sa disponibilité. Il est fiable et loyal envers ceux avec qui il travaille. Il se retrouve au centre d'un réseau de militants dévoués qui deviennent ses amis. Surtout des francophones, qui forment la grande majorité des syndiqués à Canadair, mais aussi des anglophones, assez nombreux. Des Italiens également, comme son ami Aldo Caluori, et même un noir anglophone bilingue, «Charlie» Phillips (tous deux deviendront représentants syndicaux de la Loge 712). Et quelques femmes comme Blanche Godin, une des premières déléguées d'atelier.

Parmi ses meilleurs camarades syndicalistes, il mentionne pêle-mêle Rosaire Déry, le Belge Adrien Bardonnex, Lauréat Guimond, Aldo Caluori, Pascal Miscioscia, Robert Soupras, Robert Lavoie, Aimé Gohier, Leslie Adamson, Maurice Norton, Roger Contant, Wilfrid Héroux, Gérard Desilets, «Charlie» Durocher, Lucien Martineau, Jos Pasquarelli, Henri Bonanni, Marcel Giroux, Alfred Ménard, Constantin Huard, Oscar Mathieu, Ovila Lefebvre, Paul Laurendeau, «Charlie» Phillips, Marcel Fournier, Roger Archambault, Normand Cherry.

Il participe à son premier congrès de l'Association internationale des machinistes aux États-Unis en septembre 1948, à Grand Rapids au Michigan. Le congrès de la «Grande Loge», comme on l'appelle, qui dure deux semaines. Il en est tout émoustillé: «J'avais commencé à préparer ma valise un mois avant, je n'avais jamais voyagé... Pour moi, le syndicalisme international a été une porte ouverte sur le monde. Un lieu de solidarité et de fraternité, peu importent la langue, la nationalité, les croyances, la couleur.»

En compagnie du «Renard argenté» Adrien Villeneuve, représetant de la «Grande Loge» des Machinistes, il se rendra plus tard au siège du syndicat à Washington. Dans la rue, ils croisent le grand costaud John L. Lewis, un des plus fameux et flamboyants syndicalistes américains. Président du Syndicat des mineurs, c'est le fondateur de la centrale progressiste CIO, née en 1938 d'une scission au sein de l'AFL en vue de regrouper les syndicats industriels. Villeneuve raconte: «Louis, encore tout jeune, avait une grande admiration pour John Lewis. Quand il l'a vu, ses yeux se sont écarquillés du double et il n'a même pas pu prononcer un mot! Je savais déjà que Louis irait loin, il avait un tempérament de leader, une force extraordinaire. Une verve et un sarcasme incroyables. Mais je ne me doutais pas qu'il allait devenir une sorte de John L. Lewis du mouvement syndical québécois...»

En décembre 1948, le jeune Laberge montre de quel bois il se chauffe: bien qu'il n'ait que 24 ans, il réussit à se faire élire au poste clé de représentant syndical permanent de la Loge 712 à Canadair. Il devient «agent d'affaires» *(business agent)* comme on dit dans le jargon des unions nord-américaines, un poste qu'il occupera pendant 12 ans.

Lors des élections annuelles à la Loge, le dimanche 12 décembre, il «passe comme une balle» avec plus de voix que ses quatre adversaires réunis.

Il a pu bénéficier d'une publicité spectaculaire... Certains l'accusent d'ailleurs d'avoir «arrangé» son élection, d'autres trouvent plutôt qu'il a «beaucoup de caractère». Lui-même dit en plaisantant qu'il avait bien préparé son affaire: six jours avant le scrutin, sa femme Thérèse a donné naissance à des triplets, trois garçons! L'avant-veille du vote, *La Presse* a publié une grande photo de Laberge aux côtés de ses rejetons dans leurs incubateurs à l'hôpital Sainte-Justine. C'est bien assez pour gagner son élection...

Les triplets

Entre 21 heures 30 et 22 heures 30, le lundi 6 décembre 1948, Thérèse Vaillancourt est devenue une mère célèbre en mettant au monde des triplets. Un heureux événement, rare et bouleversant.

Les trois garçonnets, nés à terme, pèsent respectivement quatre livres et cinq onces, trois livres et douze onces et trois livres et deux onces et demie. Les poupons se portent bien, tout comme leur maman âgée de 23 ans, une jeune femme toute menue qui pesait exactement 87 livres avant d'être enceinte. Quant au père, *La Presse* signale qu'il était «bien nerveux» le soir de l'accouchement à Sainte-Justine[2].

Le journal ajoute: «L'heureux papa, secrétaire-archiviste de la Loge 712, est candidat comme agent d'affaires de son syndicat. Madame Laberge dit qu'il est mieux de se faire élire à quelque poste d'importance maintenant que sa famille a tellement augmenté d'un coup!» Thérèse, radieuse, raconte à *La Presse* que cette triple naissance exauce le vœu de son garçon de trois ans et demi, Michel: «Maman, je voudrais avoir une petite sœur, un petit frère et un petit bébé!»

Ces triplets, en plein «baby boom», on ne les attendait pourtant pas. Le docteur avait dit: «Ou bien c'est un gros bébé et on sera obligé de pratiquer une césarienne, ou bien ce sera peut-être des jumeaux...» Mais des triplets... Un ébahissement! Quand on a dû leur trouver des prénoms, on s'est vite rabattu sur Pierre, Jean, Jacques... Dans l'ordre de leur naissance.

Une cérémonie spéciale de baptême se déroule à la petite chapelle de l'hôpital Sainte-Justine, le soir du 9 décembre: les poupons reposent dans leurs incubateurs entourés de leur père, des trois porteuses, des six parrains et marraines et de l'aumônier de l'hôpital, l'abbé Charles-Édouard Guilbault. Sous la photo publiée dans *La Presse*, on peut lire que quatre générations ont pris part au baptême: outre les parents et les grands-parents, l'arrière-grand-mère maternelle, madame Glaphire Ricard-Levert, était aussi présente[3].

* * *

L'irruption des triplets dans la vie de Thérèse et Louis — et dans le petit trois-pièces de la rue des Érables — est un événement littéralement bouleversant. Pierre, Jean et Jacques, qui s'ajoutent à Michel, prennent non seulement de la place mais nécessitent du temps et des soins accaparants.

«Un vrai drame», raconte Ti-Louis en se demandant encore comment le jeune couple a pu passer à travers: «Il a fallu acheter tout en triple: trois couchettes, trois matelas, de la literie, des couches, des biberons. Le matin, presque à l'aube, avant d'aller travailler, je préparais les boires de la journée. Je mesurais les proportions de lait Carnation et de sirop Beehive pour préparer un mélange parfait — le sirop les aidait à digérer. Puis je plaçais les biberons dans la glacière contre le bloc de glace. En rentrant le soir, je vidais l'eau de la glacière et le rituel recommençait...»

Thérèse se souvient: «Le Bon Dieu nous a aimés parce qu'on n'a manqué de rien pour élever notre famille et donner de la tendresse aux enfants. Quand je pense que lorsque les triplets sont nés, nous n'avions pas encore de réfrigérateur, ni de machine à laver. Nos premiers achats à crédit...» Ti-Louis ajoute: «Si ma mémoire est fidèle, comme agent d'affaires, je gagnais alors un salaire mirobolant d'environ 300 $ par mois, soit 3 600 $ par année...»

Dans le petit logement aux «murs en carton», composé de deux chambres et de la cuisine, les enfants pleurent toutes les nuits: dès qu'un des triplets se réveille, il arrache les deux autres à leur sommeil! Laberge a souvent raconté cette histoire savoureuse: «Le premier qui se réveille en pleurant cette nuit-là, c'est mon fils Pierre, le plus calme, qui aujourd'hui encore ne parle pas trop fort. Il a vraiment mal car son épingle à couche l'a piqué mais je l'ignore. En pleurant même doucement, il finit par réveiller les deux autres qui crient plus fort que lui. Je me lève et je commence par m'occuper du plus criard, Jacques: je change sa couche, je lui donne son biberon... Thérèse s'occupe du deuxième plus braillard, Jean.

Finalement on arrive au dernier, Pierre, celui qui est vraiment mal pris et qui avait pleuré le premier. La morale de cette histoire est simple: dans la vie, si tu ne cries pas assez fort, on ne te répond pas, ou pas tout de suite. Et tes droits ne sont pas toujours respectés...» Une morale très pratique qui servira souvent à Laberge dans son action syndicale.

L'espace vital manquant terriblement, la famille déménage le 1er mai 1949 dans un grand logement de six pièces, au 5846, rue Cartier. On respire un peu mieux, mais les quatre enfants requièrent beaucoup d'attention. Surtout que les triplets sont très fragiles; ils souffrent d'eczéma et de diverses allergies.

Un jour, on doit faire hospitaliser le petit Jacques qui fait des poussées d'eczéma et des poussées d'asthme, une allergie basculante. À peine arrivé à l'hôpital Sainte-Justine, il contracte une pneumonie. L'enfant décline rapidement. «Je m'en souviendrai toujours, dit Laberge le cœur brisé, avec un gros "motton" dans la gorge. Nous avons passé la dernière nuit à son chevet. Vers six heures du matin, il commençait à faire clair quand il est parti...» Jacques avait à peine 14 mois, c'était le 15 février 1950.

«On l'a enterré au cimetière de Sainte-Martine le jour de mon anniversaire de naissance, le 18 février. La mort du petit Jacques, ce fut un moment extrêmement douloureux à passer pour Thérèse et moi, la pire peine de toute notre vie. Je l'ai encore sur le cœur. Surtout que ce petit-là était un peu mon préféré...»

* * *

Avant la naissance des triplets, pour joindre les deux bouts et économiser quelques sous, Laberge a dû faire un deuxième et même un troisième boulot en plus de son travail quotidien à Canadair.

Pendant quelques mois, trois soirs par semaine, de sept heures à onze heures, il exécute un travail pénible, à la force des poignets: soulever et peser des poches de moulée de 100 livres dans une petite meunerie située près du port de

Montréal. «J'avais de bons bras, dit-il, et cette job-là me tenait en forme: un gars qui voulait m'essayer y pensait à deux fois... Mais les journées étaient bien longues et les nuits trop courtes.» Il rentrait de Canadair pour souper à la maison, se changeait et repartait vers le port, toujours en tramway, pour ne rentrer chez lui que vers minuit. Et il devait se lever vers cinq heures du matin.

Et ce n'est pas tout! C'est aussi à cette époque qu'il a travaillé le vendredi soir et le samedi comme vendeur chez Grover, un magasin de vêtements pour hommes de l'avenue Mont-Royal.

Il conclut cet épisode: «En plus, je devais me lever la nuit à cause des enfants... Mais je dois dire que c'est Thérèse qui s'est vraiment occupée des enfants, c'est elle surtout qui les a élevés.»

«Agent d'affaires» de la Loge 712

Depuis décembre 1948, Laberge est donc «agent d'affaires» des quelque 4 000 membres que compte alors la Loge 712 des Machinistes à Canadair.

L'avionnerie de Cartierville, la plus grande au Canada, fabrique des CF-104 et aussi des Sabres F-86 désignés comme les avions à réaction les plus rapides du monde; elle assemble également des North Star 145.

Ti-Louis doit préparer deux assemblées syndicales régulières chaque mois. Il rédige pour les membres un bulletin mensuel d'information, bilingue, qu'il agrémente de petits dessins de son cru. Quand il rencontre son monde en assemblée ou à son bureau, il écoute et est attentionné: il prend des notes et écrit avec ses gros doigts noueux dans son petit calepin bleu, se souvient son ancien confrère Normand Cherry. Les réunions se terminent souvent chez lui à placoter autour d'une caisse de bière. Et, dans les grandes occasions, autour d'une bouteille de cognac.

Pour «améliorer le service» aux membres, il est bientôt secondé par un deuxième «agent d'affaires», Aldo Caluori, un de ses amis italiens de jeunesse avec qui il a étudié à l'École supérieure Saint-Stanislas. Il bénéficie aussi des bons conseils de son ami Adrien Villeneuve et de son confrère George Schollie, Écossais d'origine et vice-président canadien des Machinistes en poste à Montréal.

Laberge doit maintenant s'occuper non seulement des griefs mais des arbitrages et, surtout, négocier des contrats de travail que l'on renouvelle chaque année. De bons contrats qui se comparent à ceux des autres avionneries canadiennes.

Pour faire ses premières armes syndicales, en 1949, il va chercher auprès des membres un mandat de grève (à 98 %). Deux jours avant l'arrêt de travail, un règlement intervient grâce à la médiation personnelle du ministre du Travail de Duplessis, Antonio Barrette, qui préside l'ultime séance de négociations dans son propre bureau. Le syndicat réussit à arracher une hausse de salaire de 7 cents l'heure, une bonne moyenne pour des travailleurs relativement bien payés. Il obtient en outre deux semaines de vacances payées après cinq ans de service et huit fêtes chômées dont trois payées (Noël, le Jour de l'An et le Vendredi saint).

L'année suivante en 1950, nouvelle hausse de 7 cents et, parmi d'autres gains, trois fêtes payées additionnelles et une clause d'ancienneté améliorée pour les rappels au travail. En 1952, les salaires s'échelonnent de 1 $ à 1,80 $ l'heure, par suite d'une hausse de 15 cents. En supplément, le syndicat décroche une prime de vie chère, car l'inflation fait des siennes. Grâce aux contrats et aux emplois engendrés par la guerre de Corée, la Loge 712 compte maintenant 6 500 membres.

Début 1954, le syndicat réussit à réduire la semaine normale de travail de 45 à 42 heures et demie. Autre gain majeur: la création d'un régime de retraite. La semaine de 41 heures et quart sera obtenue en 1956 et la semaine de 40 heures en 1960. Cette année-là, le salaire des 5 000 ouvriers varie de 1,66 $ à 2,33 $ l'heure, ce qui les classe parmi les mieux payés des travailleurs industriels.

Durant toutes ces années, le syndicat tente de se protéger

contre les mises à pied massives qui frappent régulièrement ses membres. Un des mots d'ordre: refuser de faire des heures supplémentaires pour permettre à plus de monde de travailler. Des «équipes spéciales» de la Loge 712 évacuent parfois de leur atelier ceux qui n'ont pas bien compris le message...

Ti-Louis contre le grand Jeff Notman

Laberge est un négociateur coriace qui n'a pas froid aux yeux, comme en témoigne cet affrontement survenu lors d'une ronde de négociations.

Des négociations âpres où le syndicat réussit à arracher une substantielle augmentation de salaire de 25 cents l'heure pour contrer la hausse du coût de la vie. On parvient à tricoter une entente entre la direction de Canadair et le comité syndical dirigé par Laberge et composé de certains de ses bons camarades comme Robert Soupras et Robert Lavoie. Le texte écrit final est approuvé de part et d'autre.

Pour la cérémonie officielle de signature de la convention, les parties se retrouvent dans le bureau du président de Canadair, Jeffrey Notman, un colosse d'Anglais de près de six pieds quatre pouces, un ancien joueur de football. «Quand tu connais ma grandeur», rigole Ti-Louis...

En lisant soigneusement le document, Laberge s'aperçoit que le libellé d'un article de la convention, sur les horaires de travail, ne correspond pas à ce qui a été convenu.

— M. Notman, dit-il, sauf votre respect, ce qui est écrit là, on ne s'est jamais entendus là-dessus.

— C'est ça qu'on a négocié, réplique sèchement Jeff Notman, en tirant une bouffée de son cigare.

— Les gars, est-ce que c'est vrai? demande Ti-Louis en prenant son monde à témoin. Tous les négociateurs syndicaux présents répondent en chœur: non.

— Vous allez changer ça sinon on ne signe pas la convention, dit-il à Notman d'un ton ferme.

Le grand patron de Canadair se penche alors sur la table,

ramasse le projet de contrat et le tient entre ses mains levées, prêt à le déchirer:

— Tu signes ou tu signes pas? lance-t-il à Laberge.

— Si vous avez assez de culot, déchirez-le, répond Ti-Louis du tac au tac.

Déconcerté, Notman remet le contrat sur la table. Puis il modifie la phrase contestée et on finit par signer la convention collective.

Laberge dit aujourd'hui: «Nous avions négocié jour et nuit à l'hôtel Windsor, nous étions rendus au bout du rouleau. J'ai beau avoir les nerfs solides, j'étais un peu angoissé et je fortillais sur ma chaise. Je me disais: pourvu qu'il ne déchire pas le contrat, on a eu assez de misère à le négocier! Dieu merci, c'était du bluff.»

Toute cette scène s'est évidemment déroulée en anglais, Jeff Notman étant unilingue et les négociations se faisant toujours en anglais à Canadair (jusqu'en 1964). Le texte de la convention collective est cependant bilingue.

«Louis a été le gars le plus *toffe*, le plus batailleur que tu peux imaginer avec la partie patronale à Canadair», estime son camarade Robert Soupras, qui a négocié à ses côtés et qui a parfois été dans le camp de ses opposants. «Quand il faut se battre, il se bat au boutte. Il ne couche pas avec le *boss*. Mais il ne frappe jamais en bas de la ceinture: son adversaire sait que s'il doit manger un coup de poing, il l'aura sur la gueule! Louis s'en tient à sa parole. Il résiste longtemps, mais il est réaliste. Ce n'est pas non plus un partisan de la grève à tout prix: il sait que c'est l'arme ultime.»

Pour Robert Lavoie, un autre camarade qui fut son opposant, «Louis n'est pas un gars à se jeter la tête sur un mur, c'est un fin stratège, un gars très intelligent. Il a de bons arguments et sait livrer la marchandise. Le plus beau, c'est qu'on n'a jamais eu besoin de faire la grève à Canadair quand Louis était là. En assemblée syndicale, il faisait toujours une recommandation, pour ou contre un projet de contrat. Il n'avait pas peur de se mettre au blanc devant les membres. Je l'ai vu diriger des assemblées houleuses et bilingues de 2 000 à 3 000 membres, au marché Saint-Jacques: ça jouait dur, mais il ne se laissait pas intimider.»

Même qu'une fois, un syndiqué mécontent est parti du milieu de la salle et a sauté sur la scène après avoir annoncé sa ferme intention de «casser la gueule» à Ti-Louis. Celui-ci a juste eu le temps de saisir une grosse pince à levier — une *crow-bar* — qui traînait non loin de la tribune et de faire tournoyer son arme «au ras de la tête» de son agresseur qu'on a finalement maîtrisé. «Il y avait des travaux de rénovation en cours au marché et la pince était heureusement à portée de ma main...»

La caisse d'économie de l'avionnerie

En 1952, avec son ami Robert Soupras et d'autres confrères, Laberge participe à la mise sur pied d'une institution coopérative contrôlée par les syndiqués de Canadair: la «Caisse d'économie des employés de l'avionnerie».

Comme les caisses populaires Desjardins, les caisses d'économie («credit unions») sont des coopératives d'épargne et de crédit, mais elles sont implantées dans les milieux de travail; elles recueillent les épargnes de leurs membres qui y contribuent par déduction à la source sur le salaire. «Le contrôle de nos épargnes, dit Laberge, j'y crois depuis longtemps. Et la solidarité aussi. Comme syndicats, nous pouvons gérer collectivement des réservoirs de capitaux qui deviennent des instruments de libération économique pour les travailleurs.»

Le président-fondateur de la caisse, Robert Soupras, raconte l'aventure: «Si Louis n'y avait pas cru, on n'aurait pas pu mettre la caisse sur pied. Il croyait à la formule coopérative, et les membres lui faisaient confiance. Au début, on collectait l'argent à la mitaine, des deux piastres, des cinq piastres, puis on a négocié la déduction à la source avec l'employeur. On a lancé l'affaire avec 300 $ de dépôts... On voulait montrer à nos membres à épargner, à ne pas s'endetter auprès des requins de la finance. L'endettement des ouvriers, c'était et c'est encore une vraie plaie, serpent! On donnait des cours sur le budget familial. À la demande expresse de Louis, en 1957, je suis devenu gérant à plein temps de la caisse.»

En 1962, Robert Soupras sera élu président de la Fédération des caisses d'économie du Québec, poste qu'il détiendra durant 25 ans avant d'être remplacé par son bras droit, l'avocat Claude Béland, aujourd'hui président du Mouvement Desjardins. Laberge siégera au conseil d'administration de la Fédération pendant quelques années. La caisse de Canadair a été parmi les pionnières d'une grande institution financière ouvrière, aujourd'hui affiliée au Mouvement Desjardins, qui comptait en 1991 quelque 750 caisses, 315 000 sociétaires et un actif d'un milliard et demi de dollars.

Le plus ironique, c'est que Laberge a joliment eu besoin de sa caisse d'économie pour arriver à joindre les deux bouts. «Louis était très bon pour s'occuper des problèmes des autres mais pas trop des siens, dit Soupras avec un clin d'œil. Avant de penser à lui, il pensait aux autres, quitte à se mettre dans le trouble. Il passait de l'argent à ses amis pour les dépanner, sans intérêt, et empruntait lui-même à la caisse d'économie en payant de l'intérêt! En fait, il était un peu bohème: l'argent n'a jamais eu d'importance pour lui personnellement.»

À preuve, Ti-Louis aime bien payer la traite à tout le monde et ses tournées lui coûtent cher, même si elles font mousser sa popularité. Il affectionne aussi les bonnes parties de cartes où de fortes sommes sont en jeu. Un peu serré dans ses finances, il «oublie» parfois d'acquitter à temps ses impôts, ses taxes municipales ou certains paiements sur ses achats. «En fait, tout bon syndicaliste qu'il soit, Louis ne s'est jamais vraiment occupé de ses propres affaires», dit Soupras. Ainsi, il se passera des années avant qu'on lui donne un régime de retraite en tant que président de la FTQ: il ne s'en était jamais préoccupé.

Comme dit le vieux proverbe, les cordonniers sont toujours les plus mal chaussés.

Chapitre 5

Du Conseil des métiers et du travail à l'Hôtel de Ville de Montréal

Le rendez-vous de l'élite syndicale

En ce temps-là, le Conseil des métiers et du travail de Montréal (CMTM) tenait ses assemblées au «Temple du travail», à la grande salle de l'édifice de la Fraternité unie des charpentiers-menuisiers d'Amérique, 3560, boulevard Saint-Laurent près de la rue Prince-Arthur dans le centre de la métropole.

Deux soirées par mois, les premier et troisième jeudis, les «confrères» et les «compagnes» des syndicats internationaux se retrouvaient en grand nombre pour fraterniser et discuter d'affaires syndicales et de questions d'intérêt public. Rendez-vous de l'élite syndicale et principal porte-parole de la classe ouvrière montréalaise, le CMTM va servir de tremplin à Louis Laberge pour son ascension dans le mouvement ouvrier. Aussitôt élu à l'exécutif de la Loge 712, Ti-Louis commence à militer au Conseil et, à un degré moindre, à la Fédération provinciale du travail du Québec (FPTQ).

Fondé en 1886, le Conseil des métiers et du travail est la plus vieille organisation syndicale régionale au Québec. Il rassemble les unions «internationales», c'est-à-dire nord-américaines, affiliées à l'American Federation of Labor (AFL) et au Congrès des métiers et du travail du Canada (CMTC). Ces unions sont les plus importantes en nombre et en force, non seulement à Montréal mais au Québec, et aussi les plus anciennes.

Quant à la fédération provinciale, elle n'a été fondée qu'en 1937 comme aile québécoise de la centrale canadienne. L'adhésion y est volontaire, et elle exerce moins d'influence que le Conseil montréalais; elle se limite encore, à toutes fins utiles, à organiser son congrès annuel, sorte de grand-messe syndicale, et à faire un pèlerinage à Québec pour présenter chaque année son mémoire au premier ministre.

Laberge est délégué pour la première fois au CMTM en 1947 après avoir été élu secrétaire-archiviste de son syndicat; il s'y engage davantage après son accession au poste d'«agent d'affaires». En 1950, il est élu à l'exécutif du Conseil qui regroupe alors près de 75 000 membres.

Le CMTM, dont les assemblées sont bilingues, se préoccupe surtout des questions municipales et du soutien aux nombreuses luttes syndicales. Mais il s'intéresse à tout ce qui touche l'amélioration du sort de la classe ouvrière. Son idéologie est social-démocrate[4].

Les syndicats les plus influents au Conseil sont les unions de métiers, mais les syndicats industriels sont tout aussi nombreux et fort actifs. Le gros des troupes est formé des vieilles unions de métiers de la construction où les syndicalistes francophones sont largement majoritaires: charpentiers-menuisiers, plombiers, électriciens, ferblantiers, journaliers, peintres, etc. Il y a ensuite les machinistes et les syndicats des chemins de fer (wagonniers, chaudronniers, commis) où les anglophones sont nombreux, puis les unions du vêtement et du cuir où l'on compte beaucoup de militants d'origine juive.

Les autres syndicats importants sont ceux des typographes et des ouvriers des métiers de l'imprimerie, des débardeurs —

qui travaillent «au bord de l'eau» —, des camionneurs (les Teamsters), des travailleurs du textile, du tabac, de la boulangerie, des distilleries, de l'industrie chimique, des hôtels et des restaurants ainsi que des pompiers et des postiers. Les femmes composent un peu moins de 20 % de l'effectif des syndicats affiliés, et on compte encore peu de «compagnes» aux assemblées du Conseil.

«Mes amis Claude Jodoin et Roger Provost»

Le Conseil des métiers et du travail est le vivier de l'élite ouvrière du temps, en particulier de la caste syndicale formée par les «agents d'affaires». Sa direction est dominée par deux personnages d'envergure qui vont faire leur marque dans le mouvement ouvrier et qui auront une grande influence sur le jeune Laberge: Claude Jodoin, alors président du Conseil, et Roger Provost, le secrétaire.

Au début de 1951, alors qu'il n'a que 27 ans, Laberge succède à Provost au poste — bénévole — de secrétaire correspondant du CMTM, à titre de bras droit du président Jodoin.

Provost vient de quitter ce poste pour accéder à la présidence de la Fédération provinciale du travail du Québec. Quant à Jodoin, déjà vice-président du Congrès des métiers et du travail du Canada, la centrale canadienne, il en deviendra le président en 1954.

«Mes amis Claude Jodoin et Roger Provost ont été deux grands syndicalistes progressistes qui m'ont profondément marqué», témoigne Laberge. Ce sont deux hommes de gauche modérés, des sociaux-démocrates animés par un idéal réformiste.

«Le grand Claude» Jodoin est toute une pièce d'homme, un colosse mesurant 6 pieds 2 pouces et pesant 275 livres. Un rude gaillard à la moustache sympathique et aux sourcils broussailleux. Un intellectuel aussi, qui a fait des études classiques chez les Jésuites aux collèges Sainte-Marie et Brébeuf. Bon harangueur, diplomate, il appartient à la nouvelle génération de syndicalistes jeunes et instruits.

Jodoin est président — bénévole — du CMTM depuis 1947 et gérant du Conseil conjoint de Montréal de l'Union internationale des ouvriers du vêtement pour dames (UIOVD). Il a fait ses premières armes dans ce syndicat en 1937, à 24 ans, au moment de la célèbre grève des midinettes, aux côtés de militants juifs comme Bernard Shane, leader de l'UIOVD en lutte contre le régime Duplessis. Il avait travaillé dans le bâtiment lors des années de la Crise pour payer ses études.

Adversaire acharné du gouvernement conservateur et antisyndical de Maurice Duplessis, il s'est fait élire député à Québec en 1942, lors d'une élection complémentaire dans Saint-Jacques à Montréal, sous la bannière du Parti libéral réformiste d'Adélard Godbout alors au pouvoir. Battu en 1944 par les «bleus» de Duplessis, il est défait à nouveau en 1948 alors qu'il se représente dans Saint-Jacques comme candidat ouvrier indépendant, sous l'étiquette «travailliste».

Séduit par le programme du petit parti social-démocrate CCF — le Commonwealth Cooperative Federation, ancêtre du Nouveau Parti démocratique (NPD) — il préfère ne pas rallier officiellement les rangs de cette formation marginale et anglophone, née dans l'Ouest du Canada, qui recueille bon an mal an à peine 2 % des voix au Québec. Ce n'est d'ailleurs qu'en 1955 que le CCF se donnera enfin un nom francophone dans la province, celui de Parti social-démocratique (PSD), sous la direction de Thérèse Casgrain, la grande dame de la gauche intellectuelle.

Après son élection comme président du Congrès du travail du Canada en 1956, Jodoin favorisera l'alliance des syndicats et du CCF pour créer le NPD. Il s'affiche par ailleurs comme un fédéraliste à tous crins. De formation militaire, captaine de réserve dans le 65e Régiment des Fusiliers Mont-Royal, il proclame: «Ma province, c'est le Québec, mon pays, le Canada.»

Quant à Roger Provost, c'est un autre intellectuel, fils d'un père syndicaliste, Euclide, qui fut naguère secrétaire du Conseil des métiers et du travail de Montréal. Plutôt grand, avec des yeux brillants et une fine moustache, c'est un bel homme, affable, gentleman avec les femmes. Orgueilleux, il s'impose comme un bourreau de travail animé d'une sorte de feu sacré. Orateur distingué, fine mouche, ce négociateur habile et souple cultive l'art du compromis.

Après avoir fait son cours classique au Séminaire de Saint-Jean, Provost a travaillé comme employé de banque puis, pendant dix ans, comme inspecteur d'assurances. Président des Jeunesses réformistes durant les années 30, élu secrétaire du CCF après la guerre et collaborateur du chef provincial du parti, l'avocat syndical Guy-Merrill Desaulniers, il débute en 1947 dans le syndicalisme: d'abord comme représentant de l'Union internationale des travailleurs de l'industrie du chapeau et de la casquette (les «Hats and Caps»), dirigée par l'influent social-démocrate juif Maurice Silcoff, puis comme permanent de l'Union des ouvriers de la sacoche. En 1948, il est élu secrétaire du Conseil des métiers et du travail.

À 39 ans, en 1951, Provost accède à la présidence de la FPTQ, un poste qui n'est pas permanent ni rémunéré. L'année suivante, il devient directeur québécois des Ouvriers unis du textile d'Amérique à la faveur d'une purge contre les dirigeants procommunistes de ce syndicat, Kent Rowley et Madeleine Parent. En 1953, il est directeur canadien de son union et en est élu vice-président nord-américain. Il continue de militer au CCF et s'affiche aussi comme un nationaliste québécois, davantage que Jodoin.

* * *

Au contact de sociaux-démocrates comme Provost et Jodoin, le jeune Laberge, qui représente la garde montante, fait son apprentissage syndical. Mais où se branche-t-il alors sur le plan politique, hormis qu'il soit anticommuniste?

La première fois qu'il a pu poser sa croix sur un bulletin de vote, lors des élections fédérales de juin 1945, il a voté pour le Bloc Populaire, le parti nationaliste et réformiste québécois qui s'était opposé à la conscription pendant la guerre.

Le Bloc étant ensuite disparu, il a voté pour les libéraux réformistes de Louis Saint-Laurent à Ottawa, «comme presque tous les Canadiens français», puis CCF.

Aux élections provinciales, il admet — «sans m'en vanter» — qu'il a voté pour l'Union nationale lors du scrutin de 1948 parce son père était «bleu» et qu'il était nationaliste. Mais ce fut la seule fois. Après la célèbre grève de l'amiante en 1949 et devant l'antisyndicalisme virulent du gouvernement de l'Union nationale, il est devenu antiduplessiste, «peut-être après certains mais quand même...» Il a alors voté libéral puis CCF.

Laberge se définit comme «un social-démocrate pragmatique». Mais officiellement, en tant que syndicaliste occupant des postes de direction, il ne fait pas à l'époque de politique partisane, conformément à la tradition des syndicats de l'AFL. Cette tradition, qui remonte au président-fondateur Samuel Gompers, veut qu'en matière d'action politique électorale, on doive «récompenser les amis du mouvement ouvrier et punir ses ennemis».

Il raconte: «Je discutais souvent de politique avec mon père, qui était un partisan de Duplessis, comme beaucoup de bons catholiques membres de la CTCC et beaucoup de nos membres aussi. Personnellement, il fut un temps après la guerre où j'ai pu avoir quelque sympathie pour l'Union nationale, mais avec les années et les conflits ouvriers, plus ça allait, plus on se rendait compte que le gouvernement Duplessis était l'ennemi du mouvement syndical et des travailleurs. Sa police provinciale, la "PP", agissait comme le bras des grandes compagnies qui contribuaient à sa caisse électorale.»

Malgré tout, et comme il le fera sous tous les gouvernements élus, Ti-Louis a cultivé de bons contacts avec des «bleus» tel le ministre du Travail de Duplessis, Antonio Barrette, un ancien membre de l'Association internationale des machinistes, souvent caricaturé avec une boîte à lunch. Ainsi, en septembre 1950, il invite Barrette à une petite fête syndicale pour célébrer le dixième anniversaire de fondation de la Loge 712 à Canadair. «C'était quand même un bonhomme sympathique, laisse-t-il échapper. Mais il était subjugué par Duplessis: il ne pouvait rien faire sans l'accord du Boss.»

Président du Conseil du travail

Secrétaire du Conseil des métiers et du travail depuis 1951, bras droit de Claude Jodoin, Laberge s'affirme comme un homme plein d'initiative et un leader naturel. Avec son goût du pouvoir s'affirme son sens des responsabilités, et il imprime sa griffe partout où il passe.

Il est responsable du comité d'organisation de la grande «parade» de la Fête du Travail qui se déroule chaque année le premier lundi de septembre, jour férié. Les syndiqués en habits de travail, les chars allégoriques et les fanfares ouvrières défilent dans les rues de Montréal, depuis le parc Lafontaine jusqu'au Carré Viger. Organisée par les unions internationales, cette parade est une tradition ouvrière nord-américaine célébrée depuis 1886 dans la métropole. En 1951, la Loge 712 de Canadair gagne le trophée du plus beau char allégorique: des machinistes au travail autour d'un puissant moteur d'avion North Star. Après le défilé, on organise un pique-nique familial au parc Belmont où à l'île Sainte-Hélène.

À compter de 1953, le Conseil célèbre la fête par un ralliement syndical et un spectacle de variétés au Palais du Commerce puis au Forum de Montréal; au-delà de 10 000 personnes participent au «Festival du Travail». La tradition va se poursuivre jusqu'au début des années 60 et sera relayée, à compter de 1970, par la manifestation du Premier Mai.

Laberge est également actif au comité de l'étiquette syndicale, outil de promotion des produits et services qui portent la marque de fabrication syndicale. C'est une façon efficace d'encourager le maintien et la création d'emplois syndiqués. Chaque année, lors de la Semaine de l'étiquette syndicale en septembre, le Conseil couronne une «Miss Étiquette syndicale»... par suite d'un concours très couru et haut en couleurs organisé par l'Union du vêtement pour dames.

À l'occasion d'un banquet pour fêter le vingtième anniversaire de mariage d'un de ses confrères, Ti-Louis se met tout à coup à rager: il monte sur une chaise et décroche du mur une horloge à l'emblème de Molson, brasserie non syndiquée. «On n'a jamais revu l'horloge», raconte ce confrère encore abasourdi. Laberge n'a jamais toléré qu'on serve de la «bière non syndiquée», sinon il pique une colère noire. Et il a toujours pris soin d'acheter des vêtements et autres produits portant «l'étiquette de l'union». Il faisait imprimer tous les documents du Conseil à l'Imprimerie Mercantile, l'un des premiers ateliers à avoir arboré l'étiquette syndicale à Montréal au début du siècle après sa fondation par le typographe et syndicaliste Gustave Francq, directeur-fondateur du journal de la FTQ *Le Monde ouvrier*.

Ti-Louis participe à toutes les campagnes de soutien aux luttes ouvrières, à toutes les lignes de piquetage lors des grèves qui éclatent au début des années 50: chemins de fer, tabac, débardeurs, textile, Dupuis Frères (une grève de la CTCC), marins, ouvriers du bâtiment, camionneurs, typographes du quotidien *Le Devoir*... Le CMTM fournit des «équipes volantes» de piqueteurs pour aider les grévistes, organise des collectes et des envois de vivres. Laberge s'engage aussi dans plusieurs campagnes de syndicalisation menées par les Machinistes et d'autres syndicats affiliés au Conseil.

Il se préoccupe déjà beaucoup de la lutte contre le chômage, qui ne frappe encore que 3 % de la main-d'œuvre au Québec en 1950 mais qui grimpera graduellement à 6 % en 1954 et à plus de 8% lors de la récession en 1958. Le Conseil déplore «l'absence de plan en faveur du plein emploi au Canada»; il réclame des programmes de travaux publics, la construction de logements et «l'arrêt immédiat de toute immigration tant que la situation économique ne se sera pas sensiblement améliorée». En 1955, le Conseil délègue Laberge au cartel unitaire formé à Montréal pour lutter contre le chômage par le CMTM (AFL), le Conseil du travail (CIO) et le Conseil central des syndicats catholiques et nationaux (CTCC).

Laberge siège aussi au Comité contre l'intolérance raciale et religieuse, un comité intersyndical qui fait campagne pour «améliorer les relations entre les différents groupes ethniques qui composent le mouvement ouvrier à Montréal». Rebaptisé plus tard Comité ouvrier pour les droits de l'homme, l'organisme sera l'un des premiers à revendiquer une charte des droits et libertés. «Laberge a toujours eu à cœur les bonnes relations entre les gens de toutes ethnies et croyances», constate Jacques-Victor Morin, un syndicaliste du CIO qui fut secrétaire du CCF au Québec et qui l'a connu à ce comité. «Pour lui et beaucoup d'autres, le mouvement syndical a été une bonne école de tolérance et d'ouverture d'esprit.»

* * *

Le 1er septembre 1955, Louis Laberge est élu par acclamation au poste prestigieux — et bénévole — de président du Conseil des métiers et du travail de Montréal, qui compte alors quelque 80 000 membres. Il est âgé de 31 ans.

On le réélira à la présidence, sans opposition, pendant près de dix ans. «J'étais assez populaire auprès des délégués et je contrôlais bien mon affaire», déclare-t-il sans fausse modestie. Il prend la relève de Léo Côté, de l'Union des travailleurs du métal en feuilles — les ferblantiers —, qui avait temporairement remplacé Claude Jodoin élu président du CMTC à Ottawa.

Le successeur de Laberge au poste de secrétaire est son ami Roméo Girard, représentant de l'Union des ouvriers de la sacoche et futur vice-président de la FTQ. Le trésorier est un autre ami de Ti-Louis, «le grand Jean» Joly, permanent des Machinistes et ex-confrère de classe à l'École supérieure Saint-Stanislas. Parmi ses autres lieutenants, on compte deux anglophones progressistes, John Purdie du Syndicat du tabac et Raymond Bennett de l'Union internationale des typographes.

«Louis avait acquis de l'expérience et est vite passé maître dans l'art de diriger les assemblées avec son petit maillet présidentiel, raconte Jean Joly. Il avait beaucoup d'esprit et beaucoup de présence d'esprit. Et drôlement coriace: quand il était attaqué ou coincé, il pouvait devenir méchant et déchirer ses opposants! Mais lui qui critiquait Claude Jodoin parce que les assemblées ne commençaient pas à l'heure, il n'a pas fait mieux...»

«Il y avait toujours beaucoup de monde aux réunions, au moins 150 à 200 délégués, deux fois par mois, dit Laberge. De belles assemblées... Le Conseil était très vivant, très actif.» En tant que président bilingue, c'est lui qui traduisait au besoin les interventions des délégués, en français ou en anglais. Noël Pérusse, qui fut 12 ans directeur des communications à la FTQ, s'en souvient encore: «J'étais époustouflé par ses traductions, très fidèles et très complètes. Il avait une bonne maîtrise de l'anglais et, surtout, il traduisait intelligemment.»

Sa première bataille comme président, à l'automne 1955, va faire du bruit: une mobilisation syndicale tous azimuts pour s'opposer à la hausse des tarifs du tramway, qui doivent monter à deux billets pour 25 cents. Il organise une grande assemblée de protestation au Forum de Montréal, convoquée conjointement avec les syndicats du CIO et les syndicats catholiques. La hausse entrera en vigueur malgré un mot d'ordre de boycottage lancé par le cartel ouvrier. «Les luttes pour le transport en commun à Montréal ne datent pas d'hier», observe Laberge en rappelant que le CMTM réclamait la construction d'un métro dès 1940.

Ti-Louis expulsé de l'Hôtel de Ville

Un événement spectaculaire marque le début du mandat de Laberge à la tête du CMTM.

L'affaire éclate comme une bombe le 17 octobre 1955, un mois et demi après son entrée en fonction comme président: Ti-Louis, qui siège comme conseiller municipal à l'Hôtel de Ville de Montréal, est expulsé de la salle du conseil par le maire Jean Drapeau qu'il a accusé de «partialité». Du jamais vu dans les annales municipales à Montréal!

Il faut d'abord rappeler qu'en vertu du régime électoral alors en vigueur dans la métropole, le Conseil des métiers et du travail a droit d'office à trois conseillers municipaux, trois échevins comme on les appelait. Selon le «système des 99», on compte en effet à l'Hôtel de Ville trois catégories de conseillers: 33 de classe «A», élus par les propriétaires; 33 de classe «B», élus par les propriétaires et les locataires, et 33 de classe «C» désignés par les corps publics, c'est-à-dire milieux d'affaires, syndicats, milieux de l'enseignement, etc. Un système éminemment corporatiste et parfaitement antidémocratique.

En vigueur depuis 1940 (et jusqu'en 1960), ce régime est vertement dénoncé par le CMTM, qui réclame des élections au suffrage universel. «J'étais, dit Laberge, un des plus chauds partisans de la réforme, tout en sachant que cette réforme allait me faire perdre mon poste d'échevin...» Ce qui s'appelle scier la branche sur laquelle on est assis! Mais «c'était un système absolument aberrant qui ne permettait pas aux petits contribuables de se faire entendre, un système dénaturé au profit des propriétaires et des milieux d'affaires». Laberge siège à l'Hôtel de Ville depuis l'automne 1954, délégué du CMTM avec ses amis Roger Provost et Claude Jodoin (ce dernier sera remplacé par Hector Marchand, du Syndicat des débardeurs).

Lors des élections municipales d'octobre 1954, le CMTM a vu d'un bon œil l'élection d'une nouvelle administration dirigée par le maire Jean Drapeau et sa Ligue d'action civique, une coalition de forces antiduplessistes. Drapeau, jeune avocat fringant, s'est gagné des avantages politiques avec les révélations de la commission d'enquête Caron sur le crime organisé, enquête que le CMTM avait réclamée et appuyée. Dans son manifeste municipal, le Conseil a revendiqué le remplacement du «système des 99» par un mode de représentation démocratique, la démolition des taudis et la construction de logements familiaux à loyer modique, un mode de taxation plus équitable, la construction d'un métro ainsi que la municipalisation complète du transport en commun et du réseau hydro-électrique.

La lune de miel du CMTM avec l'équipe Drapeau sera de courte durée. L'homme fort du régime est le président du comité exécutif, Pierre DesMarais, propriétaire d'une imprimerie et farouchement antisyndical. C'est un patron inflexible avec les employés municipaux et qui réduit de surcroît les services. Selon Laberge, «il était encore plus autoritaire que Drapeau, ce qui n'est pas peu dire... Nous étions lui et moi comme l'eau et le feu: je pouvais le faire sortir de ses gonds n'importe quand.»

Lors d'une séance du conseil municipal, dans l'après-midi du 17 octobre 1955, Laberge et Roger Provost tirent à boulets rouges sur l'administration Drapeau-DesMarais. La Ville, accusent-ils, a «prêté» des agents de sa police à une municipalité de banlieue, Ville Saint-Michel, pour protéger des briseurs de grèves à la cimenterie Miron lors de l'arrêt de travail des camionneurs, membres du Syndicat des Teamsters. La violence a éclaté sur les lignes de piquetage. Pierre DesMarais a même suggéré à la police de recourir aux bombes lacrymogènes contre les grévistes, accuse Laberge. Le ton monte, et DesMarais s'emporte contre «ces chefs syndicaux qui ne représentent pas les ouvriers». Ti-Louis riposte avec véhémence par quelques coups de gueule. Il est déclaré «hors d'ordre» par le maire Drapeau.

Lorsque la séance reprend en soirée, on sent de la poudre dans l'air. Les hostilités éclatent à nouveau alors que «la prière d'ouverture venait à peine d'être récitée», rapporte le quotidien *Montréal-Matin*[5].

— Question de privilège, Monsieur le maire, dit Laberge en se levant avec assurance, tiré à quatre épingles comme à l'accoutumée. Vous m'avez nié mes prérogatives cet après-midi quand vous m'avez déclaré hors d'ordre. Je ne sais pas si c'est de la partialité de votre part...

À ces mots, Drapeau bondit de son siège et monte sur ses ergots:

— Je ne tolérerai pas ce genre de langage. Je demande au conseiller de retirer ses paroles sinon je devrai le faire expulser.

— Si vous m'expulsez, ce sera un honneur pour moi, Monsieur le maire, rétorque Laberge, frondeur.

Sur-le-champ, le maire Drapeau, très soupe au lait, donne l'ordre d'expulsion aux agents de faction à l'entrée de la salle du conseil. Laberge, sans aucune résistance, se dirige vers la sortie. «Un incident sans précédent de mémoire d'homme à l'Hôtel de Ville», écrit le *Montréal-Matin*. Le conseiller Paul Dozois a beau demander au maire de revenir sur sa décision, tout en admettant que Laberge est «allé trop loin», Drapeau reste intransigeant.

Laberge est tout aussi intraitable: «Chaque fois que nous essayons de défendre les intérêts des ouvriers, dit-il à sa sortie de l'Hôtel de Ville, le maire tente de nous empêcher de parler et agit en petit dictateur. Il faudra donc s'occuper davantage de politique municipale pour que des DesMarais et des Drapeau ne soient plus élus.» Son ami Roger Provost est encore plus courroucé: «Trop souvent, les dictateurs ont commencé à se présenter comme des réformateurs. Ce fut le cas de Hitler, de Mussolini, de Peron en Argentine. Ici à Montréal, la scène est plus petite, mais les ambitions de certaines personnes sont aussi grandes.» Trois jours plus tard, les délégués à l'assemblée du Conseil des métiers et du travail adoptent une résolution de blâme contre l'administration municipale; ils appuient «l'attitude courageuse de nos conseillers» par un vote de confiance unanime et debout.

La lutte au régime Drapeau-DesMarais

Un an plus tard, en octobre 1956, la guerre contre l'administration Drapeau-DesMarais n'a pas dérougi: Laberge dirige une délégation du CMTM auprès du maire «afin, dit-il, que la police cesse de réduire illégalement le nombre de piqueteurs lors des grèves légales». Il insiste: «Ce n'est pas aux policiers de faire ça mais aux tribunaux.»

Les hostilités se rallument peu après lorsque l'administration municipale, quelques jours avant Noël, commet «une bourde épouvantable»: elle congédie brutalement 230 membres du syndicat des cols bleus et annonce son projet de privatiser le service de cueillette des ordures ménagères. Laberge et le CMTM dénoncent à tour de bras l'antisyndicalisme des maîtres de l'Hôtel de Ville et s'engagent formellement à les faire battre aux prochaines élections.

Autre pomme de discorde: le maire Drapeau retarde la mise en œuvre du projet de construction de logements à loyer modique des Habitations Jeanne-Mance, adopté par le conseil municipal en 1955. Cette première opération de rénovation urbaine d'envergure prévoit la démolition de taudis et la construction, au même endroit, de 800 logements répartis dans 16 tours d'habitation. Le maire s'oppose au choix de l'emplacement des HLM au centre-ville. Il faudra une loi spéciale du gouvernement Duplessis pour que le projet se réalise. Un projet qu'on baptisera le «plan Dozois», du nom du ministre des Affaires municipales de Duplessis, l'ancien conseiller municipal Paul Dozois.

«Le CMTM avait exigé cette législation, se souvient Laberge. C'était un programme urgent de logement social, le plus grand du genre jamais réalisé à Montréal. En plus, ça donnait du travail à notre monde dans la construction.»

Cette préoccupation des emplois, déjà obsessionnelle chez Laberge, se manifeste dans un autre dossier majeur, la construction du boulevard Métropolitain, cette autoroute à voie élevée qui traverse la ville d'Est en Ouest et qui fut achevée à la fin des années 50. L'histoire vaut d'être rappelée, car Laberge soutient qu'il est «presque le parrain du projet».

Il raconte: «C'était la séance de l'après-midi au conseil. Pierre DesMarais pilotait le projet et il lui fallait les deux tiers des voix pour faire amender le règlement de zonage. Mais un conseiller influent membre de son propre parti, Lucien Saulnier, était contre et il a réussi à faire bloquer le changement de zonage, par deux voix seulement. DesMarais est alors en beau fusil, il garroche ses papiers. Il avait vraiment mauvais caractère... Mais moi j'étais d'accord avec lui sur le projet du boulevard Métropolitain: il fallait absolument décongestionner le trafic dans ce secteur de Montréal et, bien sûr, ça représentait des jobs pour nos gars de la construction. Je vais donc voir DesMarais et je lui glisse à l'oreille: "Le projet n'est pas battu, laisse-le sur la table, je vais aller te chercher les voix manquantes". La première, c'était celle d'un conseiller absent au moment du vote, Roger Mathieu des syndicats catholiques, qui n'a pas été difficile à convaincre. La deuxième voix, c'était celle de mon confrère du Conseil des métiers, Hector Marchand du Syndicat des débardeurs, qui avait voté contre. Un de mes partenaires de cartes... "Maudit, Hector que je lui dis, c'est des milliers de jobs pour notre monde!" Il a fini par changer d'idée. On a repris le vote à la séance du conseil en soirée et on a gagné par une voix de majorité...»

Cette obsession des emplois pour ses «gars de la construction» peut aller loin: en septembre 1959, elle poussera même Laberge à voter au conseil municipal dans le sens contraire d'une résolution adoptée en bonne et due forme par le Conseil du travail qu'il préside... Il échappe de justesse à un vote de blâme. Laberge a voté pour la construction d'immeubles résidentiels dans le Nouveau-Bordeaux, un quartier de maisons unifamiliales où les citoyens s'opposent au projet. La motion de blâme est présentée par Jean Gérin-Lajoie du Syndicat des Métallos, un résident du quartier.

— Au moment où le Conseil du travail a pris position, se défend Laberge, il lui manquait certaines informations que j'ai obtenues ultérieurement. Le projet a été révisé.

— Les explications du confrère Laberge sont inventées de toutes pièces, réplique Gérin-Lajoie, qui dépose une pétition des résidents contre le projet.

— C'est un projet qui donnera de l'ouvrage à nos membres dans la construction, finit par avouer Ti-Louis.

Appuyé par les nombreux délégués des unions du bâtiment qui l'adulent et par ses alliés inconditionnels d'autres syndicats, Laberge gagne le vote. Jean Gérin-Lajoie se souvient: «Je l'ai vu alors comme l'homme des syndicats de la construction.»

* * *

Comme il l'avait promis, le Conseil des métiers et du travail a contribué à faire battre «le régime antisyndical Drapeau-Desmarais» lors des élections municipales d'octobre 1957. Non seulement le CMTM a-t-il dénoncé l'administration sortante, mais il a présenté et appuyé financièrement quelques syndicalistes issus de ses rangs, des candidats ouvriers qui ont fait belle figure mais qui n'ont pas été élus. L'un d'eux était membre de l'exécutif du Conseil, Alfred Saint-Germain des Ouvriers unis du textile. Un autre était Bernard Boulanger de l'Union des travailleurs de l'industrie chimique, un ardent militant du CCF. Ce dernier se rappelle: «Louis m'a soutenu activement: il avait de la sympathie pour le centre-gauche.»

Hélas, la relève du régime Drapeau-DesMarais n'est guère plus progressiste. C'est le sénateur libéral Sarto Fournier qui conquiert la mairie, de justesse, avec le soutien de la machine électorale de Duplessis. La campagne a été ponctuée de violences et de manœuvres électorales douteuses. Laberge reconnaît: «Nous n'étions pas fiers de notre coup quand nous avons vu à l'œuvre le maire Fournier et le nouveau président du comité exécutif, le notaire Jean-Marie Savignac, proche de l'Union nationale. Nous nous sommes retrouvés à nouveau dans l'opposition...»

Drapeau est battu, mais sa Ligue d'action civique reste en force au conseil municipal. Le maire autoritaire reprendra le pouvoir lors des élections suivantes, en 1960. Au même moment, les Montréalais décideront par référendum de se donner un nouveau système électoral démocratique, en éliminant notamment les conseillers de classe «C». Laberge ne sera donc plus conseiller municipal: il aura enfin perdu son poste grâce à une réforme qu'il avait appelée de ses vœux.

Chapitre 6

De la FPTQ à la FTQ en passant par Murdochville

La FPTQ, les communistes et les «bleus»

Au début des années 50, la Fédération provinciale du travail du Québec (FPTQ) logeait dans un petit bureau grand comme une garde-robe situé rue Sherbrooke Ouest, près de Guy, au-dessus des joailliers Lucas. Il n'y avait là qu'une seule employée permanente, la secrétaire administrative Hélène Antonuk, qu'on surnommait affectueusement «Madame FPTQ».

La direction de la fédération, social-démocrate modérée, était dominée par une sorte de triumvirat: le président Roger Provost, son ami Claude Jodoin — président du CMTM et vice-président du Congrès des métiers et du travail du Canada — et Adrien Villeneuve, le «Renard argenté», qui avait initié Laberge au monde syndical chez les Machinistes.

Villeneuve, secrétaire-trésorier de la FPTQ et éditeur du journal *Le Monde ouvrier* — l'organe officiel et bilingue de la fédération —, est aussi un spécialiste de la machine électorale qui tire les ficelles et fait élire Provost. Il raconte: «Quand Provost, Jodoin et moi on a vu monter notre petit Laberge, on a senti qu'il pourrait être l'homme de la relève et on l'a pour ainsi dire parrainé. C'était un leader naturel, un gars fort, une tête de cochon, arrogant aussi et ambitieux. Il ne se laissait pas bousculer. Quand il avait quelque chose dans la tête, il ne l'avait pas dans les pieds! Mais il était prêt à aller au "batte": c'était la personne la plus dangereuse sur le plancher d'un congrès s'il était contre toi...»

Laberge a participé à son premier congrès de la FPTQ en 1949.» La fédération était encore loin d'avoir l'envergure et la crédibilité du Conseil des métiers et du travail de Montréal, dit-il. C'était plutôt un réseau de contacts et de solidarité. La plus grosse activité consistait à présenter un mémoire annuel à Québec au premier ministre Duplessis.»

Lors de son premier congrès, le jeune Laberge (il a 25 ans) assiste à un débat passionné sur les menées des communistes au sein du mouvement syndical. En pleine Guerre froide, les «rouges» sont la cible de vives attaques. Leurs plus féroces opposants sont des gens de gauche eux aussi, des sociaux-démocrates du CCF, partisans des réformes plutôt que de la révolution.

«J'ai trouvé le congrès emballant le diable. Ça avait brassé fort avec les communistes et leurs compagnons de route, surtout Kent Rowley et Madeleine Parent, des beaux parleurs et des fins finauds. Moi j'étais du côté des "bons" *(rire)*. Remarque, ce n'est pas mauvais qu'il y ait quelques communistes — entre guillemets — dans le mouvement syndical, surtout chez les jeunes: si tu n'es pas un peu révolutionnaire à cet âge-là, rendu vieux tu seras couché à plat ventre! Ça en prend pour brasser la cage. Mais quand tu vieillis, il me semble que tu deviens moins exalté.»

Quelques années plus tard, au congrès de juin 1954 à Granby, la bataille fait rage non plus contre les communistes mais contre les partisans de l'Union nationale de Duplessis qui contestent la direction de la FPTQ. Le président Roger Provost, militant du CCF, et son secrétaire Armand Marion doivent affronter deux candidats identifiés aux «bleus» et soutenus par des fonds de l'Union nationale, selon Laberge: Paul Fournier de l'Union des distilleries, ex-leader du CMTM durant la guerre, et Lucien Tremblay des Teamsters — futur président-fondateur en 1959 de la Fédération canadienne des associations indépendantes, la FCAI, un ramassis de syndicats de boutique.

Laberge, alors secrétaire du CMTM, est l'un des principaux organisateurs de Provost: «Je disais à Roger: t'es trop occupé et trop... intellectuel, on va t'organiser tes élections...» Il contribue à la défaite des opposants duplessistes: «Je les suivais au micro pour les planter chaque fois qu'ils intervenaient. Ce congrès a bien fait la preuve que Roger ne collaborait pas avec l'Union nationale, contrairement à ce que certains ont prétendu. Il connaissait du monde là-dedans, il avait ses entrées et ses contacts pour régler des problèmes, comme avec tout gouvernement, mais il était loin de coucher avec eux!»

Lors de ce même congrès en 1954, Laberge n'en reproche pas moins à Provost son manque d'agressivité face au gouvernement Duplessis dans la bataille, encore chaude, que le mouvement syndical vient de perdre contre deux lois antisyndicales, les lois 19 et 20. «Peut-être aurions-nous dû faire plus pour combattre ces projets de loi», lance-t-il dans une critique à peine voilée de la direction de la FPTQ.

La fédération, qui s'est opposée à ces projets, a refusé de participer à une manifestation conjointe à Québec avec les syndicats CIO de la toute nouvelle Fédération des unions industrielles du Québec (FUIQ) et les syndicats catholiques de la CTCC. Elle ne voulait absolument pas s'associer à la CTCC qui maraudait ses syndicats affiliés. Provost et Jodoin ont plutôt rencontré Duplessis et Antonio Barrette pour proposer des amendements aux projets de loi. Peine perdue. Provost déclare aux congressistes: «Le droit d'association n'existe plus au Québec.» Et les délégués autorisent leur exécutif à participer à l'avenir à des actions conjointes avec la CTCC «dans les cas d'intérêt urgent pour les travailleurs».

À ce congrès, Laberge est nommé membre du nouveau comité d'éducation politique (non partisane) de la FPTQ. «Nous autres au Conseil du travail, dit-il, on brassait pas mal les dirigeants de la fédération, car parfois on ne les trouvait pas vite sur leurs patins. Mais Roger Provost est un gars qui a fait du bon boulot dans le temps. Un gars que j'ai bien aimé, même si on a eu des prises de bec. Il n'était pas toujours d'une franchise totale et brutale. C'était un fin renard et il négociait parfois des petits arrangements qu'on n'aimait pas. Sauf qu'on avait énormément de respect pour lui.»

Laberge dit qu'il a apprécié la détermination de Provost quand celui-ci a pris les rênes des Ouvriers unis du textile d'Amérique (OUTA) en 1952, après le limogeage de Kent Rowley et Madeleine Parent par la haute direction de leur syndicat. Ceux-ci avaient été congédiés en raison de leurs positions procommunistes mais aussi, avait expliqué la direction des OUTA, «à cause de leur conduite irresponsable et désastreuse de la grève du textile» qui en était à sa dixième semaine. Cette purge avait l'appui presque unanime du mouvement syndical au Québec et au Canada.

Laberge se rappelle: «Roger n'est pas allé là de gaieté de cœur, je l'ai trouvé courageux car ce n'était pas une job facile à assumer, mais il a été bien accueilli par les membres. On était au beau milieu d'une grève de 6 000 travailleurs et travailleuses contre la Dominion Textile à Montréal et Valleyfield. Des syndiqués mal pris en maudit et qui voulaient que le conflit se règle. J'ai accompagné Roger sur les lignes de piquetage avec Jodoin et Villeneuve. Il a réussi à négocier un bon règlement qui a été approuvé massivement par les membres, après trois mois de grève.»

Il voue la même admiration à son ami Claude Jodoin qui quitte la direction du Conseil des métiers et du travail de Montréal, en 1954, pour accéder au plus haut poste dans le mouvement syndical canadien, celui de président du Congrès des métiers et du travail du Canada. Laberge participe à ses premiers congrès du CMTC et commence à nouer des contacts avec des syndicalistes canadiens-anglais. «Ça m'a ouvert des horizons sur le monde extérieur. J'ai vu que partout les travailleurs avaient des intérêts communs, quelle que soit leur langue ou leur origine ethnique.»

La fondation de la FTQ

L'année 1957 marque un grand tournant pour le mouvement syndical québécois avec la fondation de la Fédération des travailleurs du Québec (FTQ), née des retrouvailles de deux frères ennemis, la Fédération provinciale du travail du Québec et la Fédération des unions industrielles du Québec[6]. Le jeune Louis Laberge est bien loin de se douter qu'il en deviendra le président sept ans plus tard.

La vague de fusion est partie des États-Unis où les deux centrales rivales, l'AFL et le CIO, ont décidé de se réunifier en 1955, vingt ans après la grande scission du mouvement syndical nord-américain. Le remariage est facilité par le déclin du vieux conflit entre le syndicalisme de métier et le syndicalisme industriel. L'AFL-CIO devient la plus puissante organisation syndicale du monde occidental avec 16 millions de membres. Le président en est George Meany de l'AFL, un ancien plombier plutôt traditionnel, et le vice-président Walter Reuther du CIO, leader des Travailleurs unis de l'automobile, un syndicaliste progressiste.

De ce côté-ci de la frontière, le Congrès des métiers et du travail, lié à l'AFL, et le Congrès canadien du travail, lié au CIO, fusionnent à leur tour en 1956 pour former le Congrès du travail du Canada. Le nouveau CTC rassemble un million de syndiqués et son premier président est un Québécois, «le grand Claude» Jodoin. Une Québécoise, Huguette Plamondon, fougueuse dirigeante du Syndicat international des salaisons (CIO), est élue à l'une des vice-présidences; c'est la première femme à occuper un poste aussi élevé dans le mouvement syndical canadien.

C'est au Château Frontenac, à Québec, qu'a lieu le congrès historique de fondation de la FTQ, le 16 février 1957. La nouvelle centrale naît du mariage célébré entre la FPTQ, plus ancienne et largement majoritaire, et la FUIQ fondée en 1952. Le premier président incontesté est Roger Provost, qui continue d'occuper ses fonctions de directeur des Ouvriers unis du textile. Le secrétaire, qui vient de la FUIQ, est Roméo Mathieu du Syndicat des salaisons, le compagnon de Huguette Plamondon.

L'adhésion étant facultative, la FTQ regroupe au départ environ 100 000 cotisants sur les quelque 250 000 membres des unions internationales et canadiennes du CTC au Québec; ce nombre augmentera par la suite. La cotisation mensuelle n'est que de 4 cents par membre, ce qui donne fort peu de ressources financières et humaines à la nouvelle fédération.

Les organisations québécoises appelées à s'unifier n'y vont pas à bras ouverts. Dans chacun des deux groupes, certains se résignent à contrecœur à la fusion vue comme un mariage forcé entre la FPTQ, social-démocrate modérée — conservatrice selon ses opposants — et la FUIQ, social-démocrate radicale — socialiste extrémiste, disent ses détracteurs.

Laberge se souvient: «Il y en a chez nous qui voyaient les gens de la FUIQ quasiment comme des communistes parce qu'ils appuyaient officiellement le CCF! En fait, ils n'étaient que plus politisés, plus déniaisés que nous l'étions... Moi j'étais d'accord à 100 % avec la fusion. Je me disais que ça allait nous injecter du sang neuf et régénérer notre mouvement car, de notre bord, nous avions pas mal de vieilles barbes. Et ça nous a effectivement ravigotés. La fusion a aussi calmé quelques excités qui criaient fort du côté de la FUIQ, quelques petits révolutionnaires. Il y a eu un peu de tiraillage, mais ça devait être fait et ça s'est bien fait.»

Au congrès de fondation de la FTQ, Laberge, représentant des machinistes de Canadair, est élu au conseil exécutif élargi (20 personnes) à titre de directeur pour le secteur de l'équipement de transport. Président du CMTM, il a une influence importante. Mais on le connaît encore mal et on le perçoit plutôt négativement chez certains syndicalistes de l'ex-FUIQ avec lesquels il aura à travailler étroitement dans les années qui vont suivre.

Fernand Daoust, par exemple, le voit alors comme «un syndicaliste traditionnel, pas nécessairement conservateur mais modéré et opportuniste». André Thibaudeau, qui sera directeur du Syndicat canadien de la fonction publique, dit carrément: «Nous étions loin d'être dans le même camp. Pour nous c'était un homme de l'establishment syndical, quasiment l'homme de main de Roger Provost.» Noël Pérusse rapporte: «Les mauvaises langues à la FUIQ disaient que Laberge, comme Provost, était acoquiné avec tous les syndicats musclés: construction, débardeurs, marins, pompiers... Qu'il avait ses fiers-à-bras, sa garde prétorienne qui lui était entièrement dévouée. C'étaient des histoires d'horreur racontées par des intellectuels...»

Selon Jacques-Victor Morin, représentant du Syndicat des salaisons, «Laberge était plutôt gueulard mais c'était un vrai de vrai, un ouvrier, et il n'aimait pas trop les intellectuels comme nous... Sur le fond, il ressemblait à Provost: assez ouvert personnellement mais porte-parole de syndicats plutôt traditionalistes.» Jean Gérin-Lajoie, qui deviendra directeur du Syndicat des Métallos, fait cet aveu: «Nos perceptions de Louis, de Provost et de leurs amis, vus comme conservateurs, étaient nettement exagérées. Ça a changé après la fusion quand nous avons appris à nous connaître et à travailler ensemble, quand l'eau douce s'est mêlée à l'eau salée...»

La création de la FTQ, en 1957, a représenté l'un de ces moments rares d'unité syndicale où tout semblait possible. À tel point que des pourparlers de fusion ont même eu lieu avec les syndicats catholiques qui en avaient accepté le principe. L'opération, trop ardue, va échouer.

Selon Laberge, cet échec était inévitable: «Il y avait tellement de différences, tellement de juridictions à ajuster avec eux et même entre nous au sein des syndicats fusionnés. Je préférais qu'on fasse des fronts communs avec la CTCC, des cartels comme on disait. Chose certaine, les syndicats catholiques étaient devenus moins conservateurs que du temps de mon père. Sous la direction du tandem Gérard Picard et Jean Marchand, ils s'étaient rapprochés de nos façons de faire, ils étaient devenus plus combatifs, plus grouillants même que plusieurs de nos propres syndicats. Ça restait des adversaires mais, de façon générale, je trouvais qu'ils faisaient du bon travail.»

Mariage de raison à Montréal

Dans tout ce beau mouvement d'unité, c'est à Montréal que la fusion syndicale sera la plus difficile à parachever. Les belligérants sont le Conseil des métiers et du travail (CMTM-AFL), dirigé par Laberge, et le Conseil du travail (CTM-CIO), présidé par Huguette Plamondon. En fait, les deux organismes seront les derniers à se réunifier au Canada! Pas tellement pour des raisons idéologiques, estime Laberge, que pour des chicanes de personnalités.

Le CMTM de Laberge est, de loin, la force syndicale la plus importante dans la métropole avec 82 000 membres. Le CTM rival en compte 23 000 — et le Conseil central des syndicats catholiques et nationaux à peine 18 000[7].

En 1956, les deux conseils appelés à fusionner se donnent chacun un comité de négociations pour les pourparlers. Du côté du CMTM, Laberge est accompagné notamment de son secrétaire Roméo Girard, du Syndicat de la sacoche, et de Hector Marchand, des débardeurs. Le CTM délègue entre autres Huguette Plamondon et son acolyte Fernand Daoust, secrétaire du Conseil. Minoritaire, le CTM pose néanmoins ses conditions: qu'on lui cède un des trois postes de conseiller municipal à Montréal et, surtout, qu'il soit représenté presque à part égale à l'exécutif du nouveau Conseil et qu'Huguette Plamondon en devienne la présidente.

En vertu du mandat qu'il a reçu de son Conseil, Laberge rétorque qu'il sera le prochain président sinon la fusion n'aura pas lieu! «Ça allait de soi, nous étions trois fois et demie plus gros qu'eux. Huguette était une bonne négociatrice, très dure, mais elle était trop vindicative, arrogante. Elle engueulait tout le monde et avait insulté une couple de fois mon ami Hector Marchand des débardeurs, un maudit bon gars, pas instruit mais pas fou. Je m'étais chamaillé avec elle.»

«Nous voulions qu'ils sachent qu'ils devaient compter avec nous, explique Fernand Daoust. Nous avions moins de membres mais nous étions plus avant-gardistes. En fait, nous ne voulions pas accepter d'être minorisés, d'être mangés. Louis ne s'est pas laissé bousculer par notre bande d'intellectuels, comme il nous appelait, les jeunes idéalistes qui voulaient sauver le monde...» C'est donc l'impasse. En février 1958, un an après la création de la FTQ, le Congrès du travail du Canada informe les deux Conseils qu'ils ne seront pas invités au prochain congrès tant que la fusion ne sera pas accomplie... Finalement, grâce à la médiation du président du CTC, Claude Jodoin, le CTM abandonne ses exigences et l'assemblée de fusion a lieu en mars.

Le nouveau Conseil du travail de Montréal compte plus de 100 000 membres — autant que la FTQ. Il est présidé par Laberge, et la majorité des membres de l'exécutif viennent de son groupe. Plamondon et Daoust se sont éclipsés, mais le nouveau secrétaire vient de leurs rangs: il s'agit d'un jeune intellectuel flamboyant du nom de Jean Philip, fils de l'ex-ministre socialiste français André Philip et représentant des Travailleurs du vêtement d'Amérique.

Selon l'historien Bernard Dionne, qui a étudié soigneusement cette fusion, «les différences de personnalités et les exigences irréalistes du CTM ont pesé lourd dans la balance. Le CTM ne voulait pas regarder les choses en face: il était minoritaire et il allait nécessairement le demeurer au sein du nouveau Conseil.»[8] Quoi qu'il en soit, la fusion est faite, sur papier, même si elle prendra quelque temps avant de devenir réalité.

Le 20 mars 1958, Laberge préside la première activité du nouveau Conseil du travail, une assemblée conjointe avec le Conseil central de la CTCC, à la salle des charpentiers-menuisiers, sur un thème brûlant d'actualité: l'emploi. En ces temps de récession et de chômage élevé (près de 9 %), il réclame des gouvernements une politique de plein emploi et de planification économique. «Seule la masse des travailleurs, conclut-il, par ses manifestations de protestation et son vote, peut forcer l'État à régler le grave problème du chômage. La solution est politique: c'est l'élection d'un gouvernement favorable au plein emploi.»

Le Conseil critique par ailleurs durement le gouvernement de l'Union nationale qui s'oppose à la mise en place d'un régime d'assurance-hospitalisation et d'assurance-maladie. Il envoie une délégation présidée par Laberge rencontrer Duplessis afin de lui présenter un mémoire à ce sujet. «Ça commençait à sentir la fin du régime de la Grande Noirceur, dit Ti-Louis, et le Cheuf ne nous écoutait plus. Il croyait qu'on avait un bon système de santé et même que le Québec avait le meilleur système d'éducation au monde. Ça dit tout! Je dois avouer que Duplessis est l'une des rares personnes que j'ai été très proche de détester dans ma vie...»

Le 29 avril 1958, le Conseil organise une des plus grandes manifestations à Montréal depuis belle lurette. Dirigée par Laberge, la manif vise à soutenir des midinettes en lock-out à la manufacture de vêtements Hyde Park, rue Bleury. Membres du Syndicat du vêtement, les travailleuses doivent affronter des briseurs de grève et la police sur les lignes de piquetage.

Mais le conflit majeur au Québec à cette époque, il a éclaté l'année précédente au fin fond de la Gaspésie, à Murdochville. Et Laberge s'est rendu là-bas soutenir les mineurs en grève.

La grève de Murdochville

Un mois à peine après la fondation de la FTQ, la nouvelle centrale doit s'engager dans une bataille épique: la grève des mineurs de Murdochville.

Le 10 mars 1957, un millier de syndiqués, membres du Syndicat des Métallos, débraient à la mine de cuivre Gaspé Copper, propriété de l'empire Noranda Mines. Le conflit va durer sept longs mois et ébranler profondément toute la société québécoise.

Les travailleurs luttent pour la reconnaissance de leur liberté d'association, pour le simple droit d'exister. Ils affrontent non seulement une compagnie géante mais le gouvernement Duplessis, les tribunaux et la police provinciale, la «PP», qui protège les briseurs de grève embauchés par la Noranda. Les mineurs, qui réclament la reconnaissance syndicale depuis plusieurs mois, ont débrayé spontanément — et illégalement — à la suite du congédiement du président de leur section locale, Théo Gagné. La présence des briseurs de grève, protégés par des gardes privés, provoque des actes de violence. Des installations de la compagnie sont dynamitées et un gréviste, Hervé Bernatchez, meurt avec sa charge d'explosifs, le 14 juillet.

La grève allume une flambée de solidarité partout au Québec et au Canada. Un large front commun intersyndical appuie les mineurs et annonce, pour les 18 et 19 août, une «Marche sur Murdochville». Une caravane de voitures et d'autobus doit partir de Montréal et parcourir 850 kilomètres jusqu'au cœur de la forêt et des montagnes gaspésiennes. À la FTQ, Louis Laberge et Roméo Mathieu sont chargés d'organiser la Marche.

«C'était la première grosse opération de la FTQ, raconte Laberge. Provost m'a confié le mandat à la dernière minute et j'ai dû travailler en serpent! J'ai contacté tous nos gens de l'ancienne FPTQ en leur disant qu'il fallait être trois fois plus nombreux que ceux de l'ancienne FUIQ! Je me souviens d'André Plante du Syndicat des pompiers de Montréal:

— On va monter avec deux autos, marmonne-t-il.

— Tu vas remplir un autobus et amener ta fanfare, que je lui réponds!

«Finalement, nous avons été environ 500 à partir de Montréal, dans une centaine d'autos et trois autobus. On a fait une halte à Québec pour la messe du dimanche et une autre à Rimouski pour quelques discours, on a dormi une couple d'heures à Sainte-Anne-des-Monts en Gaspésie et le lundi matin 19 août, à l'aurore, on arrivait à Murdochville. Tous les dirigeants syndicaux étaient là: Claude Jodoin,

Roger Provost et l'état-major de la FTQ, Gérard Picard et Jean Marchand de la CTCC, des gens progressistes qui nous soutenaient. Vers cinq heures du matin, on a dressé notre ligne de piquetage et l'affrontement a commencé. On s'est fait tirer des roches, pour ne pas dire qu'on s'est fait lapider par les scabs et les fiers-à-bras de la compagnie, sous les yeux des agents de la "PP" qui n'ont pas bougé le petit doigt. Un gros caillou m'a frôlé la tête, plusieurs gars ont été blessés dont certains de mes amis. On était une quinzaine de la Loge 712 de Canadair.

«On s'est fait cabosser plusieurs autos. J'étais monté là-bas avec mon premier "char" neuf, une Oldsmobile 56, et j'ai bien failli la faire abîmer! Je me souviens de Pierre Elliott Trudeau, un avocat bourgeois qui travaillait de temps en temps avec les syndicats: il s'est fait égratigner sa belle Jaguar, le pauvre...»

Selon Jean Gérin-Lajoie des Métallos, «Louis a travaillé très fort pour organiser cette marche. J'ai été impressionné par sa rapidité de décision, son intensité dans l'action, sa capacité de mobiliser du monde. Il avait des appuis solides. J'ai eu du respect pour lui.» Pour Fernand Daoust, «ce fut le premier vrai rapprochement dans l'action entre les deux ailes de la nouvelle FTQ, et Louis y a contribué.»

À la suite du «carnage» de Murdochville, la FTQ organise conjointement avec la CTCC une «Marche sur Québec». Plus de 7 000 personnes se rassemblent devant le Parlement, le 7 septembre. La Loge 712 des Machinistes fournit 200 manifestants. Provost dénonce «la dictature antisociale et antichrétienne» de Duplessis. Gérin-Lajoie déclare que le Québec est en passe de devenir «un vaste camp de concentration». Laberge proclame que le mouvement ouvrier doit s'engager politiquement lors des prochaines élections pour battre le régime Duplessis: «Si la masse se décide un jour, rien ne pourra nous arrêter.»

Quelques jours plus tard à Montréal, Laberge est mêlé à une opération spectaculaire d'appui aux grévistes de Murdochville. Lors d'une manifestation organisée par les

Métallos dans le port, un commando se livre au saccage en règle d'un bateau amarré au quai du Pont-Noir et qui a accosté avec un chargement d'anodes de cuivre expédié par les briseurs de grève de la mine Gaspé Copper. Le caboteur Mont-Royal, dont le port d'attache est l'Île-aux-Coudres, est attaqué et saboté, une partie de sa cargaison jetée par-dessus bord en même temps que quelques membres de l'équipage... L'assaut, à coups de poing, a été mené par des membres du Syndicat des marins venus manifester à l'appel de Laberge, aidés de débardeurs, de travailleurs de la construction, de métallos et de quelques militants musclés venus d'autres syndicats.

Des policiers sont venus patrouiller en auto sur le quai et Laberge, invoquant son titre de conseiller municipal et ajustant son épingle à cravate et ses boutons de manchette, a parlé aux agents qui se sont ensuite éloignés. Personne n'a été arrêté. «Quand tout a été fini ou presque, on a vu arriver Roger Provost tout pimpant», ricane Laberge.

Mais quels étaient donc les liens de Ti-Louis avec le Syndicat des marins, de son nom officiel le Syndicat international des gens de mer? Ce syndicat affilié à l'AFL-CIO, qui a son quartier général canadien à Montréal, est alors dirigé par Hal Banks, un repris de justice américain qui deviendra tristement célèbre comme leader ouvrier corrompu. Banks est entré au Canada en 1949, avec la bénédiction du gouvernement fédéral, pour mettre sur pied une organisation rivale du Syndicat canadien des marins contrôlé par le Parti communiste et qu'il a fini par supplanter.

Laberge raconte: «Banks était un Américain que le gouvernement libéral du temps avait fait venir pour casser un syndicat communiste, avec la complicité de l'AFL et des autorités fédérales. Son union était affiliée au Congrès du travail du Canada, à la FTQ et, bien sûr, au Conseil du travail de Montréal dont j'étais président. Pour moi, ce n'était pas un "chum" mais le dirigeant d'un syndicat affilié. Il m'avait dit: "Si t'as besoin d'aide, t'as qu'à m'appeler, je vais t'envoyer des gars." Je savais ce que ça voulait dire. Les marins nous ont donné un coup de main dans quelques conflits difficiles. Ce n'étaient pas des gars pour venir discuter aux assemblées du Conseil, tu ne les voyais pas souvent à la clarté... C'étaient des taupins et ça brassait quand ils venaient. Pour la solidarité syndicale, comme lors de la grève de Murdochville, ils étaient parfaits!» Les débardeurs et les gars de la construction aussi, ajoute-t-il d'un air narquois.

En 1960, le Syndicat des gens de mer sera expulsé du Congrès du travail du Canada, pour cause de corruption, et mis sous tutelle par le gouvernement fédéral.

* * *

En dépit de toutes les démonstrations de solidarité et malgré une résistance héroïque, les mineurs de Murdochville doivent mettre fin à leur grève le 5 octobre 1957, après 215 jours de lutte. La bataille est perdue, mais la guerre contre le régime Duplessis sera bientôt gagnée. Et les Métallos arracheront enfin la reconnaissance syndicale à Murdochville en 1965.

Ti-Louis arrêté par la police

Louis Laberge s'est fait arrêter par la police lors d'un autre conflit syndical violent, vers la fin des années 50: la grève à la compagnie Jarry Hydraulique, rue Saint-Denis à Montréal. La compagnie, un fabricant de pièces pour l'industrie aéronautique, refusait de négocier un premier contrat avec ses travailleurs membres de l'Association des machinistes. Elle avait engagé des briseurs de grève pour remplacer les grévistes.

«À chaque grève ou presque, c'était la même maudite affaire, grogne Laberge. Les compagnies embauchaient des briseurs de grève et ça engendrait de la violence sur les lignes de piquetage. Les patrons payaient aussi des agents de sécurité qui étaient plutôt des fiers-à-bras. Et la police était là aussi pour protéger les scabs. Pas surprenant que nous autres aussi on devenait violents...»

Chez Jarry Hydraulique (propriété de Jarry Automobiles), les briseurs de grève arrivent au travail et en repartent dans des autobus privés aux vitres placardées de panneaux noirs, ou encore dans des camions bien étanches. «Ils étaient entassés à 25-30 là-dedans, dit Laberge. Tu n'as pas le droit de mettre 25 cochons dans des conditions pareilles, à plus forte raison 25 scabs...» Quand des grévistes réussissent à attraper un briseur de grève, il y a de la casse. Mais la grève s'éternise.

Un beau matin, très tôt, Laberge amène avec lui sur la ligne de piquetage plus de 200 travailleurs de la Loge 712 des machinistes de Canadair. «À la 712, dit-il, on allait souvent donner des coups de main. On était bien organisés et on débordait d'énergie... Je me suis toujours dit: si tu n'es pas là quand les autres ont besoin de toi, ne va pas les voir pour leur demander de l'aide quand tu en as besoin.»

Ce matin-là, le blocus est efficace, quelques vitres volent en éclats, un contremaître est séquestré. La police arrive sur les lieux pour disperser les piqueteurs. Selon un confrère de Laberge, Robert Soupras, «Louis refusait de partir et il a sapré une claque à un policier qui lui tordait le bras pour le faire bouger. On l'a arrêté et jeté dans le panier à salade, on l'a amené au poste et il a comparu pour entrave au travail de la police. Il a été défendu par Me Marc Lapointe, l'avocat de la Loge 712. J'ai témoigné en sa faveur et il a gagné sa cause. Louis était conseiller municipal et il pouvait perdre son poste s'il était trouvé coupable.»

Laberge n'a jamais été tendre envers les policiers pour leur rôle répressif dans les conflits de travail, mais il a déployé beaucoup d'efforts pour «civiliser» les relations avec eux: «Je les ai parfois traités de chiens à deux pattes quand ils étaient plus odieux que d'habitude... Mais j'ai aussi beaucoup discuté avec leurs dirigeants syndicaux du comportement propatronal de leurs membres lors des grèves. Il y avait de bons syndicalistes parmi eux et ils étaient bien conscients du problème. La situation s'est améliorée avec les années mais ça a pris du temps.»

Ti-Louis a gardé bien des souvenirs cuisants de sa présence sur des piquets de grève. Des souvenirs encore bien vivaces, comme ces deux ongles incarnés au bout de ses orteils écrasés par un camion conduit par un briseur de grève, lors d'un arrêt de travail à une usine du Chemin de la Côte de Liesse...

* * *

Dernier conflit mémorable à Montréal à la fin des années 50, auquel Laberge est mêlé de près en tant que président du Conseil du travail: la grève des réalisateurs de la télévision de Radio-Canada.

Plus de 2 000 employés de la société d'État, en majorité affiliés à la FTQ, respectent la ligne de piquetage dressée par 75 réalisateurs qui se battent pour la reconnaissance de leur syndicat affilié à la CTCC. Déclenchée le 29 décembre 1958, la grève prendra fin au bout de 69 jours par une victoire syndicale.

Au cours d'un piquetage massif, la police a arrêté plusieurs manifestants dont le journaliste René Lévesque, animateur de la populaire émission télévisée *Point de mire*. Membre de l'Union des artistes, un syndicat affilié à la FTQ, Lévesque a écrit pendant quelques mois une chronique dans *Le Monde ouvrier*, le journal de la centrale.

«C'est lors de ce conflit que j'ai connu René, raconte Laberge. Nous nous sommes revus de temps à autre par la suite. Il était de petite taille, mais c'était un grand bonhomme que j'ai beaucoup admiré et aimé. J'ai participé à des assemblées syndicales avec lui et Jean Duceppe, le président de l'Union des artistes, au Théâtre Orphéum et à la Comédie canadienne, là où les grévistes de Radio-Canada se réunissaient. Nous avons fait du piquetage ensemble avec des gars de la Loge 712 et des gars de la construction, des débardeurs aussi. De vrais bouscouilloux: ils ont "payé la traite" à quelques scabs qui doivent s'en souvenir encore aujourd'hui...»

Chapitre 7

Ti-Louis a trop d'activités

Une nuit à Winnipeg: les origines du NPD

À Winnipeg les nuits sont longues, dit la chanson... Pour Louis Laberge, l'une de ces nuits fut blanche dans la capitale du Manitoba, en avril 1958, lors des assises de la grande centrale syndicale canadienne, le Congrès du travail du Canada. Et pas à cause d'une joyeuse partie de cartes nocturne!

Un congrès où, soit dit en passant, Ti-Louis fut élu vice-président régional du CTC pour le Québec, rejoignant ainsi à l'exécutif trois autres Québécois francophones: ses amis Claude Jodoin et Roger Provost et son «amie» Huguette Plamondon.

La pièce de résistance du congrès, c'est la «résolution sur le Nouveau Parti», un texte presque sacré qui est à l'origine de la fondation du Nouveau Parti démocratique (NPD). La direction du CTC, Claude Jodoin en tête, propose un regroupement large des forces populaires et progressistes en vue de fonder un nouvelle formation politique de gauche. Ce «Nouveau Parti» serait le résultat de la jonction du mouvement syndical et du Parti social-démocratique (PSD) — le nom récemment francisé du CCF au Québec.

Le CCF est alors bien mal en point: à l'occasion des élections fédérales qui ont eu lieu un mois plus tôt, en mars 1958, il s'est fait «laver» par le raz-de-marée de droite qui a porté au pouvoir le Parti conservateur de John Diefenbaker. *Le Monde ouvrier*, organe officiel de la FTQ, avait invité à mots couverts ses lecteurs à voter pour le CCF, «le parti dont le programme correspond le mieux à nos revendications». Mais comme lors de toutes les élections précédentes, ce parti anglophone et marginal a recueilli moins de 2 % des voix au Québec.

Laberge sait le peu d'enracinement ici du Parti social-démocratique et il est très prudent. D'accord en principe avec la création éventuelle d'un nouveau parti de gauche, il n'a cependant aucun mandat pour se prononcer dans ce sens et craint toute action prématurée. Il sait que plusieurs de ses appuis syndicaux au Conseil du travail de Montréal sont contre toute action politique partisane, surtout les syndicats du bâtiment. «Pour eux, c'était presque un péché mortel...»

«Il ne faut pas aller trop vite, dit-il à l'époque. Il y a d'abord un formidable travail d'éducation politique à faire auprès des syndiqués.» Le vieux débat entre l'éducation et l'action politique refait surface. Ti-Louis s'en prend à ceux qu'il appelle «les poètes de l'action», ces syndicalistes «qui font de grands discours en faveur de l'action politique et qui, au moment d'en faire concrètement, sont toujours trop occupés pour y travailler!»

Lors du congrès, Laberge se rend donc au micro. Il dénonce d'abord la façon dont la direction du CTC a «paqueté» l'élection de Stanley Knowles, député CCF battu au dernier scrutin fédéral, à un nouveau poste de vice-président exécutif de la centrale. «Je n'ai rien contre Stanley, dit-il, mais j'en ai contre le grenouillage de certains de nos dirigeants.» Puis il fait une sortie virulente contre tout lancement précipité d'un parti qui ne serait pas enraciné et près de la base, qui ne serait qu'un pétard mouillé. Il souhaite que le nouveau parti soit «séparé du CTC» et que les syndicats soient libres d'y adhérer.

Il est suivi de «toute la phalange des forces conservatrices issues du vieux CMTC qui ont accaparé les micros», se souvient Émile Boudreau des Métallos, alors président du CCF au Québec après avoir longtemps été militant créditiste en Abitibi... Finalement, le débat sur la résolution en vue de créer un nouveau parti est ajourné au lendemain.

«C'est moi qui ai organisé avec Laberge ce défilé au micro», raconte le «Renard argenté» Adrien Villeneuve des Machinistes, le spécialiste des jeux de coulisses. «Nous étions d'accord sur le fond, sur la création d'un nouveau parti, mais nous n'aimions pas la façon trop rapide avec laquelle on procédait. Nous étions bien préparés, surtout que Louis chambrait à l'hôtel avec moi comme à presque tous les congrès...»

La nuit du 23 avril 1958 fut une nuit fort longue... «Aux petites heures du matin, rapporte Émile Boudreau, après force rasades de cognac, nous avions clarifié les choses avec Laberge. Je l'ai trouvé très parlable, très ouvert. J'ai même trouvé qu'il avait du courage de s'opposer à l'establishment syndical, à ses amis Jodoin et Provost qui poussaient en faveur du nouveau parti. Finalement, pour respecter son mandat, il a voté contre la résolution qui a été adoptée presque à l'unanimité, sauf quelques dizaines de délégués du Québec. Mais il s'est ensuite rallié. Après Winnipeg, Laberge était NPD.»

Ti-Louis confirme: «J'ai gueulé contre la fondation du Nouveau Parti parce que je croyais que c'était prématuré. Une fois la décision de l'appuyer prise démocratiquement, je me suis vite rallié et je suis devenu un militant zélé du NPD.»

La résolution de Winnipeg prévoit, prudemment, un délai de deux années de discussions avant d'aller plus loin dans la fondation d'un nouveau parti social-démocrate. Elle donne le mandat à la direction du CTC d'entamer des pourparlers avec le CCF et d'autres mouvements, puis de faire son rapport au prochain congrès en 1960. Parmi les représentants du

CTC qui vont participer aux discussions, au sein du «Comité du Nouveau Parti», on retrouve les Québécois Jodoin, Provost et William («Bill») Dodge de la Fraternité des cheminots — qui vient d'être élu vice-président exécutif de la centrale. Du côté du CCF, il y a Thérèse Casgrain et Gérard Picard, l'ancien président de la CTCC.

Quelques mois après Winnipeg, le congrès de la FTQ à Montréal, en novembre 1958, décide à son tour d'appuyer les démarches en vue de la mise sur pied d'un nouveau parti progressiste, sur la scène fédérale et provinciale. Et ce, malgré les réticences de certains syndicats de la construction. Encore une fois, Laberge tient à ce congrès un langage modéré: «Il y a peut-être des unions plus avancées que d'autres dans le sens de l'action politique, mais il ne faut pas tomber sur la tête des unions moins avancées. Il faut être très patients et leur démontrer qu'il est dans l'intérêt du mouvement ouvrier de s'occuper de l'action politique, dans le sens de la résolution de Winnipeg.[9]»

La patience va porter fruit car deux ans plus tard, en novembre 1960, par un score de 507 voix contre une seule, le congrès de la FTQ appuie avec enthousiasme le lancement du Nouveau Parti. Le congrès de fondation du NPD aura lieu en juillet 1961 à Ottawa. Laberge en revient «emballé» et déclare sans ambages: «Les deux vieux partis sont pareils quand ils sont au pouvoir. J'ai hâte de voter NPD.» Il affirme avoir «beaucoup de respect et d'admiration» pour le leader du nouveau parti, le pasteur Tommy Douglas, ancien chef du premier gouvernement social-démocrate en Amérique du Nord, celui de la Saskatchewan.

On ne peut s'empêcher de clore cet épisode en soulignant que les réticences initiales de Laberge à l'égard du NPD n'étaient pas sans fondement: le congrès de la FTQ, en 1969, reconnaîtra que l'appui de la centrale au Nouveau Parti n'était «pas enraciné à la base» et qu'il avait été «non pas une erreur de principe mais une erreur stratégique». Ce qui n'empêchera pas la FTQ d'appuyer le NPD fédéral pendant 30 ans.

Battu par 18 voix à Canadair

Décembre 1959. C'est l'élection annuelle au poste d'«agent d'affaires» de la Loge 712 des machinistes à Canadair. Une élection qui s'annonce mouvementée car, pour la première fois, Laberge est vivement contesté.

Voilà maintenant onze ans qu'il occupe son poste de représentant syndical à l'immense avionnerie de Cartierville. Mais ce n'est pas tout: il est aussi président du Conseil du travail de Montréal, conseiller municipal de la Ville de Montréal, vice-président régional du Congrès du travail du Canada et l'un des directeurs de la FTQ. Il participe à presque toutes les luttes du mouvement ouvrier, sur les lignes de piquetage et ailleurs. Il est toujours prêt à donner un coup de main à d'autres syndicats, partout où il a des *chums*. Mais il commence à négliger les membres de la Loge 712.

Pour lui donner une leçon, certains de ses camarades — et même de ses amis — décident de présenter un candidat contre lui au poste d'«agent d'affaires» afin de lui «chauffer les fesses». Les contestataires viennent en majorité de l'Usine numéro deux de Canadair; ils s'appellent Aldo Caluori, Robert Soupras, Lucien Martineau, Aimé Gohier et surtout Robert Lavoie, un syndicaliste aguerri qui décide de se présenter contre Ti-Louis. Lavoie, un petit moustachu jovial, a commencé à travailler en 1941 comme soudeur à la division de l'avionnerie de la Canadian Vickers, ancêtre de Canadair. Il n'a pas froid aux yeux et est paré à livrer bataille.

«Louis était souvent absent et ne s'occupait pas bien de son travail auprès des membres, raconte-t-il. Je lui avais dit six mois à l'avance: si tu ne t'améliores pas, je vais me présenter contre toi aux élections. Je ne l'ai pas pris les culottes baissées, il était prévenu. Mais il riait bien de ça, il était super-confiant. Louis marchait un peu trop en grande. Il était tellement occupé, il avait tellement d'amis dans le mouvement ouvrier, il acceptait à tout bout de champ d'aider des syndicats, d'agir comme arbitre pour d'autres loges des machinistes, pour les débardeurs, les pompiers. Et nous on souffrait de ses absences. Il arrivait en retard aux réunions avec des histoires abracadabrantes. Il négligeait son ouvrage à la Loge, les griefs traînaient un peu, les gens critiquaient.»

Robert Soupras, un ami de Laberge, est encore plus sévère: «On aurait dit que Louis, sous l'influence de son entourage, s'était pris tout à coup pour un autre. Il menait grand train et se "crissait" un peu de nous autres. On lui a dit: mon gros Louis, on t'haït pas pantoute mais on va te donner une leçon.» Adrien Villeneuve des Machinistes, un des parrains de Laberge dans le mouvement ouvrier, reconnaît que «Louis était devenu trop sûr de lui». Il ajoute: «Lavoie disait franchement: "Laberge est bien meilleur que moi mais il n'est jamais là!"»

«On se demandait des fois si Ti-Oui était en train de travailler pour nous autres à Canadair ou s'il jouait aux cartes en prenant un coup», glisse son copain Aimé Gohier, lui aussi un ancien de l'École supérieure Saint-Stanislas. Selon Normand Cherry, un partisan de Laberge, «ça faisait partie du grenouillage, du magouillage électoral: beaucoup de gars disaient que Louis passait des heures à faire des parties de cartes, ou encore à jouer au billard ou aux machines à boules dans la salle en bas du local des Machinistes.» Ce local, situé au 2017, rue Papineau près d'Ontario, était situé au dernier étage d'un immeuble qui abritait également une salle de billard et un bar. Il était proche d'un autre bar bien connu de la rue Ontario, le *Lion d'or*.

«Louis passait effectivement un certain temps à se détendre», se rappelle un de ses vieux copains, Jean Joly, représentant d'une autre Loge des Machinistes: «La table de pool, les jeux de cartes à l'argent... Un vrai "gambler"! En plus, il prenait un coup solide et était parfois un peu chaudette: un cognac, une bière, un cognac, une bière... Mais il avait beaucoup d'activités syndicales et politiques, trop même, et ça le relaxait de jouer, ça l'a toujours relaxé. Il veillait tard dans ce temps-là: Louis n'a jamais été un casseux de party...»

Finalement, le jour des élections syndicales arrive à Canadair. Coup de théâtre: Robert Lavoie bat Ti-Louis... par

18 voix de majorité sur au-delà de 2 500 votants. Stupéfaction! Lavoie se rappelle: «J'avais fait une grosse cabale mais je ne pensais pas battre Louis, on voulait juste lui donner une leçon. Mais la balle a traversé la clôture, j'ai frappé un coup de circuit... Je lui ai joué un maudit tour. Il a fallu trois recomptages avant qu'il admette sa défaite. C'était dur pour son orgueil.»

Une défaite amère, ô combien. Le soir du scrutin, chez lui, entouré de ses amis les plus fidèles, Laberge ne peut s'empêcher de pleurer à chaudes larmes. Il a mal, il souffre dans son amour-propre. Une blessure narcissique, certes, mais aussi le sentiment d'avoir été trahi par certains de ses amis.

«Je n'ai jamais vu autant d'hommes pleurer en même temps, se souvient son fils Michel, qui avait alors 14 ans. Et des durs de durs. Ils se prenaient par le cou en se donnant l'accolade et essayaient de se consoler.» Adrien Villeneuve témoigne: «C'est la seule fois que j'ai vu Louis pleurer comme un enfant. Je l'ai vu aussi, le même soir, frapper à grands coups de poing sur le mur. Il était humilié, ça lui avait arraché le cœur. Je lui ai dit: "Louis, prends ta leçon, tu es capable de revenir en force."»

Laberge affirme que, sur le plan strictement personnel, ce fut là l'expérience syndicale la plus marquante de toute sa vie dans le mouvement ouvrier: «Longtemps après... je me suis dit que ça avait été un mal pour un bien de me faire battre... C'est vrai que j'étais un peu parti pour la gloire. J'avais sans doute négligé les membres à Canadair, je passais trop de temps en dehors de la Loge.»

Mais il ajoute du même souffle: «Ma défaite m'a réellement affecté, car je me dépensais très fort pour le mouvement ouvrier. Je vivais un vrai dilemme, comme beaucoup d'autres syndicalistes l'ont vécu: comment peux-tu arriver à bien servir les membres de ta section locale, qui te paient pour tes services et, en même temps, travailler bénévolement pour le mouvement ouvrier à d'autres postes élus? Je me suis posé de sacrées questions, j'en ai été malade, j'ai pensé que mon chien était mort... Une des leçons que j'en ai tirée est devenue une de mes devises: "Don't trust to luck, organize", comme disent les Anglais. Autrement dit: ne t'en remets pas uniquement à la chance, ne prends rien pour acquis, organise-toi.»

Après plusieurs longues journées de réflexion, Laberge décide de prendre son courage à deux mains et accepte le fait qu'il devra retourner travailler à Canadair, avec sa boîte à lunch, et poinçonner sa carte comme tous les ouvriers. Mais il n'aura pas à reprendre son boulot de mécanicien: un de ses grands amis, le Belge Adrien Bardonnex, lui cède son poste de membre à plein temps du comité syndical des griefs.

Ti-Louis reprend du poil de la bête et amorce aussitôt sa cabale pour reconquérir son poste d'«agent d'affaires» lors des prochaines élections. Il n'est pas homme à «rester sur une défaite». Et tous ceux qui le connaissent bien savent qu'il n'accepte pas de perdre. Il ratisse l'avionnerie de fond en comble pour ne rien laisser à la chance.

Ses adversaires d'hier sont déjà prêts à lui ouvrir les bras: «On était plus malheureux que lui de l'avoir battu, confie Robert Soupras. On avait hâte qu'il revienne, il n'y en avait pas deux comme lui. Lavoie était un bon représentant syndical, pas un chef comme Laberge. Mais Ti-oui a eu le temps de réfléchir et de piler sur son orgueil. Pour lui, ce fut un mal pour un bien.» Selon Aimé Gohier, «il fallait que Louis revienne car au bout de trois mois à la direction de la Loge 712, on ne savait plus trop quoi faire avec les guides...»

Un an plus tard, en décembre 1960, Laberge remporte haut la main son élection contre trois adversaires. «Le pape aurait été candidat que je l'aurais battu!» Robert Lavoie ne s'est même pas représenté. Bien sûr, Lavoie savait qu'il serait défait, mais il estimait que Ti-Louis avait eu sa leçon: «Louis m'a remercié... longtemps après... de l'avoir remis à sa place. Par la suite, il a fait attention et est devenu un meilleur syndicaliste. Il a su de quel bord son pain était beurré. Il descendait la côte, ça lui prenait un chemin de Damas pour remonter!»

Laberge et Lavoie sont restés bon amis. Quand Ti-Louis

deviendra président de la FTQ en 1964, il engagera son «chum Robert» à la centrale comme directeur du service des accidents du travail, poste qu'il occupera pendant 19 ans jusqu'à sa retraite. Laberge dit, pince-sans-rire: «Je ne pouvais pas oublier ce que Robert m'avait fait...» Et surtout le service qu'il lui avait rendu.

Courtier en assurances?

Quand il a été battu comme représentant syndical à Canadair en 1959, pendant plusieurs jours Laberge a tout remis en question. Pour la première fois de sa vie — et la seule — il s'est demandé s'il ne pourrait pas faire autre chose que du syndicalisme. À 35 ans, il était à l'âge où tout pouvait encore changer.

Deux de ses confrères, longtemps représentants des Machinistes à Toronto, viennent de se lancer dans les assurances avec la compagnie London Life. Il se fait offrir «un emploi en or, un gros salaire avec un bureau et une secrétaire à Montréal». Il rencontre même des hauts gradés de la compagnie qui souhaitent développer le marché des assurances collectives dans les grandes entreprises syndiquées comme Canadair.

Ti-Louis demande conseil à son camarade Marcel Fournier, alors secrétaire-archiviste de la Loge 712 et ancien courtier en assurances. Il était encore tout abasourdi par sa défaite quand ils sont allés dîner ensemble, se rappelle Fournier. Laberge l'aborde en ces termes:

— Te souviens-tu, Marcel, une fois tu m'as dit que j'aurais pu réussir dans les assurances? Eh bien, figure-toi que j'y pense en ce moment.

— Tu ferais un maudit bon représentant, répond Fournier. Tu as de l'instruction et de l'entregent, tu aimes le public, tu es bilingue.

«Louis aurait pu gagner beaucoup d'argent dans les assurances, raconte Fournier, mais la piqure syndicale était trop forte. Et il ne voulait pas rester sur sa défaite, il fallait qu'il fasse un retour. De toute façon, l'argent n'a jamais eu d'importance pour lui. Ses paies passaient pour tout le monde, même son "petit change". Il avait grand cœur, rien ne lui appartenait.» À tel point que le jour où Fournier a appris que Ti-Louis venait d'acheter sa première maison, en 1959 justement, sur le boulevard Langelier dans l'Est de Montréal, il s'est demandé comment il avait pu s'en acheter une!

Laberge conclut: «Quand j'ai pensé m'en aller dans les assurances, j'étais encore sous le coup de ma défaite. Mais je n'ai pas branlé dans le manche longtemps. J'ai vite compris que le syndicalisme, c'était vraiment toute ma vie...»

Thérèse et les enfants

S'il y a une personne au monde qui n'aurait pas détesté que son Ti-Louis change d'emploi, c'est bien sa femme Thérèse.

Voilà maintenant une douzaine d'années qu'elle «endure» les activités syndicales et politiques de son mari, ses retards et ses absences de la maison surtout, et elle commence à ressentir une certaine lassitude. Et que dire de l'insécurité des postes syndicaux élus?

— Tu ne sais jamais si tu vas garder ta job, lui dit-elle, alors que tu pourrais te faire une belle carrière dans les assurances.

— La plus belle sécurité d'emploi que tu peux avoir, c'est toi qui te la donnes, répond-il.

Laberge se dit quand même qu'il n'est pas très présent à la maison et qu'il ne voit guère sa femme et ses enfants. S'il changeait de vie, ce pourrait être différent. Comme dans bien des familles, la mère doit élever presque seule les enfants. C'est ce dont témoignent les trois fils Laberge — Michel, Pierre et Jean — qui vouent une grande affection à leurs parents:

«C'est notre mère qui nous a élevés. Elle a compensé pour l'absence de Louis et nous a consacré toute sa vie durant ces années-là. Quand nous étions jeunes, le seul soir où nous étions sûrs de voir papa était le lundi: c'était la soirée de sortie de maman qui allait au cinéma et il devait nous garder. Nous étions bien contents d'être avec lui, il était entièrement à nous.» Thérèse explique: «Je faisais exprès de prendre une soirée de congé pour qu'il puisse mieux connaître ses enfants. Mais quand il était présent, il était entièrement là et ça comptait. Il savait bien s'amuser avec les garçons. Parfois il jurait un peu après eux mais c'était sans malice.»

Le rituel du lundi soir était presque sacré, se souviennent les enfants: «On allait reconduire Thérèse au cinéma, papa nous achetait chacun une palette de chocolat Aéro et se procurait toujours le même journal, le *Star Weekly*. De retour à la maison, on faisait la vaisselle et on passait la soirée à jouer, à jaser et à lire. Les autres soirs de la semaine, il n'était pratiquement jamais là, sauf quand il y avait des réunions syndicales chez nous... Le samedi midi, nous allions parfois en famille manger un smoked-meat au *Nu-Way Delicatessen*, rue Mont-Royal, un de ses endroits de prédilection. Il n'avait pas vraiment le temps de venir nous encourager dans nos activités, sportives ou autres. Il disait: "Ça te ferait plaisir à toi, mais ce soir j'ai une centaine de personnes à aller aider". Il nous donnait souvent des cadeaux et nous n'avons jamais manqué de rien.»

La famille était toujours ensemble pendant les vacances d'été, Laberge ayant droit à deux semaines payées dans les années cinquante. Avec son ami Aldo Caluori de Canadair, il a loué son premier chalet à Saint-Placide au bord du lac des Deux-Montagnes, un petit centre de villégiature non loin d'Oka. La Plage Roger, la Plage Duquette, Pine Beach... La famille allait aussi se baigner au cap Saint-Jacques dans l'ouest de l'île de Montréal. Plus tard ce sera le chalet à Entrelacs dans les Laurentides.

Les enfants ont souvenance qu'à la maison, quand leur père rentrait souper, il était parfois si fatigué qu'il piquait une petite sieste avant de repartir à une assemblée le soir. Il ronflait aussitôt étendu sur son lit et vingt minutes plus tard il se levait d'aplomb: il avait une capacité de récupération extraordinaire qui l'a bien servi tout au long de sa vie. Par contre, il dormait à peine quelques heures par nuit... quand il se couchait! Ses garçons se rappellent qu'à quelques reprises le matin, lorsqu'ils se levaient pour aller à l'école, Ti-Louis jouait encore aux cartes avec ses amis du Syndicat des débardeurs, Hector Marchand, Gérard Tremblay, Victor Trudeau, Paul Asselin.

Ils ont bien aimé leurs premières activités syndicales avec leur père, par exemple la grève à la Bristol Aéro-Industries dans le nord de Montréal: les piqueteurs avaient installé une roulotte-cantine et les garçons de Laberge servaient le café et les biscuits. Dans certains conflits, ils n'ont pas oublié les téléphones d'intimidation et de menaces de bombes à la maison. Ils sont allés à des assemblées de la Loge 712 et à tous les dépouillements d'arbres de Noël à Canadair.

«Mon père nous a souvent dit: "le Bon Dieu vous a donné des talents, faites-les fructifier"», dit l'aîné Michel. Parmi ces talents, il y a ceux des jumeaux Pierre et Jean qui, dans les années 60, seront musiciens dans un groupe rock très populaire, Les Chantels. Pierre dit: «Mon père nous a encouragés, mais il nous a surtout incités à poursuivre nos études à l'université et il avait raison.» Jean renchérit: «Grâce à lui, j'ai compris l'importance de la formation.»

«Si c'était à refaire, dit aujourd'hui Laberge avec nostalgie, j'aurais passé plus de temps avec ma famille, surtout quand les enfants étaient plus jeunes. Tu te réveilles, et déjà ils sont partis...»

Chapitre 8

La Révolution tranquille

«Il faut que ça change!»

Le 7 septembre 1959, le vieux monde bascule au Québec: le premier ministre Maurice Duplessis meurt subitement à Schefferville dans l'Ungava.

Paul Sauvé succède au «Chef», lance son fameux «Désormais» et meurt à son tour après ses «Cent jours» de réformes. Le ministre du Travail Antonio Barrette prend la relève, cet ancien syndiqué des Machinistes que Laberge connaît bien. Il déclenche des élections générales pour le 22 juin 1960.

Changement de la garde: après seize ans de règne de l'Union nationale, le Parti libéral de Jean Lesage prend le pouvoir avec le slogan «Il faut que ça change!» L'aile gauche nationaliste et réformiste des libéraux est animée par René Lévesque, une autre connaissance de Ti-Louis. C'est le coup d'envoi de la Révolution tranquille, cette vaste opération de modernisation de la société québécoise qui coïncidera avec une phase de croissance économique.

Laberge a voté libéral en 1960: «Nous avions enfin la

chance de mettre fin au régime de la Grande Noirceur. Les libéraux avaient une très bonne équipe, "l'équipe du tonnerre", et un bon programme de réformes.»

Laberge a voté libéral, mais la FTQ a affiché une position officielle de neutralité: Roger Provost explique que la centrale «travaille à la formation d'un nouveau parti démocratique qui permettra à l'électorat de faire un choix véritable aux prochaines élections provinciales». Un parti social-démocrate, à gauche des libéraux de Lesage et Lévesque.

Même position de la part du Conseil du travail de Montréal que préside Laberge. Ce qui n'empêche pas un groupe de syndicalistes de la construction et de machinistes montréalais d'appuyer publiquement l'Union nationale et même d'organiser une petite fête en l'honneur d'Antonio Barrette!

Peu après le scrutin, en novembre 1960, la FTQ invite à son congrès nul autre que le ministre René Lévesque. «Heureusement que Lévesque, Paul Gérin-Lajoie et quelques autres poussaient dans le bas du dos de Lesage», s'exclame Laberge. La pression en faveur des changements venait aussi des syndicats, en pleine expansion, qui représentent au-delà de 30 % des salariés québécois au début des années 60.

Les libéraux ont ainsi pu réaliser des réformes majeures en éducation, en santé, en économie et en matière de lois du travail. Laberge mentionne l'assurance-hospitalisation, la création du ministère de l'Éducation et le nouveau code du travail. Mais «le plus beau coup», selon lui, reste la création du régime des rentes et de la Caisse de dépôt et placement du Québec — dont il deviendra membre du conseil d'administration en 1970: «C'est ce que le gouvernement Lesage a fait de plus sensationnel, en disant non au Canada Pension Fund.»

Laberge et la FTQ gardent cependant leurs distances à l'égard des libéraux, contrairement à la nouvelle Confédération des syndicats nationaux (CSN), l'ex-CTCC déconfessionnalisée en 1960: «Lesage était acoquiné avec Jean Marchand et Marcel Pepin. La CSN, qui avait accusé faussement Roger Provost de coucher avec Duplessis, se vautrait dans le lit des libéraux. On a d'ailleurs vu où Marchand a fait son lit par la suite.»

La nationalisation du réseau hydro-électrique, pilotée par René Lévesque, est une autre réforme majeure de la Révolution tranquille. Lors des élections-référendum à ce sujet sous le thème «Maîtres chez nous», le 14 novembre 1962, la FTQ invite ses membres à voter en faveur de la nationalisation de l'électricité, ce qui équivaut en pratique à appuyer les libéraux.

Laberge résume ainsi la position des dirigeants de la FTQ: «Je ne voterai ni pour l'un ni pour l'autre des deux vieux partis, je vais simplement voter pour la nationalisation de l'électricité. Je voterai libéral non pas parce que c'est le Parti libéral mais parce que je ne peux rien faire d'autre. S'il y avait des candidats du Nouveau Parti démocratique, alors je n'aurais pas d'hésitation possible. Ce que je trouve malheureux, c'est que nous n'ayons pas été prêts à lancer des candidats NPD dans cette campagne.» Il conclut: «S'il me faut comparer les deux vieux partis, je dirai simplement que rien ne peut être pire que l'Union nationale.»[10]

Même si le NPD, fondé à l'été 1961, a participé à sa première élection fédérale en juin 1962, sans grand succès au Québec, il n'a pas encore été formé ici comme parti provincial. La FTQ insiste pour que ce parti soit mis sur pied au plus tôt. Laberge est nommé membre du comité de direction provisoire du NPD-Québec à l'automne 62.

Il participe dans le camp du NPD aux élections fédérales d'avril 1963: «Le Conseil du travail a reçu à Montréal le chef du parti, Tommy Douglas, et j'ai fait des tas d'assemblées avec les candidats syndicalistes de la FTQ et les autres.» Le scrutin se solde par un nouveau gouvernement minoritaire à Ottawa, dirigé cette fois non plus par les «bleus» de Diefenbaker mais par les libéraux de Lester B. Pearson. Le Québec a voté massivement libéral. Le Nouveau Parti recueille humblement 7,1 % des voix au Québec et 13 % sur l'île de Montréal.

* * *

Toujours président du Conseil du travail de la métropole, Laberge vient tout juste d'être élu au poste influent de vice-président de la FTQ lors du congrès de la centrale, en novembre 1962. Une promotion majeure. Il se retrouve au sein de l'exécutif de cinq membres aux côtés de son ami le président Roger Provost, du premier vice-président Jean Gérin-Lajoie des Métallos, du secrétaire John Purdie du Syndicat du tabac et du trésorier André Thibaudeau du Syndicat canadien de la fonction publique. Il a maintenant le pied solidement dans l'étrier.

Entre temps, il est devenu, depuis l'automne 1961, représentant de ce qu'on appelle en jargon syndical la «Grande Loge» de l'Association internationale des machinistes. Il ne s'agit plus d'un poste élu comme à Canadair mais d'une fonction de permanent nommé par la direction du syndicat.

Pour lui succéder à la Loge 712, les membres élisent un de ses amis, Charles Phillips, un Noir anglophone bilingue. «Charlie a été l'un des premiers représentants syndicaux de race noire au Québec, sinon le premier. Il y a de quoi être très fier.»

À son nouveau poste, Laberge travaille désormais auprès de plusieurs loges des Machinistes et aide à négocier les conventions collectives et les griefs. Il dirige aussi des grèves, comme à la Bristol Aéro-Industries à Montréal, et des campagnes de syndicalisation réussies comme chez le grand fabricant de cuisinières et réfrigérateurs de marque Roy (Hupp Canada) à L'Assomption, qui emploie un millier d'ouvriers.

«La campagne de L'Assomption a duré un an, se rappelle-t-il. Nous avons fait des tas d'assemblées de cuisine et du porte-à-porte, le soir, pour faire signer des cartes et déloger le syndicat de boutique. Mon fils Michel m'a accompagné à quelques reprises. Le chef de police nous harcelait, le curé a tout fait pour nous empêcher de tenir une assemblée dans une école: il m'a presque aspergé d'eau bénite! Ça nous a pris de l'haleine, mais nous avons gagné et le syndicat est entré. À la fin, je connaissais L'Assomption comme le fond de ma poche, à commencer par l'*Hôtel du Portage* où on se remontait le moral durant la campagne... Et comme le hasard fait souvent bien les choses, grâce aux bons offices du secrétaire du syndicat chez Hupp, Denis Trudel, j'ai pu acheter en 1977 un terrain à L'Assomption, près de la rivière, pour y faire construire ma nouvelle résidence. Je compte bien finir mes jours dans cette maison...»

Laberge se souvient d'une autre campagne de syndicalisation difficile, une petite compagnie du côté de Papineauville dans l'Outaouais qui fabriquait des tubes de dentifrice. Pour faire signer des cartes d'adhésion aux Machinistes, il avait fait appel à l'aide de quelques confrères de Canadair: Aimé Gohier, Robert Lavoie, Gaston Ouellette et d'autres. Un blitz de recrutement avait même eu lieu lors d'une soirée récréative organisée par la compagnie! Sauf que son copain Gohier, un peu guilleret, avait décidé d'inviter à danser la femme du patron. «Ça a mal reviré quand le boss s'en est aperçu, dit Ti-Louis. Il y a eu un peu de tapochage avec des gens de la compagnie... Mais dans ce temps-là, tu ne faisais pas des campagnes d'organisation syndicale avec des mouchoirs, tu savais que tu pouvais manger un œil au beurre noir...»

Non au séparatisme

Au début des années 60, dans le sillage de la Révolution tranquille, une grande ferveur nationaliste bouillonne au Québec. Comme de la sève qui fermente. Parmi les dynamos de ce nationalisme s'active un des ministres les plus populaires du gouvernement Lesage, René Lévesque.

Le vieux projet résurgent d'un pays souverain, indépendant, se remet à germer dans de petits cercles intellectuels puis gagne en popularité, surtout parmi la jeunesse. Le premier parti «séparatiste», le Rassemblement pour l'indépendance nationale (RIN), est fondé en septembre 1960; situé au centre-gauche, il commence à faire quelque bruit. Une turbulence qui tourne à l'explosion de violence quand éclatent les premières bombes terroristes du Front de libération du Québec au printemps 1963.

Lors du congrès de fondation du NPD à l'été 1961, les syndicalistes de la FTQ — dont Laberge — ont réussi à faire reconnaître par le parti «la thèse des deux nations» au Canada, l'une d'entre elles, la nation canadienne-française, ayant pour expression politique principale l'État du Québec. Par contre, tout en affirmant le droit du Québec à l'autodétermination, la FTQ condamne durement le «séparatisme» lors de son congrès de novembre 1961, à la suite d'une proposition présentée par Laberge au nom du Conseil du travail de Montréal. Elle prône plutôt un fédéralisme renouvelé et «coopératif» comme le veut le programme du NPD, un parti très canadien-anglais mais que la FTQ essaie de tricoter avec un peu de laine québécoise.

Au début de 1963, Laberge préface une brochure anti-indépendantiste intitulée *Le travailleur face au séparatisme.* L'ouvrage a été rédigé par le secrétaire du comité d'action politique du Conseil du travail, Henri Gagnon, président de la Fraternité des électriciens, et ancien leader du Parti communiste passé au NPD. «La presque totalité des syndiqués de langue française sont opposés au séparatisme», écrit Laberge avec raison. Mais son argumentation contre l'indépendance agite quelques épouvantails: «Le sort du Québec deviendrait identique à celui de certaines républiques des Antilles. Ce serait une aventure désastreuse dont les travailleurs feraient les frais.» Il conclut: «Entre les deux pôles du fédéralisme centralisateur et de la sécession, j'opte pour un fédéralisme coopératif, flexible, qui permettra aux deux nations de se développer.»

«Nous n'étions alors que quatre ou cinq délégués indépendantistes au Conseil du travail», se rappelle Fernand Boudreau, un jeune militant du RIN qui deviendra au début des années 80 président du Conseil et l'un des vice-présidents de la FTQ. Il se souvient de Laberge à cette époque comme d'«un chef représentatif de la base et qui saura s'adapter au fil des années».

Fait à noter: Ti-Louis a déjà quelques prises de bec avec son fils Michel, 18 ans, un jeune indépendantiste membre du RIN et piaffant d'impatience, qui contribuera beaucoup à l'évolution graduelle de son père vers la souveraineté du Québec.

La question nationale commence à faire des vagues au sein du mouvement ouvrier. À tel point que ce qui devait être le congrès de fondation du NPD-Québec, à l'Auditorium Le Plateau à Montréal en juin 1963, s'achève par une profonde scission des forces de gauche[11]. Deux clans presque irréductibles s'affrontent: d'un côté, les partisans du fédéralisme dit coopératif et, de l'autre, ceux d'un Canada dans lequel le Québec aurait le statut d'un État associé — une sorte de souveraineté-association. Avec comme résultat que le congrès accouche de deux partis: le NPD-Québec, fédéraliste, pour mener la lutte sur la scène fédérale, et le Parti socialiste du Québec (PSQ), plus «souverainiste», pour occuper la scène provinciale.

Les principaux ténors de la FTQ, Roger Provost, Roméo Mathieu et les dirigeants des grands syndicats affiliés, se rangent dans le camp fédéraliste, aux côtés de l'avocat Robert Cliche qui sera bientôt choisi chef du NPD-Québec. Dans le camp plus souverainiste s'affirme «le grand Fernand» Daoust, élu président du conseil provisoire du PSQ, secondé entre autres par Émile Boudreau, directeur adjoint des Métallos, et par le bouillant utopiste Michel Chartrand de la CSN, qui sera le premier leader du Parti socialiste.

Daoust, alors représentant du Syndicat du pétrole et de la chimie, reconnaît aujourd'hui: «Le PSQ, c'était bien beau sur papier, c'était le projet de l'avenir, mais ça n'a pas eu beaucoup de résonances populaires sur le moment...» Laberge se souvient: «J'avais dit à Fernand et à Émile: c'est une affaire mort-née...» Après bien des déboires et des querelles intestines entre radicaux et modérés, le petit Parti socialiste mourra en 1968, victime de son dogmatisme et de son jusqu'au-boutisme, dans l'indifférence générale. Un échec magistral.

Tout comme le NPD fédéraliste d'ailleurs, qui n'arrivera jamais à prendre son envol au Québec à cause de son caractère trop «étranger».

Laberge se rappelle ses divergences avec Daoust sur la question nationale: «Fernand et moi, nous n'étions pas dans le même camp là-dessus. Au sein de la FTQ, il passait pour un nationaliste extrémiste alors que moi, bien sûr, j'étais un peu trop effrayé par le séparatisme. Mais je reflétais ce que les membres pensaient chez nous.» Daoust confirme: «Louis n'était pas vraiment dans son élément avec les gens très nationalistes. C'était le gros facteur de divergence entre nous, car sur la social-démocratie nous n'étions pas loin l'un de l'autre.»

Pour le moment, en novembre 1963, le congrès de la FTQ rejette le séparatisme en termes acides. Les délégués votent massivement leur «opposition totale et absolue» au projet d'un Québec indépendant, alléguant que «la sécession risque de provoquer une baisse du niveau de vie». Laberge soutient que «le séparatisme serait une catastrophe pour tous ceux qui sont obligés de gagner leur vie».

Il se souvient que peu avant ce congrès, un syndicaliste anglophone qui avait assez de mal à s'exprimer en français a annoncé qu'il quittait l'exécutif de la FTQ, de son propre gré: «John Purdie du Tabac comprenaitle français mais le parlait difficilement. Il a siégé trois ans à l'exécutif et à l'automne 1963 il nous a dit: "Ça n'a pas de maudit bon sens, je vais me faire remplacer par quelqu'un qui peut parler français." Un beau geste de sa part.» Le nouveau venu sera un autre dirigeant du Syndicat du tabac, René Rondou, élu trésorier de la FTQ.

Les congrès et les publications de la FTQ continuent d'être bilingues et il faudra attendre la fin des années 60 pour que le français devienne la seule langue officielle à la centrale. Le dernier congrès avec le service de traduction simultanée aura lieu en 1971.

* * *

Après neuf ans à la présidence du Conseil du travail de Montréal et quatorze années à l'exécutif, Laberge quitte la direction du CTM en janvier 1964. Il déclare alors qu'il entend se consacrer davantage à la FTQ dont il est vice-président. Selon *Le Monde ouvrier*, «il se verrait confier bientôt d'importantes responsabilités»[12].

Son successeur au CTM est son ami Jean-Paul Ménard des Travailleurs du métal en feuilles (ferblantiers), président du Conseil des métiers de la construction. Ménard est un «vieux bleu», proche de l'Union nationale, qui s'appuie sur la force des syndicats du bâtiment au Conseil. Une force plutôt conservatrice qui explique la prudence dont a toujours dû faire preuve Laberge lorsqu'il était président du Conseil du travail.

Le plus grand congrès syndical

En ce printemps 1964, Laberge va jouer un rôle clé dans un événement qui marque, encore une fois, un tournant dans l'histoire de la jeune FTQ: le congrès extraordinaire convoqué par la centrale à Québec et où l'on brandit la menace d'une grève générale afin d'obtenir un nouveau code du travail plus conforme aux aspirations syndicales.

Le gouvernement Lesage avait présenté un projet de loi, le «bill 54», en vue de promulguer un premier vrai code du travail, en lieu et place de la vieille Loi des relations ouvrières qui remontait à 1944. Le nouveau code devait apporter plusieurs changements positifs: en plus de raccourcir les délais pour l'accréditation syndicale, la négociation, la conciliation et le recours à la grève, il allait imposer aux employeurs la déduction à la source des cotisations à la demande des salariés. Cet article sera en vigueur jusqu'en 1977 alors qu'il sera renforcé par la formule Rand. Le code allait aussi stipuler que le syndicat pourrait choisir la langue du texte officiel de la convention; la pratique de négocier et de rédiger la convention collective en français se répandra dans le secteur privé — à Canadair par exemple — jusque-là soumis à la «loi» du patronat anglophone.[13]

Mais la grande nouveauté, ce sera la reconnaissance du droit de grève dans les services publics, sauf pour les policiers et les pompiers. Pour arracher cette concession majeure, il a cependant fallu une levée de boucliers du côté syndical.

La CSN a ouvert le bal en organisant en février 1964 une assemblée extraordinaire de 1 500 militants qui rejettent le «bill 54» et réclament un nouveau projet de loi. À la FTQ, 2 200 délégués participent au Colisée de Québec, les 11 et 12 avril, au plus grand congrès syndical à ce jour dans l'histoire du Québec. Ils se prononcent en faveur de la grève générale au besoin pour faire bouger le gouvernement Lesage.

Vice-président de la FTQ, Laberge est l'un des plus ardents partisans de la grève générale. Et aussi du droit de grève dans les services publics. À l'exécutif de la FTQ, il avait organisé «une petite rébellion» contre Roger Provost, qui n'était pas d'accord avec la grève générale et qui n'était pas chaud, non plus, pour le droit de grève dans les services publics. Ce que confirme Jean Gérin-Lajoie, autre vice-président de la FTQ, d'accord avec la position de Laberge à l'époque. «Lors du congrès, raconte Ti-Louis, l'abbé Gérard Dion était venu nous dire d'un ton paternaliste de ne pas faire les fous avec la grève... Je l'avais enguirlandé devant les congressistes.»

Marcel Pepin ajoute: «Nous avons eu des rencontres de stratégie FTQ-CSN et je me souviens très bien que Louis, Gérin-Lajoie et moi, nous voulions le droit de grève dans le secteur public pour l'exercer en pratique. Les présidents de la CSN et de la FTQ, Jean Marchand et Roger Provost, le voulaient en principe, symboliquement, mais pas vraiment pour l'exercer.»

Deux semaines après la menace de grève de la FTQ, le gouvernement Lesage dépose une version améliorée du «bill 54», puis une mouture meilleure encore en juillet par suite des pressions syndicales. Le nouveau code du travail, salué comme une grande réforme par la FTQ, entre en vigueur le 1er septembre 1964. C'est l'une des législations ouvrières les plus avancées sur le continent nord-américain, en particulier au chapitre du droit de grève dans les services publics.

Des Machinistes aux Travailleurs de l'auto

21 juin 1964. Nouveau rebondissement dans la vie tumultueuse de Louis Laberge: quelques jours avant la Saint-Jean, il est congédié de son poste de représentant syndical par le directeur canadien de l'Association internationale des machinistes, Mike Rygus.

«Ce gars-là était une tête carrée», peste encore Ti-Louis. «Son sens de l'humour n'était pas très développé. On était en chicane et il m'a limogé au premier prétexte qu'il a trouvé.»

Les deux hommes se connaissaient depuis plusieurs années. Laberge avait été président, et Rygus, secrétaire, de la Conférence canadienne des loges d'avionnerie qui regroupait les machinistes œuvrant dans l'aéronautique. Rygus était un jeune ambitieux, davantage encore que Laberge. Il était devenu directeur canadien et vice-président international (nord-américain) des Machinistes. D'après Jean Joly, un copain de Laberge chez les Machinistes, «Louis et Mike étaient deux gars faits pour diriger. Il y en avait donc un de trop, et le conflit de personnalités entre les deux était féroce.»

La goutte d'eau qui fit déborder le vase, ce fut l'assemblée du Congrès du travail du Canada à Montréal, en avril 1964. Laberge, en tant que vice-président de la FTQ, se rendit au micro pour s'opposer à une proposition de la direction du CTC en faveur de la création d'un nouveau poste de vice-président au comité exécutif. La FTQ voulait que ce poste soit réservé au Québec, mais l'*establishment* du CTC n'était pas d'accord et l'avait plutôt promis en secret à... Mike Rygus! Le chat sortit du sac lors du congrès. Or Laberge et les délégués de la FTQ firent tant et si bien que la proposition de la direction du CTC fut battue, et de belle façon.

Frustré de ne pas avoir eu son poste au CTC, «Rygus n'était pas homme à oublier un tel affront, surtout de la part d'un subordonné»[14]. À la première occasion, il convoque Laberge à son bureau et lui montre son dernier compte de dépenses. «C'était une peccadille, soutient Laberge. Il m'a demandé de démissionner. J'ai répondu: es-tu fou? Tu vas être obligé de me saprer dehors. Il m'a foutu à la porte.»

* * *

À peine un mois plus tard, à la fin de juillet 1964, Laberge est embauché comme directeur de l'organisation au Québec du Syndicat international des travailleurs unis de l'automobile et de l'aérospatiale. Les TUA, l'un des grands syndicats progressistes nord-américains, sont alors dirigés par le célèbre Walter Reuther, pionnier de gauche du CIO, devenu vice-président de l'AFL-CIO après la fusion.

«Au moment de mon limogeage des Machinistes, raconte Laberge, j'avais près d'une vingtaine d'années d'expérience dans le syndicalisme. J'ai donc été approché pour un emploi par plusieurs syndicats comme les Métallos, le Papier, le Commerce, l'Automobile. Ça ravigote son homme de voir qu'on a l'air d'apprécier le travail que tu as fait.»

Il est très tenté par les Métallos mais opte finalement pour les Travailleurs de l'auto. Les Machinistes et les TUA, explique-t-il, sont des syndicats industriels qui se ressemblent et qui représentent tous deux des membres dans le secteur de l'avionnerie; ils ont souvent œuvré ensemble à régler des problèmes communs. Laberge entretient d'ailleurs des rapports amicaux avec George Burt, le directeur canadien des TUA, et surtout avec Dennis McDermott, un Irlandais têtu qui succédera à Burt puis deviendra président du Congrès du travail du Canada en 1978.

Les TUA ont encore peu d'adhérents au Québec, il y a du potentiel, tout est à faire. Leur plus important syndicat local québécois vient tout juste de s'implanter chez le fabricant de moteurs d'avions Pratt & Whitney à Longueuil, mais on doit le consolider. L'autre section locale majeure sera fondée un an plus tard à la General Motors de Sainte-Thérèse, la première usine québécoise de montage automobile dont la production va démarrer en 1965.

Avant GM, Laberge a réussi à syndiquer le fabricant de

souffleuses à neige et de machinerie lourde Sicard (aujourd'hui Kenworth), après une campagne contre la CSN et avec l'aide de Larry Lemoine des Travailleurs du métal en feuilles. Et c'est avec des militants de Sicard, une usine située en face de celle de GM, que les TUA réussiront leur campagne de recrutement chez General Motors. Des gens comme Jacques Vanier — depuis lors un compagnon de pêche de Ti-Louis —, Jacques Fortin, Gérard Dussault et Sidney Payne.

Laberge signe aussi une entente de service avec le syndicat de la grande compagnie Northern Electrique à Montréal, à l'occasion d'une grève. Pour soutenir les grévistes, il fait venir de Détroit Walter Reuther lui-même, «un grand bonhomme qui m'a beaucoup inspiré».

«Nous avons réussi à mettre les TUA sur la carte au Québec», dit-il. À son arrivée, la constitution du syndicat était encore uniquement en anglais. Il l'a fait traduire. Heureusement parce que tout de suite après, le syndicat réclamait du français au travail chez GM lors de sa première grève de trois mois en 1966, et encore lors de la grève de 1970.

Mais le syndicat chez GM s'est surtout battu contre le *cheap labor*, pour que les ouvriers québécois de l'auto obtiennent les mêmes conditions de travail et de salaire que leurs camarades de l'Ontario. Comme le veut la vieille expression populaire québécoise, «si c'est bon pour Pitou, c'est bon pour Minou...»

Chapitre 9

Président de la FTQ... par une voix!

Ti-Louis contre le grand Fernand: la lutte des Anciens et des Modernes

Alors que commencent à tomber les feuilles en cet automne 1964, Louis Laberge est bien loin de se douter qu'il deviendra bientôt, à 40 ans, président de la FTQ.

Le président de la centrale, Roger Provost, malade depuis quelque temps, n'a pas ralenti son rythme de travail. Le 20 octobre, terrassé par une crise cardiaque, il meurt subitement à la tâche à l'âge de 53 ans.

Consternation et tristesse au sein de la FTQ et du mouvement ouvrier. Provost a droit à des funérailles syndicales imposantes, avec pas moins de 36 landaux de fleurs et des hommages émouvants. Des milliers de syndicalistes marchent dans le cortège dont quelques centaines de pompiers en uniformes, membres de la FTQ. La philarmonique des pompiers joue la marche funèbre.

La mort soudaine de Provost, qui n'a pas officiellement de dauphin, plonge la centrale dans une crise interne. C'est au conseil exécutif, composé de dix-neuf membres, que revient la tâche d'élire un remplaçant jusqu'au prochain congrès, qui aura lieu en décembre 1965[15].

La succession est marquée par une lutte intestine féroce entre ce qu'il est convenu d'appeler les Anciens et les Modernes, comme dans la célèbre Querelle du temps jadis: une lutte entre les forces plus traditionnelles de la FTQ et les éléments plus d'avant-garde. Louis Laberge est, selon sa propre expression, le candidat des Anciens de la centrale, contre son adversaire Fernand Daoust qui est à la tête des Jeunes Turcs. Quand on fait l'analyse après coup, on se rend compte que cette lutte n'opposait pas tant la droite et la gauche de la FTQ, mais plutôt les éléments plus fédéralistes et canadiens, représentés par Laberge, et les nationalistes québécois symbolisés par Daoust.

C'est l'interprétation qu'en donne Daoust aujourd'hui: «J'ai perdu à cause de mes orientations nationalistes.» Selon son ami André Thibaudeau, «la grande erreur de Fernand, c'est qu'il avait assumé en 1963 la présidence du Parti socialiste du Québec, affichant ainsi haut et fort son quasi-séparatisme. Pour les fédéralistes de la FTQ et les gars d'Ottawa, il était une sorte de mouton noir.» De son côté, Laberge rappelle que son principal organisateur était le chef de file des éléments de gauche de l'ex-FUIQ et de la nouvelle FTQ, Roméo Mathieu, ex-président du Parti social-démocratique puis président du NPD-Québec.

* * *

Le premier à annoncer sa candidature est Fernand Daoust.

Alors âgé de 38 ans, «le grand Fernand» est représentant du Syndicat international des travailleurs des industries pétrolière, chimique et atomique (SITIPCA), un syndicat de l'ancien CIO qui regroupe notamment les techniciens des raffineries de l'Est de Montréal. Intellectuel de gauche, Daoust est un homme cultivé, éloquent, parfois théâtral. Minutieux, méticuleux même, c'est un fin diplomate; sa circonspection deviendra légendaire. «Fernand est plus raffiné, je suis plus carré, plus fruste», dit Laberge.

Bien qu'il ait pu faire des études en relations industrielles à l'Université de Montréal, Daoust est issu d'une famille modeste. Son père, facteur, est décédé alors que Fernand, le plus jeune de sept garcons (dont quatre sont décédés en bas âge), n'avait qu'un an. Durant la Crise, la famille, très pauvre, a souvent vécu grâce au «secours direct», l'aide sociale du temps. Sa mère a travaillé comme couturière dans des ateliers de vêtement pour hommes; elle était membre du Syndicat amalgamé du vêtement d'Amérique. Grâce à l'aide de sa mère et d'un de ses frères, et à ses emplois d'été, le jeune Fernand parvient à s'inscrire à l'université, en sciences sociales.

Intéressé à œuvrer dans le mouvement syndical, il s'engage bénévolement à 24 ans, en 1950, à la section «sacoche» de l'Union des chapeliers (AFL), dirigée par Roger Provost. Daoust et son grand ami André Thibaudeau avaient entendu Provost donner une conférence sur le CCF à l'université et lui avaient offert spontanément leurs services. Après avoir été permanent chez les Chapeliers, il passe à la centrale rivale, le Congrès canadien du travail (CIO) puis, après la fusion, au Congrès du travail du Canada. En 1959, il devient représentant du Syndicat du pétrole et de la chimie.

Durant toutes ces années, il milite au CCF, puis au NPD dont il est candidat deux fois, et enfin au Parti socialiste du Québec dont il est le premier président. Fervent nationaliste, il fut membre à 16 ans d'un mouvement indépendantiste, les Jeunes Laurentiens, et a travaillé pour le Bloc populaire durant la guerre.

Lorsqu'il se présente à la présidence de la FTQ, Daoust a l'appui de deux des quatre membres du comité exécutif, deux de ses amis: d'abord celui qu'on appelle son «frère jumeau», le secrétaire André Thibaudeau, directeur du Syndicat canadien de la fonction publique, puis le vice-président Jean Gérin-Lajoie qui sera élu, l'année suivante, directeur des Métallos. Deux intellectuels à lunettes, sociaux-démocrates et nationalistes, qui ont fait des études universitaires comme Daoust.

Gérin-Lajoie, qui détient un doctorat en économie de McGill, est même allé étudier à Oxford en Angleterre. Il avait exercé ses premières activités syndicales à 20 ans, en 1948, pendant une année de travail en usine à la filature Montreal Cottons de Valleyfield. Il y fut délégué d'atelier et secrétaire de sa section locale affiliée aux Ouvriers unis du textile d'Amérique, le syndicat «communiste» alors dirigé par Kent Rowley et Madeleine Parent. Après ses études, il a été embauché en 1952 comme représentant des Métallurgistes unis d'Amérique, les «Steelworkers».

Les deux autres membres du comité exécutif sont le trésorier René Rondou, directeur canadien du Syndicat international du tabac, un ouvrier de la General Cigar sorti du rang, qui appuie Laberge. Et Ti-Louis qui annonce à son tour sa candidature.

«Jamais de ma vie je n'avais aspiré à la présidence de la FTQ, raconte-t-il. Mais mes amis m'ont convaincu d'y aller. Plusieurs avaient été froissés que Fernand ait commencé sa cabale au salon mortuaire où était exposé Roger... Roméo Mathieu a convoqué une réunion au bureau de son syndicat des salaisons et on m'a tordu le bras. Je partais en retard sur Fernand, je venais juste d'arriver aux TUA, il fallait que j'en parle à mon directeur George Burt. La présidence de la FTQ, même si le poste n'était pas encore à plein temps, c'était une job accaparante. Burt m'a dit : "OK vas-y, on va s'arranger."»

Laberge était-il le «poulain» de Roger Provost, même si ce dernier n'avait pas de dauphin officiel? Selon le «Renard argenté» Adrien Villeneuve, «Louis était le bon cheval sur qui misaient Provost et aussi Claude Jodoin. Ils l'avaient pour ainsi dire entraîné depuis ses débuts dans le mouvement ouvrier.» C'est aussi l'avis de Noël Pérusse, qui fut le conseiller en communications de Provost puis de Laberge: «Ti-Oui était non seulement le disciple et l'émule mais l'héritier présomptif de Provost. Il y avait entre eux une sorte de relation père-fils. Un fils turbulent mais bien-aimé...»

Laberge déclarait à l'époque: «Depuis plusieurs années, Roger me disait que je lui succéderais mais je n'y songeais pas vraiment.»[16] Il affirme aujourd'hui: «Honnêtement, je ne pensais jamais devenir président de la FTQ, je n'avais aucune ambition politique en ce sens-là.» Il l'explique par un concours de circonstances en disant qu'il le doit, indirectement, au vieux routier Édouard Larose, un des dirigeants de la Fraternité des charpentiers-menuisiers, qui a longtemps été vice-président de la FTQ. «En 1962, Édouard m'a cédé son poste à l'exécutif de la FTQ en "échange" de mon poste à l'exécutif du CTC à Ottawa. Il m'a dit: tu es plus jeune que moi et tu es capable de donner un bon coup de main à Roger, surtout que sa santé est moins bonne.»

De Provost, Laberge dit franchement: «Parce qu'il était malade du cœur à la fin, Roger avait un comportement erratique, déconcertant: un jour il allait bien, le lendemain ça allait tout croche. Déjà, avant son décès, nous avions eu quelques rencontres plus ou moins secrètes: Gérin-Lajoie, Thibaudeau, Rondou, moi et même à une ou deux occasions Daoust. Nous étions unanimes à critiquer certains agissements de Roger. Nous étions convaincus qu'il fallait donner un bon coup de barre à la direction de la FTQ. Sa mort a brusqué les choses.»

Ces rencontres sont confirmées par les autres participants. Selon le trésorier René Rondou, «Provost devenait trop modéré et porté sur les jeux de coulisses. À l'exécutif, Louis avait souvent convaincu Roger de foncer un peu plus. À Gérin-Lajoie et Thibaudeau, plus impatients, il demandait de ralentir un peu. Louis savait bien manœuvrer, c'était déjà un politicien avisé, avec un bon nez. C'était sans doute le poulain de Provost et Jodoin, mais il était ouvert au changement. Quand il a fallu passer au vote en 1964, j'ai été déchiré: j'étais un proche de Louis mais aussi un ami de Fernand, qui avait des idées progressistes.»

Les partisans inconditionnels de Laberge sont moins nuancés: «Nous ne voulions pas d'un "intellec", d'un gars d'université comme Daoust», grogne Aimé Gohier des

Machinistes. Pour Jean-Paul Ménard de la Construction, «Ti-Louis était le leader qu'il nous fallait. Un gars du populo, proche du peuple. Et un homme d'action. Il avait du charisme bien plus que Daoust.» Adrien Villeneuve dit prudemment: «Nous ne voulions pas trop de remue-ménage à la FTQ mais un peu de sang neuf.»

Laberge recueille surtout ses appuis chez les syndicats plus anciens, voire traditionnels comme la construction, les machinistes, le textile et le vêtement pour dames. Mais il a aussi l'appui de deux importants syndicats de l'ex-CIO: les salaisons et le vêtement pour hommes. Daoust est le favori des syndicats plus jeunes et progressistes comme les Métallos et le SCFP.

Élu par une demi-voix

Finalement, au bout de dix jours de manœuvres électorales fébriles, le moment fatidique du vote arrive, le 30 octobre.

Les 19 membres du conseil exécutif se réunissent en «conclave» au siège social de la FTQ, situé boulevard Métropolitain dans l'Est de Montréal. La rencontre débute à dix heures quinze, dans une atmosphère tendue. La bonne marche de l'élection est confiée au vétéran Philippe Vaillancourt, président honoraire de la FTQ, qui reçoit les mises en candidature. Laberge est proposé par son ami Marcel Raymond du Conseil des métiers de la construction.

Le premier tour de scrutin — secret — se termine nez à nez: 9 voix pour Laberge, 9 voix pour Daoust et un bulletin annulé. Tout le monde retient son souffle. Un deuxième tour est aussitôt organisé. Le résultat est extrêmement chaud: une voix de majorité pour Laberge, 10 contre 9...

«Compte tenu qu'il m'a fallu deux tours pour gagner par une voix, j'ai toujours dit que j'avais été élu par une demi-voix...», plaisante Ti-Louis. On n'a jamais su avec une certitude absolue qui, parmi les votants, a fait la différence. Laberge croit que Roland Gœdike, directeur de l'Union des travailleurs des brasseries, s'était abstenu puis a voté pour lui. «En tout cas c'est ce qu'il m'a dit...»

Pour remplacer Laberge à son ancien poste de vice-président, le conseil exécutif, bon prince, élit Daoust. Une sorte de prix de consolation. Mais le grand Fernand doit quand même vaincre un adversaire coriace et un vieil ami de Laberge, Adrien Villeneuve des Machinistes. Âgé de 55 ans, le «Renard argenté», qui fut naguère secrétaire-trésorier de la FPTQ, représente la vieille garde. Encore là le vote est serré: 11 à 8 en faveur de Daoust.

Le Devoir titre après l'élection: «Avec Laberge, la tendance de la tradition l'emporte à la FTQ». Le nouveau président répond à cela: «Je dirais que je suis plutôt un syndicaliste d'avant-garde qui se préoccupe d'entraîner avec lui, dans la mesure du possible, le gros des forces et même l'arrière-garde...» Il ajoute: «La FTQ continuera dans la même ligne syndicale et politique.»[17]

«Lors de mon élection, dira-t-il dix ans plus tard aux congressistes de la FTQ, je passais aux yeux de plusieurs militants pour un syndicaliste traditionnel. Au cours des années, ma façon de voir les choses et ma conception du syndicalisme québécois ont forcément changé. J'ai d'ailleurs l'impression très nette que mon évolution s'est faite en même temps que la vôtre.»[18] Il dit aujourd'hui: «C'est vrai que j'étais supporté par les syndicats qu'on disait plus à droite. Sauf qu'un an plus tard, au congrès de 1965, ces syndicats-là m'en voulaient comme le maudit parce qu'ils trouvaient que j'allais trop vite et trop loin. Ils ne me reconnaissaient plus comme un des leurs et mes plus ardents supporteurs étaient les syndicats considérés comme de gauche, le SCFP et les Métallos, qui m'avaient combattu un an plus tôt...»

Selon lui, «il fallait un coup de barre à la FTQ et il ne se serait pas donné plus rapidement avec Daoust. Car il s'en est donné un, et un vrai.» Daoust déclare de son côté: «Après son élection, Louis a eu assez de flair politique pour s'allier avec nous et défendre certaines de nos idées. Et nous avons décidé de travailler loyalement avec lui. Nous n'avions pas la présidence de la FTQ mais la majorité des postes à l'exécutif.» Laberge dit simplement: «Nous avons fait un pacte de solidarité.»

André Thibaudeau précise: «Le jour même de son élection, Louis a amené dîner tout l'exécutif. Il nous a dit: je me sens comme Daniel dans la fosse aux lions! Mais il a marché avec nous, il a su rallier tout le monde et être un leader. Par après, ses anciens amis n'en revenaient pas, Claude Jodoin, Adrien Villeneuve, Roméo Mathieu, Bill Dodge, les gars d'Ottawa. Il allait changer radicalement et devenir un chef ouvrier admirable.»

Gérin-Lajoie ajoute: «Nous avons mis la méfiance de côté et accepté de travailler avec Louis pour le bien de la FTQ. Un personnage aussi politique que lui ne crachait pas sur notre appui. Et il en a fait assez pour se mériter cet appui.» Gérin-Lajoie siégera 22 ans à l'exécutif et sera l'un des rares à s'opposer à Laberge de front.

Un vétéran de la FTQ, Émile Boudreau des Métallos, met son grain de sel: «Laberge a pris le virage dans le sens des Gérin-Lajoie et Daoust. Il s'est attelé à bâtir une vraie centrale syndicale, autonome à l'égard du Congrès du travail du Canada. Il avait au fond des tendances progressistes et voulait changer des choses. Mais derrière Laberge et Daoust, j'ai toujours pensé que l'éminence grise de la FTQ, c'était Gérin-Lajoie...»

Marcel Pepin, l'ex-président de la CSN, dit avec perspicacité: «Sans rien enlever à Fernand, l'élection de Louis a été le meilleur choix pour la FTQ: il était mieux en mesure que Daoust de faire évoluer les éléments plus conservateurs et fédéralistes de la centrale.»

* * *

Laberge se retrouve donc en octobre 1964 président de la FTQ. Un poste qui n'est pas encore à plein temps et qui ne le deviendra que trois ans plus tard, à la fin de 1967. Jusque-là, il demeure directeur de l'organisation des Travailleurs unis de l'automobile au Québec mais s'arrange pour consacrer beaucoup de temps à son nouveau poste. Il devient aussi d'office vice-président du Congrès du travail du Canada.

La FTQ est encore bien loin à cette époque d'être une véritable centrale. Si c'en est une, c'est «une centrale très décentralisée», plaisante Laberge. En fait, la FTQ ne fait pas le poids aux côtés de ses grands syndicats affiliés et du CTC qui détiennent l'essentiel des pouvoirs. La cotisation mensuelle est volontaire et minuscule (8 cents par membre) et le budget forcément chétif. L'organisme compte moins d'une dizaine de personnes à son service direct.

La FTQ niche dans de modestes bureaux perchés au cinquième étage d'un immeuble plutôt moche sis au 3 333, boulevard Métropolitain, dans l'est de la ville. Dans le même édifice logent le siège montréalais du Congrès du travail du Canada, le Conseil du travail de Montréal et quelques syndicats affiliés dont celui des Travailleurs de l'auto. Peu après l'élection de Laberge, la FTQ va déménager ses pénates en plein centre-ville dans un vieil immeuble situé au 1290, rue Saint-Denis, juste au coin de Sainte-Catherine. Les lieux de rendez-vous préférés de Ti-Louis seront dans le voisinage: *Chez Butch Bouchard*, *Chez Pierre*, le *Café Saint-Jacques* et le *Toit rouge*.

Laberge caresse déjà à l'époque le projet d'un édifice qui serait propriété de la FTQ et de ses syndicats, une future «Maison des travailleurs du Québec»[19]. Un vieux rêve qui mettra plus de 25 ans à se concrétiser.

À peine élu, il apprend que la secrétaire du défunt président Roger Provost, Gisèle Roth, entend quitter son poste à la FTQ pour occuper un nouvel emploi. Il lui dit avec un air ratoureux:

— Je n'aurais jamais été candidat à la présidence si j'avais pensé un seul instant que vous ne seriez plus là. Si vous partez, je ne reste pas à la FTQ...

Elle raconte: «Monsieur Laberge m'a convaincue de rester et j'ai passé 17 ans de ma vie à ses côtés, jusqu'à ma retraite en 1981. C'était étourdissant de travailler avec lui: il se donnait tellement, on devait se donner autant. Il était parfois impatient et épuisé, mais il aimait tellement son ouvrage.» Laberge ronronne: «Madame Roth était une femme en or, une vraie Madame FTQ. Sans elle je ne serais jamais passé au travers.»

Parmi ses proches collaborateurs, il mentionne aussi le secrétaire administratif Ivan Legault, la comptable Claire Robitaille ainsi que le directeur des communications et rédacteur du mensuel *Le Monde ouvrier*, Noël Pérusse. «Noël était un gars brillant, un as en relations publiques, une belle plume pour rédiger des discours et des communiqués, mais il m'en passait parfois des p'tites vite...» Pérusse, un ancien journaliste de Radio-Canada, est un fédéraliste de choc qui n'a guère d'atomes crochus avec Fernand Daoust et ses amis nationalistes.

L'union sacrée contre la CSN

La première tâche de Laberge à la barre de la FTQ, son baptême du feu, c'est de défendre les syndicats affiliés contre les attaques et les maraudages incessants de la centrale rivale, la Confédération des syndicats nationaux, et d'organiser la contre-offensive. Une bonne façon de refaire l'unité des troupes. Daoust confirme: «Nous avons fait l'union sacrée contre la CSN.»

Présidée par l'impétueux Jean Marchand et proche du régime libéral, la CSN a alors le vent dans les voiles. Même si ses effectifs restent inférieurs de moitié à ceux de la FTQ et du CTC, elle a attiré dans ses rangs en 1963-1964 plusieurs milliers de membres des syndicats nord-américains ou pancanadiens.

Elle connaît surtout une expansion spectaculaire dans les services publics. Un de ses gros coups est l'affiliation du nouveau Syndicat des fonctionnaires provinciaux (25 000 membres), un syndicat à qui la nouvelle loi de la fonction publique interdit formellement de faire de la «politique partisane». D'après Laberge, «le gouvernement Lesage a donné les fonctionnaires à la CSN sur un plateau d'argent: leur syndicat ne pouvait pas s'affilier à la FTQ qui appuyait le NPD... Alors que la CSN ne faisait pas de politique partisane mais appuyait en sous-main les libéraux! Une belle compromission. J'avais engueulé Lesage à ce propos, il était devenu encore plus rouge!»

Il admet par ailleurs: «On se faisait barouetter par la CSN et on perdait du monde. On avait du bois mort chez nous, des unions qui ne s'occupaient pas assez de leurs membres, des représentants qui dirigeaient encore leur syndicat au téléphone... On avait du nettoyage à faire dans nos rangs, des clôtures à réparer, des syndicats à réformer. Pour riposter, la FTQ et le CTC avaient mis sur pied, juste avant mon arrivée, une équipe spéciale d'organisation qui a travaillé jusqu'en 1966. Et on a réussi à bloquer la CSN.»

Gérin-Lajoie et Rondou observent tous deux: «Avec Louis, on est passés à l'attaque, on a été plus agressifs.» Un exemple: trois mois après son arrivée à la présidence, Laberge accepte de se mesurer en public à Jean Marchand, un redoutable adversaire, qu'il réussit à «planter» lors d'un débat contradictoire à la télévision de Radio-Canada. À l'émission *Cartes sur table*, le 4 février 1965, il pique Marchand, qui se met en colère, entre autres sur ses liaisons dangereuses avec les libéraux. Un superbe combat de coqs. Du même souffle, Laberge se dit favorable à un code d'éthique pour «civiliser» les relations entre les deux centrales.

Après le départ de Marchand en politique avec les libéraux fédéraux à l'été 65, on assiste à un rapprochement entre la FTQ et la CSN désormais présidée par Marcel Pepin. Intellectuel diplômé en sciences sociales, fin négociateur, un peu bourru, Pepin est un grand amateur de bon scotch. Ti-Louis s'entendra généralement bien avec «Marcel» et vivra avec lui «plusieurs aventures», dit-il. «Nos relations avec la CSN sont beaucoup plus amicales et je pense qu'on peut prévoir une amélioration sensible de ce côté», déclare-t-il déjà à la fin de 1965[20]. Il faut dire que la FTQ n'a pratiquement pas perdu de membres aux mains de sa rivale durant l'année écoulée: l'hémorragie est stoppée, la contre-offensive a réussi.

Pepin se souvient: «Après mon arrivée à la présidence de la CSN, j'ai proposé à Laberge de bâtir de meilleures relations. Je l'ai invité à parler à mon congrès et il m'a rendu la pareille. Nous avons eu beaucoup de contacts et d'échanges. Nous avons même formé un comité conjoint pour mettre au point un pacte intersyndical de non-maraudage que nous n'avons pas signé finalement, à cause du CTC, mais tout ça nous a rapprochés. Je crois que la CSN a fait évoluer la FTQ et Laberge vers des positions plus nationalistes à l'égard du Congrès du travail du Canada et des syndicats internationaux.»

Laberge confirme: «Bien sûr que la présence de la CSN nous a stimulés et nous a aidés à gagner des points. Surtout qu'il y avait encore des syndicats nord-américains et canadiens qui ne tenaient pas compte du réveil national des travailleurs québécois et qui se conduisaient parfois ici comme en pays conquis. J'ai déjà dit que si la CSN n'avait pas existé dans ce temps-là, il aurait fallu l'inventer...»

La FTQ, toujours fédéraliste bon teint — comme la CSN et le reste du mouvement syndical d'ailleurs — n'en prend pas moins un virage nationaliste opportun. Ainsi, pour la première fois de son histoire, elle participe officiellement au défilé de la Fête de la Saint-Jean, le 24 juin 1965; elle a son char allégorique dans la «parade» sous le thème «Les unions ouvrières». La FTQ veut montrer qu'elle est une organisation authentiquement québécoise.

Par contre, Laberge affirme à la même époque: «La FTQ est plus à gauche que n'importe quel mouvement nationaliste ou séparatiste.» Dans une allocution prononcée devant le Caucus de la gauche, il défend le NPD et le «socialisme démocratique». Il dénonce du même coup «certaines chapelles ardentes de l'extrémisme de gauche impuissant qui laissent la partie belle aux vieux partis», allusion au petit Parti socialiste du Québec naguère présidé par Daoust et en proie à des chicanes idéologiques à répétition.

Laberge s'en prend par ailleurs à certains éléments du

syndicalisme américain et critique le président de l'AFL-CIO, George Meany, «un vieux gâteux qui ferait mieux de prendre sa retraite»[21] .

L'été chaud de 1965: la grève des Postes

En plein cœur de l'été, le 22 juillet 1965, un coup de tonnerre syndical éclate dans le ciel bleu: la première grève des Postes depuis 1924. Un conflit retentissant — et illégal — qui va durer deux semaines. Dès le début du débrayage des postiers et des facteurs, Laberge et la FTQ s'engagent à fond aux côtés des grévistes[22].

Le droit de grève est interdit aux employés des Postes, et leurs salaires et conditions de travail ont toujours été fixés unilatéralement par leur patron, le gouvernement fédéral, après consultation avec les associations d'employés. Les syndiqués gagnent un peu plus de 4 000 $ par année, comparé à un salaire industriel canadien de 4 732 $ en moyenne. «On ne se battait pas pour du monde gras dur», dit Laberge.

Les premiers à débrayer sont les 4 000 postiers et facteurs de Montréal, suivis par ceux de Québec, Vancouver et Toronto. Ils le font contre l'avis de leurs dirigeants syndicaux canadiens, appuyés par le CTC, qui leur ordonnent de rentrer au travail. Les grévistes de Montréal seront les derniers à retourner à l'ouvrage, après avoir permis au syndicat d'arracher des gains substantiels. Ils sont soutenus jusqu'au bout dans leur grève illégale par la FTQ, qui affronte ainsi directement le CTC.

Laberge s'est mis au blanc: «La FTQ a plongé dans le conflit jusqu'au cou et moi la tête la première. Je ne savais pas comment on s'en sortirait, mais quand on est mal pris on se démène!» Il se souvient de sa rencontre à Ottawa avec le premier ministre libéral Lester B. Pearson et quelques-uns de ses ministres, dont celui de la Défense nationale. Le gouvernement fédéral menaçait d'envoyer l'armée.à Montréal pour assurer le tri et la livraison du courrier. Ti-Louis a dit à Pearson:

— Vos soldats n'auront pas à nous chercher, nous serons sur les piquets de grève et ils devront avoir recours à la force pour nous traverser. Et sachez, Monsieur le premier ministre, que beaucoup de postiers et de facteurs sont des vétérans de la Dernière Guerre mondiale où plusieurs ont été blessés. Je vous garantis qu'ils seront tous là debout sur les lignes de piquetage, avec leurs médailles militaires gagnées sur les champs de bataille.»

Deux de ces anciens combattants qui se battaient maintenant sur le front syndical, Willie Houle et Roger Décarie, étaient respectivement président du Syndicat des postiers et président de l'Union des facteurs à Montréal.

Ti-Louis se souvient aussi d'une rencontre orageuse avec l'état-major du CTC à Ottawa: «J'ai engueulé mon ami Claude Jodoin comme du poisson pourri et j'ai traité les dirigeant syndicaux des postiers et des facteurs de "vaches". J'ai dit: jamais nos gens ne vont rentrer avec rien. Mais nous avons eu le soutien du représentant du CTC à Montréal, Maurice Hébert, qui a joué un rôle clé comme coordonnateur de la grève.»

Le conflit aux Postes est à l'origine de la conquête du droit de négociation et de grève dans les services publics fédéraux; la loi à cet effet sera votée en 1967. Cette grève marque aussi l'émergence de la FTQ comme organisation syndicale combative et québécoise. Laberge s'affirme peu à peu comme l'homme du changement, l'homme de la lutte autonomiste de la FTQ à l'égard du CTC. Il déclare à l'été 1965: «Les travailleurs du Québec ne se laisseront plus télécommander par des dirigeants syndicaux étrangers.»[23]

«Ce n'est pas vrai que des conflits au Québec pouvaient se mener et se régler d'Ottawa, dit-il aujourd'hui. Et pour la FTQ, la seule façon de prendre sa place, c'était de s'impliquer dans ce genre de batailles. Ça correspondait à une de mes devises: rendons-nous assez utiles pour qu'un jour on devienne nécessaires et, qui sait, peut-être indispensables...»

Laberge monte également au front en 1965 lors d'autres grèves importantes. Une qui lui tient à cœur est celle de ses camarades machinistes de la Loge 712 à Canadair. Elle est dirigée par son ami «Charlie» Phillips et prend fin, au bout de huit semaines, par une victoire syndicale.

Il soutient les grévistes des trois usines d'embouteillage de Coca-Cola, où le syndicat a été fondé dans les années cinquante par le populaire lutteur Johnny Rougeau avec l'aide de Fernand Daoust; l'arrêt de travail va durer sept longs mois. Il appuie aussi les grévistes de la Boulangerie Weston à Longueuil dirigés par un représentant syndical italo-irlandais, Alphonse De Césaré, qui deviendra plus tard un de ses partenaires de cartes assidu.

Une engueulade avec Trudeau

À l'automne 1965, Laberge s'engage à fond dans la campagne électorale fédérale aux côtés du NPD-Québec et de son chef, l'avocat beauceron Robert Cliche, un homme chaleureux et flamboyant. «Un sapré bon gars, dit-il, le meilleur chef que le parti ait jamais eu chez nous.» La FTQ et le Conseil du travail de Montréal ont organisé au Palais du Commerce, avec Tommy Douglas comme invité d'honneur, «le plus gros ralliement en faveur du NPD au Canada».

Lors du scrutin du 8 novembre, le Nouveau Parti réalise sa meilleure performance de tous les temps au Québec: même s'il ne parvient pas à faire élire de député, il recueille 12 % des voix. À Montréal, il décroche plus de 18 % des voix, soit le même pourcentage que le NPD au Canada. Les élections portent au pouvoir un troisième gouvernement minoritaire en quatre ans, dirigé à nouveau par les libéraux de Pearson.

Laberge a fait surtout campagne contre les libéraux et en particulier contre l'ex-président de la CSN, Jean Marchand. Ce dernier a fait le saut avec le Parti libéral du Canada en compagnie de deux de ses amis identifiés jusque-là comme des progressistes: l'avocat et professeur de droit Pierre Elliott Trudeau, ancien conseiller occasionnel des syndicats, et le journaliste Gérard Pelletier, qui avait dirigé autrefois l'organe de la CTCC, *Le Travail*. Les trois hommes proclament qu'ils vont à Ottawa pour défendre l'unité du Canada menacée par la montée du mouvement séparatiste. Pour Trudeau, il faut combattre «ceux qui veulent obliger la tribu québécoise à rentrer sous les wigwams en déclarant l'indépendance».

Laberge, bien qu'il soit alors fédéraliste, déteste royalement Trudeau: «Cet homme-là a toujours méprisé les Québécois. Lui, je peux dire que je l'ai vraiment haï...»

Il se souvient d'une algarade qu'il a eue avec Trudeau, justement au début de cette année 1965: «Nous avions décidé de préparer un mémoire conjoint FTQ-CSN sur l'avenir du Québec pour présentation au comité sur la constitution à Québec. Jean Marchand avait réquisitionné son ami Pierre Elliott pour concocter une première version. Nous avons eu une réunion de travail avec Trudeau et je l'avais trouvé tellement arrogant que je m'étais engueulé avec lui. À son idée, le nationalisme des Québécois était de l'esprit de clocher, du tribalisme. Je lui avais dit: "Pour toi, le nationalisme canadien c'est correct mais le nationalisme québécois ça vaut pas de la merde!" On s'était poignés assez raide...»

Finalement, on a «enlevé le dossier» à Trudeau, et les syndicats ont préparé une nouvelle version du mémoire, plus nationaliste. Laberge déclarait à ce sujet à l'époque: «Il faut se donner une plus grande liberté d'action, bâtir un Québec fort, mais pas se séparer.»

* * *

Laberge affronte son premier congrès biennal de la FTQ comme président en décembre 1965, à l'*Hôtel Mont-Royal* à Montréal.

Dans son discours inaugural, il déclare que le syndicalisme doit contester non seulement le système économique en place mais aussi «les idées à la mode du jour et les mythes de l'heure» comme le séparatisme. Il lance une petite pointe à l'endroit de certains admirateurs de la CSN: «Les intellectuels bourgeois nous combattent au nom du nationalisme comme le clergé nous a combattus dans le passé au nom de la religion.» Et il rappelle la «philosophie socialiste et égalitariste» de la FTQ.

«Dans mon esprit, explique-t-il aujourd'hui, l'indépendance du Québec n'a jamais été une fin en soi pour le mouvement syndical. Ça nous prend aussi un projet de société, social-démocrate. Et il n'était pas évident à ce moment-là que la séparation allait faire avancer notre projet...»

Laberge déclare, lors du congrès, que le Québec ne doit pas redevenir la province du «cheap labor» au Canada. «Nous entrons dans une période de prospérité sans précédent et nous voulons en partager les bénéfices avec le Capital. Ainsi, nos électriciens syndiqués ne veulent rien d'autre qu'un salaire de 200 $ par semaine d'ici trois ans.» Le taux de chômage québécois se situe alors à moins de 5 %; il descendra à 4,1 % en moyenne en 1966, ce qu'on n'avait pas vu depuis le début des années 50 et qu'on ne reverra plus par la suite! Cette période de plein emploi favorise les gains syndicaux comme c'est toujours le cas historiquement.

À l'issue du congrès, Laberge est réélu haut la main, par acclamation. Il a eu l'appui de ses adversaires d'il y a un an qui apprécient maintenant sa performance. Un affrontement majeur marque toutefois l'élection au nouveau poste *permanent* de secrétaire général de la FTQ, créé par le congrès. Fernand Daoust, aspirant au titre, perd par seulement 29 voix aux mains du coéquipier et ami de Laberge, Gérard Rancourt, jusqu'alors secrétaire du Conseil du travail de Montréal.

Les anciennes rivalités ne sont donc pas complètement effacées. «Louis a mis son poids dans la balance pour me faire battre, se souvient Daoust. Il préférait certes un fédéraliste comme Rancourt plutôt qu'un presque souverainiste comme moi.» Laberge indique qu'il a quand même aidé Daoust à se faire réélire à son poste de vice-président où il était très contesté et où il ne l'a emporté que par cinq voix de majorité.

Ex-représentant des Travailleurs du vêtement d'Amérique, un syndicat de l'ancien CIO, Rancourt est un solide social-démocrate qui a déjà été candidat du CCF. C'est un homme cultivé, un humaniste. Il a été le bras droit de

Laberge au Conseil du travail de Montréal, où il fut le premier secrétaire permanent à compter de 1961. Il n'occupera le poste de secrétaire général de la FTQ que deux ans et demi, jusqu'à son élection au comité exécutif du CTC au printemps 1968. Il mourra subitement à la tâche en janvier 1970, à l'âge de 52 ans.

En plus de Rancourt, un autre ami de Laberge accède à un nouveau poste de vice-président de la FTQ, Marcel Raymond du Conseil des métiers de la construction — un important secteur qui n'était pas représenté à l'exécutif. Raymond, un des leaders de la Fraternité unie des charpentiers menuisiers d'Amérique, est l'un des partenaires de cartes préférés de Ti-Louis. Grâce à ce renfort, Laberge peut disposer d'une majorité à l'exécutif.

Interrogé en décembre 1965 sur sa première année comme président et sur ses orientations générales, Ti-Louis laisse échapper une de ces petites phrases dont il a le secret: «Il faut aller assez loin pour que ça bouge vraiment, mais sans risquer de tout casser.»[24]

Il explique aujourd'hui comme un vieux renard: «Si je m'étais trop radicalisé et détaché des éléments modérés au sein de la FTQ, plus personne n'aurait été capable de leur parler. Je disais à Fernand et à Jean Gérin-Lajoie, qui me reprochaient d'être parfois assis sur la clôture: je saute souvent l'autre bord de la clôture pour aller chercher du monde et les amener de notre bord. Je saute si souvent que des fois vous pouvez m'attraper juste sur la clôture...»

À la fin de 1965, Louis Laberge n'est pas encore président à plein temps de la FTQ (il le sera deux ans plus tard), mais ses assises sont mieux assurées et son leadership s'affirme. Personne ne se doute toutefois — surtout pas lui — qu'il va tenir la barre de la centrale pendant près de 27 ans.

Chapitre 10

Des batailles sur plusieurs fronts

Louis Laberge va se promener souvent sur des lignes de piquetage avec sa pancarte en 1966.

Le taux de chômage est à son plus bas, le rapport de forces est donc favorable aux syndicats, et plusieurs grèves d'envergure sont déclenchées par des «unions» importantes à la FTQ: les travailleurs du bâtiment, les débardeurs du port de Montréal, les machinistes des ateliers ferroviaires Angus et Pointe-Saint-Charles, les métallos des mines de fer de la Côte-Nord. Laberge prête aussi main-forte à ses amis du Syndicat canadien de la fonction publique pour la grande campagne de syndicalisation qui va amener au-delà de 8 000 employés d'Hydro-Québec dans les rangs du SCFP et de la FTQ.

En plein boom de la construction, à l'approche de l'Exposition universelle de Montréal, éclate en avril une grève éclair des ouvriers du bâtiment de la région de Montréal, membres d'une coalition FTQ-CSN. Le rapport de forces joue en faveur des grévistes car les gros chantiers sont fort nombreux: Expo 67, métro, autoroutes, édifices de toutes sortes. Au bout de cinq jours de débrayage, les syndiqués gagnent des hausses de salaire spectaculaires qui auront des effets d'entraînement dans d'autres industries. Laberge participe aux négociations finales aux côtés de ses amis du Conseil des métiers de la construction: le directeur général Roger Perreault, le président Jean-Paul Ménard, le vice-président de la FTQ Marcel Raymond et l'étoile montante des syndicats du bâtiment, André «Dédé» Desjardins du Syndicat des plombiers.

Chez les 4 200 débardeurs des ports du Saint-Laurent, la grève dure 39 jours au printemps 1966 et provoque plusieurs actes de violence par suite de l'embauche de briseurs de grève. La police patrouille les quais. Juste avant le dépôt d'une loi spéciale à Ottawa, le conflit prend fin par la signature d'une convention collective qui servira de modèle dans les autres ports canadiens. Laberge participe au *sprint* final des négociations avec son copain Jean-Marc Saint-Onge, président de la section locale 375 de l'Association internationale des débardeurs. Du côté patronal, il fait la connaissance d'un jeune avocat de 27 ans promis à un bel avenir, un dénommé Brian Mulroney.

La campagne à Hydro-Québec

Pour Laberge, la lutte majeure de cette année 1966 reste la campagne à Hydro-Québec, une opération stratégique à laquelle on fait encore référence à la FTQ comme à une victoire célèbre de Napoléon sur les champs de bataille. «Une campagne d'enfer» selon Ti-Louis.

Par suite de la nationalisation de l'électricité réalisée sous la houlette de René Lévesque, plusieurs entreprises et leur personnel syndiqué sont désormais regroupés au sein d'une seule société d'État, Hydro-Québec. Il s'agit de déterminer par un vote qui, de la FTQ ou de la CSN, deviendra le seul représentant syndical des 8 000 hommes de métiers, techniciens et employés de bureau de la société. Les couleurs de la FTQ sont défendues par le Syndicat canadien de la fonction publique dont le directeur, André Thibaudeau, est l'un des vice-présidents de la centrale. Le scrutin est fixé au 30 septembre 1966.

Laberge monte rapidement sur la ligne de feu. Il persuade d'abord tous les affiliés de sa centrale à Hydro de faire l'union sacrée et de céder leur place au SCFP pour qu'un seul syndicat FTQ puisse affronter la CSN. Le point tournant survient quand il convainc les membres de la Fraternité des ouvriers en électricité, en assemblée générale, de lui donner directement le mandat de parler en leur nom devant la Commission des relations de travail, malgré l'opposition de leur direction syndicale «internationale». Par ailleurs, il persuade plusieurs syndicats affiliés à la FTQ de prêter des permanents, bénévolement, pour la campagne de recrutement.

«Nous avions besoin de la FTQ et surtout de Louis pour stopper la CSN, raconte Thibaudeau. Il a travaillé joliment fort et participé à des assemblées partout durant trois mois.» Pour le directeur adjoint du SCFP à l'époque, Robert Dean, «Louis a mis tous ses talents de leader et d'orateur au service de notre cause.» Bob Dean sera plus tard directeur des TUA et vice-président de la FTQ.

«Il a fait la bataille au coude à coude avec nous autres», renchérit un ex-dirigeant du syndicat des gens de métiers d'Hydro-Québec, Jacques Brûlé, qui deviendra directeur du SCFP en 1969 et vice-président de la FTQ. «Le gros Jacques», un homme costaud et déterminé, capable de prendre un coup solide, deviendra un des meilleurs amis de Laberge. Il se souvient: «C'est durant cette campagne qu'est née notre profonde amitié. Moi qui trouvais jusque-là que Ti-Oui était plutôt de la vieille garde et un peu bouffon, mon idée à changé. Il avait évolué vite depuis son élection comme président de la FTQ. Il pouvait même fréquenter des gars comme moi qui étais militant du RIN...»

Le jour du scrutin à Hydro marque le couronnement de tous les efforts déployés par Laberge et ses amis: le SCFP l'emporte par plus de 60 % des voix. Ti-Louis exulte: «C'est la plus grande victoire de la FTQ depuis qu'elle existe. C'est aussi la mort d'un mythe, celui de la touté-puissance et de l'invincibilité de la CSN.»

Laberge participe ensuite à la négociation de la première convention collective générale entre le SCFP et Hydro-Québec. Cette ronde est marquée en 1967 par une série de grèves tournantes partout au Québec, «une stratégie utilisée pour la première fois en Amérique du Nord», selon André Thibaudeau qui avait rapporté l'idée de France. «Louis a fait le dernier *sprint* de négociations avec nous. Il m'a aidé à signer un bon contrat.»

Le principal négociateur patronal dans ce conflit est le conseiller économique du premier ministre, un brillant intellectuel du nom de Jacques Parizeau. C'était son premier contact avec Laberge et il s'en souvient fort bien: «Une panne d'électricité grave était survenue et Louis a lui-même insisté auprès des grévistes pour que tout soit réparé, et vite. Il leur a dit: j'ai promis en négociations qu'il n'y aurait pas de panne majeure durant le conflit. C'est un homme de parole: quand il la donne, il la tient. Ça m'a remarquablement impressionné cette fois-là et dans les années qui ont suivi, chaque fois que nous avons dû négocier.»

Il ajoute: «Pour mettre fin au conflit à Hydro, nous avons fait un blitz de négociations très dures, nous n'avons pas dormi pendant 48 heures et ça s'est réglé aux petites heures du matin. On était crevés, Louis et moi, on ne voyait plus clair. Puis on s'est revus au petit déjeuner, au Holiday Inn du Rond-Point à Québec, pour se dire simplement qu'on était contents que ce soit fini... J'ai apprécié le fait qu'on pouvait être de part et d'autre d'une table de négociations mais ne pas se haïr et obéir à certaines règles de correction élémentaires.»

Que Laberge soit un homme de parole ne l'empêche pas d'être roublard à l'occasion, parfois pour la rigolade, ainsi qu'en témoigne l'anecdote suivante. Lors d'une séance ardue de négociations à Hydro-Québec, en compagnie notamment de Jacques Brûlé, il met tout à coup son poing sur la table et apostrophe ses vis-à-vis patronaux: «... Et il peut arriver que le courant soit coupé n'importe quand!» Aussitôt dit, aussitôt fait: les lumières s'éteignent! Stupéfaction dans la salle de réunion... L'effet de surprise passé, Ti-Louis reprend la parole: «Mais nous pouvons vite rebrancher le courant grâce à nos équipes d'urgence...» À peine a-t-il terminé sa phrase que la lumière revient!

Pour tout dire, Laberge et Brûlé étaient de mèche avec un électricien responsable de l'entretien à l'édifice Delta, siège du ministère du Travail à Québec, où se déroulait la séance de négociations. L'homme, un ancien syndiqué de la Fraternité internationale des ouvriers en électricité, connaissait Laberge et avait mijoté son coup pendable avec lui: il devait couper le courant à l'heure dite et le rebrancher peu après. «On avait bien réglé nos montres», dit Brûlé qui en ricane encore. «Louis avait dit: que la lumière soit. Et la lumière fut!...»

Blagueur, Laberge n'en est pas moins un négociateur redoutable, se souvient le professeur de relations industrielles Michel Grant, qui a œuvré dix années au SCFP avant d'être adjoint à l'exécutif de la FTQ durant trois ans: «On a déjà dit que Marcel Pepin a été un bon négociateur et un mauvais politicien syndical, tandis que Laberge aurait été le contraire... Or Laberge est aussi un très bon négociateur. Il l'a prouvé aux côtés du SCFP et ailleurs. Il voit venir les coups et riposte avec une dureté... bang!»

Dans les années qui vont suivre, Laberge va régulièrement se lancer dans la mêlée lors des conflits à Hydro-Québec, un bastion syndical de la FTQ où il compte beaucoup de partisans. Tellement qu'il réussira même une fois à faire travailler des grévistes d'Hydro pour une bonne cause. Son frère Gérald, dirigeant d'une grande compagnie d'assurances, raconte l'histoire:

«À la fin des années 60, j'étais membre du conseil d'administration de la Fédération des œuvres de charité canadiennes-françaises, aujourd'hui Centraide. Nous financions, entre autres bonnes œuvres, un camp de vacances à Saint-Donat dans les Laurentides, pour des jeunes des milieux défavorisés. Or cette année-là, à l'approche des vacances, nous ne pouvions pas ouvrir le camp: il y avait des travaux de raccordement d'électricité à faire et les travailleurs d'Hydro-Québec étaient en grève. J'ai donc appelé Louis et je lui ai dit comme ça, dans la conversation:

— Te souviens-tu, Louis, quand on était jeunes et que la paroisse Saint-Stanislas nous aidait à aller en vacances, au camp des Grèves à Contrecœur?

— Bien sûr que je m'en rappelle. C'était plaisant... Pourquoi me demandes-tu ça?

— Comment aurais-tu réagi si tu t'étais apprêté à aller passer une semaine au camp, pour te baigner et tout, et puis qu'on t'aurait dit: tu ne peux pas y aller parce qu'on ne peut pas brancher l'électricité?...

— Écoute, Gérald, où est-ce que tu veux en venir?...

Gérald Laberge continue: «Je lui ai raconté toute l'histoire et ça n'a pas pris 24 heures que le problème était réglé! Le lendemain, deux techniciens d'Hydro sont venus au camp pour faire la job.» Il conclut: «Quand on sait toucher Louis à un point sensible, il a bon cœur et n'est pas du tout radical. Il a souvent l'air frondeur, mais il y a de la mise en scène, de la tactique là-dedans. Dans le fond, il n'a pas la couenne si dure...»

Le retour de l'Union nationale

Vive surprise sur la scène politique québécoise en 1966. Lors des élections du 5 juin, le Parti libéral de Jean Lesage, qui a recueilli la majorité des voix, est battu de justesse par l'Union nationale de Daniel Johnson, qui a raflé la majorité des sièges. Les indépendantistes, qui briguent les suffrages pour la première fois, glanent près de 10 % des voix.

La FTQ n'a appuyé aucun parti: «Aucune formation en lice ne nous donne satisfaction, déclare Laberge au nom de l'exécutif de la centrale. Nous souhaitons la création prochaine d'un parti politique provincial vraiment populaire.»

Fernand Daoust, un des vice-présidents de la FTQ, s'exclame de son côté: «Que ce soit la dernière fois que les salariés du Québec ne puissent pas voter pour un candidat socialiste lors des élections!» Daoust se livre à cette envolée lors d'une assemblée du minuscule Parti socialiste, le PSQ, qui ne présente que cinq candidats et se fait littéralement rayer de la carte; il mourra dans l'oubli un an et demi plus tard, miné par les chicanes internes. Son dernier président était un syndicaliste de la FTQ, Jean-Marie Bédard du Syndicat des travailleurs du bois d'Amérique, orateur grandiloquent et ancien communiste de tendance trotskyste. «Un socialiste pur et dur mais un bon syndicaliste, très dévoué», dit Ti-Louis.

Lors de ces élections, Laberge se souvient qu'il a voté libéral à cause de sa sympathie pour le réformiste René Lévesque, toujours membre du parti de Jean Lesage mais pour peu de temps encore. Il ne pouvait pas voter en faveur du Rassemblement pour l'indépendance nationale, le RIN de Pierre Bourgault, qu'il trouvait trop radical — et dont son fils Michel, 21 ans, était un militant passionné. Et encore moins pour l'Union nationale conservatrice de Daniel Johnson, qui avait mené une campagne très nationaliste sous le thème «Égalité ou indépendance», avec le slogan «Québec d'abord».

Après le scrutin, Laberge exprime sa vive inquiétude que le mouvement des réformes de la Révolution tranquille soit ralenti. Il indique trois priorités de la FTQ: la poursuite de la réforme de l'éducation, l'instauration d'un régime d'assurance-maladie et la guerre à la pauvreté. Ti-Louis salue le nouveau ministre du Travail, un ancien serre-freins des chemins de fer, le populiste Maurice Bellemarre, dont il se fera vite un «ami». Un autre!

De Daniel Johnson, il parle aujourd'hui avec respect: «C'était un homme plutôt conservateur, mais il n'a pas mis un frein aux réformes. On le voyait comme un politicien traditionnel, mieux connu sous le sobriquet de "Danny Boy", mais il est devenu rapidement un homme d'État, surtout avec la visite du général de Gaulle. Je me souviens de notre dernière rencontre à son bureau: un homme poli, attentionné, délicat. Il est mort trop tôt.»

Johnson sera terrassé par une crise cardiaque deux ans à peine après son élection, en septembre 1968. Il sera remplacé par Jean-Jacques Bertrand, un politicien pâlot dont Laberge ne garde guère de souvenir et dont le court règne sera marqué par une grande agitation sociale et politique.

La bataille du «bill 25»

1967... Une grande année, un grand cru. L'année de l'ouverture du Québec sur le monde grâce à l'Exposition universelle de Montréal. L'année aussi du centenaire de la Confédération canadienne, du «Vive le Québec libre» lancé par le président français Charles de Gaulle du balcon de l'hôtel de ville de Montréal, un certain 24 juillet, et de la fondation du Mouvement Souveraineté-Association de René Lévesque, ancêtre du Parti québécois.

Laberge entame son année syndicale par une bataille frontale contre le gouvernement Johnson, en gelant tout rond au début de février lors d'une manifestation tenue à Québec par un froid sibérien et qui rassemble plus de 10 000 syndiqués. À cette occasion, il prévient que «la FTQ pourrait aller jusqu'à la grève générale au besoin» afin de combattre les effets nocifs d'une loi spéciale, le «bill 25», qui ordonne le retour au travail des grévistes de l'enseignement. Il craint en effet que l'interdiction du droit de grève chez les enseignants puisse s'étendre à tout le secteur public.

Tout a commencé à la rentrée des Fêtes en janvier: les 9 000 membres de l'Alliance des professeurs de Montréal, dirigés notamment par le fougueux Matthias Rioux, ont débrayé pour hâter la signature de leur nouveau contrat de travail. Le mouvement a fait boule de neige et bientôt 15 000 enseignants sont en grève partout au Québec. La FTQ et la CSN donnent leur appui aux grévistes affiliés à la Corporation des instituteurs et institutrices catholiques (CIC), ancêtre de la Centrale de l'enseignement du Québec (CEQ). Le 10 février, le gouvernement de l'Union nationale dépose son projet de loi d'exception pour forcer le retour au travail.

Branle-bas de combat du côté syndical. Laberge participe à une réunion de stratégie au sommet avec son compère Marcel Pepin de la CSN et le président de la CIC, Raymond Laliberté, un jeune intellectuel à barbiche qui personnifie le nouveau militantisme des enseignants. Le trio discute pour la première fois de la possibilité de former un front commun intersyndical. La première action de riposte: une manifestation conjointe CIC-FTQ-CSN à Québec le 12 février, deux jours après le dépôt du bill 25. Le 17 février, les enseignants participent à une grève générale de 24 heures, la première de leur histoire.

La loi-matraque s'abat le jour même et force le retour au travail dans les 48 heures, sous peine de sanctions sévères. Bien que les chefs des trois centrales aient évoqué l'éventualité d'une grève générale de solidarité, les dirigeants de la CIC décident, après un long débat, de ne pas défier la loi et recommandent le retour au travail. La loi 25 décrète les conditions de travail et de salaire des instituteurs et institutrices; elle instaure un nouveau régime de négociations centralisées dans l'enseignement.

Cette crise a été une leçon majeure pour le mouvement syndical, commente Laberge: non seulement l'État est-il le grand patron dans le secteur public et parapublic, mais il est aussi le législateur qui peut imposer ses conditions par la loi. La bataille du bill 25 porte en germe tous les affrontements à venir dans les services publics.

Malgré des tentatives de rapprochement, les syndicats négocieront encore de façon morcelée lors de la ronde suivante de négociations. Mais lors de la ronde de 1971-1972, un front commun CSN-FTQ-CEQ affrontera l'État-patron.

Une autocritique syndicale

Laberge revient sur le thème de l'unité syndicale lors du congrès de la FTQ qui se tient au début d'octobre 1967 à Montréal, avec la participation de 800 délégués. La centrale compte désormais quelque 165 000 cotisants sur un potentiel de 325 000 membres du CTC au Québec.

La cotisation mensuelle est haussée de 10 à 15 cents par membre, ce qui reste bien mince. C'est toutefois suffisant pour que Laberge devienne enfin président à plein temps de la FTQ: «Je l'étais déjà en pratique car je ne passais pas beaucoup de temps au Syndicat de l'automobile. Mais je savais maintenant qu'à l'avenir je devrais me faire élire régulièrement pour garder ma job!» Il rappellera souvent que, contrairement aux politiciens élus tous les quatre ou cinq ans, le président de la FTQ doit l'être tous les deux ans.

Lors du congrès, Laberge lance un vibrant appel à la formation d'un «front commun durable» entre les syndicats — qui représentent alors au-delà de 35 % des salariés québécois — mais aussi entre les syndicats et les groupes populaires et progressistes. Ce front commun permettrait de «faire de l'action politique» et de mettre en œuvre «un programme de réforme de toute la société». Le congrès vote en ce sens une résolution presque rituelle du comité d'action politique de la FTQ: on propose d'organiser, avec d'autres mouvements progressistes, une «conférence exploratoire» pouvant mener éventuellement au «regroupement des forces politiques de gauche au sein d'un parti provincial populaire». Formulée en termes prudents, cette résolution demeurera un vœu pieux. Elle aura d'autant moins de suites qu'un nouveau «parti populaire» va bientôt faire son apparition et séduire maints dirigeants et militants de la FTQ: le Parti québécois de René Lévesque.

Ce qui frappe les observateurs lors de ce congrès, c'est l'autocritique syndicale impitoyable à laquelle se livre Laberge, dans son discours inaugural, et qui reste tout à fait d'actualité aujourd'hui. Il dit, en substance, que le mouvement syndical ne peut pas continuer l'escalade des revendications pour ses propres membres au prix de l'appauvrissement croissant des plus démunis des travailleurs, qui n'ont pas la protection du syndicalisme. Ceux-ci finiront par se révolter contre les syndiqués. «Notre syndicalisme, déclare-t-il, est en train de devenir, si ce n'est déjà fait, l'expression d'un égoïsme institutionnel, le point de convergence de l'égoïsme individuel d'un trop grand nombre de syndiqués. On assiste maintenant à des grèves de classe qui visent moins l'employeur que d'autres groupes de travailleurs.» Dans les services publics en particulier.

«Nous sommes en train de créer un syndicalisme de classe moyenne, plus près de la classe possédante que de la masse des "maudits de la terre". La mission qui s'impose maintenant à nous, c'est de relever le niveau de vie des déshérités et des économiquement faibles.» Car «au sommet de notre échelle de valeurs doit être la solidarité humaine». Laberge propose donc des mesures comme le relèvement du salaire minimum et un revenu minimal garanti. Il réclame une meilleure sécurité sociale (et d'abord l'assurance-maladie) et l'accès généralisé à la syndicalisation grâce à une loi qui instaurerait la négociation sectorielle. La FTQ est la première centrale à réclamer cette mesure législative.

La syndicalisation est particulièrement ardue dans le secteur des services privés. Le congrès de la FTQ profite de l'occasion pour saluer la fondation, en 1967, du premier syndicat d'employés de banque en Amérique du Nord, celui du personnel de la Banque d'Épargne de Montréal (aujourd'hui la Banque Laurentienne). Cet important syndicat est affilié à l'Union internationale des employés professionnels et de bureau. Aujourd'hui encore, la Banque Laurentienne est la seule qui soit entièrement syndiquée.

L'Option Québec de René Lévesque

Laberge et le congrès de la FTQ s'en prennent de nouveau au séparatisme, «une idéologie bourgeoise qui réduirait le niveau de vie des travailleurs et qui créerait des bouleversements sociaux au désavantage des Canadiens français». Mais pour la première fois, les délégués adoptent une résolution appuyant «le droit à l'autodétermination de la nation canadienne-française, allant jusqu'à et incluant son droit à la sécession».

La FTQ fait donc un pas en avant, sous l'influence de son

aile nationaliste, deux mois après le tonitruant «Vive le Québec libre» lancé par Charles de Gaulle. Et, surtout, quelques jours après «l'Option Québec» que vient de rendre publique René Lévesque et qui prône la souveraineté du Québec assortie d'une association économique étroite avec le Canada. Une semaine après le congrès de la FTQ, Lévesque va d'ailleurs rompre de façon spectaculaire avec le Parti libéral, le 14 octobre 1967. Il fondera peu après le Mouvement Souveraineté-Association (MSA), creuset du Parti québécois.

Laberge est encore très loin d'être acquis à «l'Option Québec», mais il se dit «ouvert à discuter d'une thèse nouvelle». «L'option de Lévesque est très sérieuse et il est temps que les syndicats le rencontrent», déclare-t-il en décembre à l'issue d'une rencontre au sommet de douze heures des états-majors de la FTQ et de la CSN, au Manoir du Lac Delage, pour discuter de questions d'intérêt commun. «Nous voulons nous renseigner surtout sur les conséquences économiques de son option souverainiste.»

La première rencontre officielle de Lévesque et des chefs syndicaux aura lieu le 6 février 1968, durant trois heures, à l'*Auberge Le Totem* de Piedmont dans les Laurentides. Outre Laberge, il y a là Marcel Pepin de la CSN, Raymond Laliberté de la CIC et Albert Allain de l'Union catholique des cultivateurs (UCC). Ti-Louis se souvient: «René nous a bien expliqué son affaire en long et en large et j'avais été très impressionné par sa performance. Mais malgré tout, les chefs syndicaux présents sont restés fédéralistes pour quelque temps encore. Lévesque avait quand même déjà de gros appuis à la FTQ, chez des gens qui avaient milité au NPD et au PSQ comme Jean Gérin-Lajoie et Fernand Daoust, et dans plusieurs de nos syndicats, en particulier chez les Métallos et le SCFP.»

Dans la même veine, le congrès de la FTQ, à l'automne 67, avait à nouveau réclamé une plus grande autonomie de la centrale à l'égard du Congrès du travail du Canada. Laberge constate après coup: «Nous nous dirigions vers une sorte de souveraineté-association FTQ-CTC, même si cette appellation était toute nouvelle dans le temps.» Mais la bataille serait encore longue.

Ti-Louis venait d'ailleurs de perdre un vieil ami qui s'était brûlé à la tâche au CTC, le président Claude Jodoin, victime d'une embolie à l'âge de 54 ans. «Le grand Claude» avait été remplacé par le Néo-Écossais Donald MacDonald, «un syndicaliste beaucoup plus carré et pas très sympathique aux aspirations de la FTQ et du Québec».

La «bataille du CTC» allait être la «bataille du Québec» de Louis Laberge et l'amener, petit à petit, dans le camp souverainiste.

Bombes chez Seven Up

1968 sera l'Année de la contestation qui va fleurir sous toutes ses formes, comme cent fleurs, dans le monde entier[26].

Manifestations de plus en plus impétueuses contre la guerre du Vietnam, guérillas en Palestine et en Amérique latine, émeutes des Noirs américains, révoltes étudiantes aux États-Unis et en Europe, Événements de Mai en France et grève générale de 10 millions de travailleurs, Printemps de Prague en Tchécoslovaquie puis résistance à l'occupation de l'armée soviétique... Les événements se bousculent et la violence politique revêt des formes inédites. Le point le plus chaud demeure le Vietnam où les Américains, qui sont encore loin de s'en douter, vont subir la plus grande défaite de leur histoire.

Au Québec, 1968 est ponctué de fortes turbulences: manifestations nationalistes comme le «Lundi de la Matraque» lors de la fête de la Saint-Jean, vague de bombes du FLQ, contestation étudiante, vive agitation ouvrière.

Laberge prend la tête d'une grande manifestation qui va rester comme l'une des plus violentes de l'histoire du mouvement ouvrier, en guise d'appui aux grévistes de l'usine d'embouteillage Seven-Up à Mont-Royal. Un conflit effervescent qui va durer 13 interminables mois. Les 106 syndiqués, membres de la FTQ, ont été remplacés par des briseurs de grève que protège la police. Voilà déjà 8 mois qu'ils sont en grève et luttent pour la reconnaissance de leur syndicat, ce que conteste l'employeur par tous les moyens juridiques.

Le soir du 27 février, en plein hiver, plusieurs milliers de manifestants participent à la marche de solidarité, à l'appel d'un front commun qui réunit tous les syndicats et des organisations politiques comme le NPD de Robert Cliche, le RIN de Pierre Bourgault et le MSA de René Lévesque. Laberge marche en tête du cortège accompagné de son vice-président Fernand Daoust et de Pierre Bourgault. La grande majorité des manifestants sont des syndiqués, mais il s'y mêle une cohorte agitée d'étudiants qui scandent des slogans comme «Révolution! Révolution!»...

La police est massivement déployée aux abords de l'usine Seven Up et, inéluctablement, la manifestation tourne à l'affrontement. Des carreaux volent en éclats, des cocktails Molotov pleuvent et l'usine échappe de justesse à l'incendie. Bilan: plusieurs blessés, matraqués dans les échauffourées, et des arrestations à la douzaine.

Cinq jours avant la manifestation, sous le coup de la frustration, Laberge s'était exclamé en conférence de presse: «On n'a pas encore fait sauter l'usine mais c'est peut-être tout ce qui reste à faire car nous avons tout essayé pour régler le conflit...» Le directeur des Métallos, Jean Gérin-Lajoie, avait renchéri: «L'État devra endosser la responsabilité des troubles sociaux qui pourraient se produire.» La première d'une série de bombes va sauter à l'usine Seven-Up deux mois plus tard, en mai 1968. Elle est revendiquée par une nouvelle cellule du Front de libération du Québec que dirige un des jeunes manifestants matraqués et arrêtés le soir du 27 février, un étudiant du nom de Pierre-Paul Geoffroy.

«Ça avait brassé fort, se souvient Laberge, mais la grève a finalement été perdue, au bout de treize mois, à cause des scabs. Le directeur du syndicat en grève, Roland Gœdike de l'Union des travailleurs des brasseries et liqueurs douces, avait vraiment tout tenté pour arriver à un règlement pacifique. Mais c'était un conflit pourri.»

Le président de la FTQ n'en dénonce pas moins les bombes qui explosent lors des grèves. À la suite de la vague d'attentats signés FLQ en 1968, il déclare officiellement: «La FTQ se désolidarise de ceux qui posent des bombes soi-disant pour aider à solutionner des conflits ouvriers. Ces attentats nuisent incontestablement aux travailleurs.» Il enjoint les terroristes du FLQ: «Ne vous mettez pas le nez dans nos conflits. Une grève, c'est le contraire d'une révolution. Le syndicat dialogue avec le patron en vue de signer une convention collective.» Du même souffle, il apostrophe les pouvoirs publics: «Il est tout aussi important de combattre l'injustice sociale et le chômage que de pourchasser les terroristes qui s'en repaissent.»[27]

La Saint-Jean, Trudeau, le NPD, Cliche, le PQ

La violence est malheureusement à l'ordre du jour. Une des plus sanglantes manifestations de notre histoire éclate à Montréal le soir du 24 juin 1968, une Saint-Jean qui restera tristement célèbre sous le nom du «Lundi de la Matraque»[28].

Ce soir-là, lors du défilé de la fête nationale des Québécois, le nouveau premier ministre du Canada, Pierre Elliott Trudeau — qui vient de succéder à Lester B. Pearson — est présent sur l'estrade d'honneur. Les élections fédérales auront lieu le lendemain et Trudeau a fait campagne sur le thème «One Canada, One Nation», disant qu'il n'accordera jamais de statut particulier au Québec.

Le Rassemblement pour l'indépendance nationale a appelé à manifester. La protestation tourne à l'émeute et la police à pied, à cheval et à moto, matraque sauvagement tout ce qui bouge. Le bilan officiel est très lourd: au moins 250 blessés, dont certains grièvement, et 292 arrestations. Deux jeunes gens font connaissance dans un panier à salade: Jacques Lanctôt et Paul Rose, futurs leaders du FLQ lors de la Crise d'octobre 70.

Le lendemain, la «trudeaumanie» balaie tout: la vague libérale porte au pouvoir un premier gouvernement fédéral majoritaire depuis 1962. Le «French Power» entre en scène à Ottawa, et Trudeau amorce un long règne comme premier ministre. Pour Laberge, la déception est considérable. Surtout que le NPD recule au Québec malgré tous les efforts de la FTQ et la belle campagne menée par le leader du parti social-démocrate, Robert Cliche.

«Nous allons faire un effort sans précédent», avait clamé Laberge en annonçant que 25 syndicalistes de la FTQ étaient candidats du NPD. Il avait durement attaqué Trudeau et son arrogance à l'égard du Québec. Le résultat est pourtant amer: le NPD recueille à peine 7,5 % des voix au Québec (comparativement à 12 % en 1965) et 13 % dans la région de Montréal (contre 18 %). La défaite la plus cruelle est celle de Robert Cliche, battu de justesse dans le comté de Duvernay à Laval par le libéral Éric Kierans.

Laberge dit avec amertume: «Cliche a été battu entre autres par des gars de chez nous, des syndiqués de la FTQ que j'avais publiquement dénoncés à l'époque.» Les libéraux avaient en effet retenu et payé les services d'«honnêtes travailleurs d'élections», des fiers-à-bras qui ont eu recours à l'intimidation et à la violence le jour du scrutin et qui auraient «passé des télégraphes», des votes frauduleux. Certains d'entre eux avaient été recrutés avec la complaisance du «gérant d'affaires» de la section locale 144 du Syndicat des plombiers, André «Dédé» Desjardins, qui fera encore beaucoup parler de lui. «Des gars de la gang à Dédé ont fourni l'huile à bras», admet Laberge.

Quant aux «honnêtes travailleurs d'élections», autant chez les syndiqués du bâtiment que chez les débardeurs par exemple, «nous en sommes finalement venus à bout avec le temps». Selon Marcel Pepin, «la FTQ appuyait vertueusement le NPD mais certains de ses gars travaillaient pour les libéraux. Nous en avions aussi quelques-uns chez nous à la CSN qui faisaient pareil. C'était le système dans ce temps-là.» Laberge remarque: «Si la CSN en avait fait autant que la FTQ a essayé d'en faire pour le NPD, les résultats auraient probablement été différents...»

Quoi qu'il en soit, le scrutin de 1968 va consacrer le déclin du NPD, qui ne s'en remettra jamais vraiment au Québec, surtout après la démission de Robert Cliche. Ce sera aussi le début d'un refroidissement progressif du côté de la FTQ: la centrale va continuer de soutenir le Nouveau Parti à chaque élection fédérale mais avec moins de ferveur, surtout que le NPD reste très fédéraliste et centralisateur. Elle retirera de ses statuts l'appui officiel qu'elle donnait au NPD.

Laberge admet aujourd'hui que «même si le NPD restait le parti des syndicats au Canada, au Québec le cœur n'y était plus. C'est le PQ qui avait le vent dans les voiles.»

* * *

Et justement, quatre mois après la victoire triomphale de Trudeau, le Parti québécois voit le jour, à la mi-octobre 1968, lors d'un congrès enthousiaste au Petit Colisée de Québec.

Sous l'autorité d'un chef charismatique comme René Lévesque, le PQ réalise l'unification des forces indépendantistes; il se donne de surcroît une orientation de centre-gauche, social-démocrate, sous l'impulsion des anciens militants du RIN et du Parti socialiste qui sont nombreux à y adhérer. Pour Lévesque, le PQ se situe «dans la mouvance d'une social-démocratie à la scandinave, ce qui est le maximum de progressisme pour une gauche sérieuse dans le contexte nord-américain».

On compte néanmoins peu de syndicalistes de la FTQ au congrès de fondation du PQ, se rappelle l'un d'eux, Émile Boudreau des Métallos, délégué de Sept-Îles. Quant à Laberge, même s'il regarde alors le PQ d'un œil encore sceptique, il note aujourd'hui: «Les positions de René Lévesque et les orientations de son parti se rapprochaient beaucoup des nôtres, sauf pour l'option séparatiste.»

Laberge n'en est pas moins de plus en plus nationaliste depuis qu'il est président de la FTQ. Et en particulier depuis les dernières assises du Congrès du travail du Canada, tenues en mai 1968 à Toronto, où les délégués ont refusé un statut particulier à la FTQ. Il se rappelle: «Notre secrétaire général, Gérard Rancourt, avait rédigé de nouveaux statuts très autonomistes pour la FTQ et qui n'ont jamais été ratifiés par le CTC. Les dirigeants du CTC avaient été frappés d'apoplexie... Je me souviens encore du discours de Gérard au congrès de Toronto: "Il est temps de dépoussiérer les tablettes et d'ouvrir toutes grandes les fenêtres. Certains vont s'enrhumer mais le grand air pur va entrer!" Nous avons perdu à ce congrès mais l'épreuve de force a continué jusqu'à ce qu'on gagne notre point en 1974.»

La FTQ remporte quand même une victoire au congrès de Toronto en faisant élire Rancourt au poste de vice-président exécutif du CTC. Le bras droit de Laberge défait le candidat de la liste officielle (la «slate»), Roméo Mathieu, l'homme qui avait organisé l'élection de Ti-Louis à la présidence de la FTQ quatre ans plus tôt mais qui le trouvait maintenant trop nationaliste! Comme quoi tout peut changer... et tout est relatif.

* * *

Pour succéder à Rancourt, l'exécutif de la FTQ jette son dévolu sur un nouveau secrétaire général, Claude Mérineau, représentant du Syndicat canadien de la fonction publique.

Âgé de 38 ans, diplômé en sciences sociales de l'Université de Montréal, Mérineau est un intellectuel qui a fait ses premières armes dans le mouvement syndical en 1952 aux côtés de Roger Provost, chez les Ouvriers unis du textile d'Amérique. Il a milité avec Provost au CCF. Il a par la suite œuvré chez les Teamsters, au Syndicat de la boulangerie puis au SCFP depuis la campagne à Hydro-Québec.

Mérineau n'occupera son poste à la FTQ qu'un peu plus d'un an: à l'automne 1969, avec l'encouragement de Laberge, il deviendra directeur général des relations patronales-ouvrières au ministère québécois du Travail. Un geste stratégique, une nomination à un poste clé où il pourra continuer d'aider la centrale. Il sera ensuite promu sous-ministre adjoint. Un autre «ami» bien placé pour Ti-Louis.

Laberge raconte: «Le ministre Maurice Bellemarre m'avait téléphoné pour offrir le poste à la FTQ. La CSN était déjà en force au ministère avec des gens comme le sous-ministre Robert Sauvé et plusieurs autres. Claude avait le calibre pour l'emploi et je lui ai demandé: as-tu déjà songé à un poste dans la fonction publique? Quand il m'a répondu oui, je lui ai dit: eh bien c'est le temps, on a une occasion en or.»

Pour la petite histoire, on peut rappeler que Mérineau et Laberge se sont fort bien entendus à la direction de la centrale sauf à une occasion, lorsque le secrétaire général, qui tenait les cordons de la bourse, a déposé devant le conseil général de la FTQ l'état des comptes de dépenses de Ti-Louis. Il se souvient: «Louis me fusillait du regard mais mon geste a fait taire ceux qui disaient que le président de la FTQ menait grand train et qui chialaient sur ses dépenses soi-disant trop élevées. J'ai tout mis sur la table et tout a été approuvé. En fait, les syndicats s'attendaient à ce que Louis ramasse les factures quand il les rencontrait et c'est ce qui se produisait! Ses dépenses étaient compréhensibles, surtout au petit salaire qu'il gagnait à la FTQ.»

Même son de cloche de la part de Fernand Daoust qui succédera à Mérineau comme secrétaire général et qui aura, lui aussi, quelques explications avec Laberge à propos de ses comptes de dépenses: «Louis et moi on n'a pas eu de problèmes parce qu'on s'est toujours parlé franchement.»

Laberge conclut à ce chapitre: «En gros, les gens ont dit à Mérineau puis à Fernand: "Si c'est pour nous dire que Ti-Oui nous coûte cher, on le sait. Propose donc l'ajournement et Louis va pouvoir venir nous payer la traite au bar..."»

Chapitre 11

Le tandem Laberge-Daoust

Brasse-camarades dans le bâtiment

Fin juillet 1968. En cet été humide et lourd, la violence explose à Baie-Comeau sur la Côte-Nord, au chantier de l'aluminerie Reynolds géré par l'entrepreneur Canadian Bechtel.

L'affrontement à coups de bâtons de baseball, de barres de fer et de chaînes met aux prises des syndiqués de la construction, les uns membres de la FTQ et les autres de la CSN, qui se disputent les emplois sur le chantier. Des empoignades semblables ont éclaté auparavant sur d'autres chantiers à Sorel et Gentilly.

Souvent en chômage, sans aucune sécurité d'emploi dans une industrie qui ressemble parfois à une jungle, les quelque 100 000 ouvriers québécois du bâtiment sont régulièrement à la recherche de travail et la concurrence entre eux est féroce. De plus, il n'y a aucune politique d'uniformisation des salaires et des conditions de travail d'une région à l'autre. Les accidents atteignent un taux record. La «course aux jobs» constitue toutefois le principal problème et provoque des rivalités sauvages entre les syndiqués. Et aussi entre les syndicats de la FTQ, majoritaires, et ceux de la CSN, fortement implantés en province, dans un secteur où existe le pluralisme syndical[29].

Au moment même où les hostilités se déchaînent à Baie-Comeau, la FTQ, la CSN et la CEQ viennent de conclure à Montréal une entente de principe sur un pacte de non-maraudage intersyndical, après des mois de pourparlers. Ce pacte, qui exclut le secteur de la construction, ne sera finalement pas signé.

Louis Laberge et Marcel Pepin s'accusent l'un l'autre d'avoir déclenché la guerre dans le bâtiment. Laberge va jusqu'à dire son appréhension que le sang coule sur d'autres chantiers et même dans le fleuve Saint-Laurent! Il le déplore à l'avance en disant — comme il le fera plusieurs fois — que «le sang des travailleurs est de la même couleur, qu'ils soient membres de la FTQ ou de la CSN».

Réaction de Claude Ryan, directeur du quotidien *Le Devoir*: «Le président de la FTQ a l'irritation facile; on sait toutefois qu'il pourra demain, après avoir enguirlandé aujourd'hui M. Marcel Pepin, se retrouver aux côtés de celui-ci comme si les deux hommes étaient nés frères siamois»...[30]

Début septembre 1968, un «bon contact» de Laberge, le ministre du Travail Maurice Bellemarre, dépose à l'Assemblée nationale le projet de loi 290, la première d'une série de lois promulguées au fil des années en vue d'améliorer la situation souvent tendue dans l'industrie du bâtiment.

Pepin se souvient: «Louis était proche de Bellemarre, un ancien membre d'un syndicat international des chemins de fer. Il s'accommode toujours des gens au pouvoir et sait les ménager à l'occasion. Je l'ai déjà entendu dire à des syndiqués de la FTQ qui voulaient organiser une manifestation devant la maison de Bellemarre: "on ne peut pas lui faire ça..."» Laberge explique: «Je me suis toujours opposé avec vigueur à ce qu'on aille manifester devant les résidences privées des ministres, des patrons ou de qui que ce soit. Pour moi c'est sacré, on ne touche pas à ça. C'est une question de *fair play*, de franc jeu.»

La réforme pilotée par le ministre Bellemarre va instaurer la syndicalisation obligatoire dans le secteur de la construction tout en consacrant le pluralisme syndical; elle officialise la pratique du maraudage entre la FTQ et la CSN pour recruter des membres, mais à intervalles fixes. La loi établit un régime de négociation sectorielle, une première dans le secteur privé, en vue d'uniformiser éventuellement les conditions de travail et de salaires dans le bâtiment partout au Québec. Laberge s'en réjouit: «On se battait depuis des années pour que tous les ouvriers de la construction obtiennent d'aussi bonnes conditions que nos membres de la FTQ dans la région de Montréal.»

Toutefois, parce que le projet menace les bureaux de placement syndicaux et certaines prérogatives des unions de métiers, la FTQ organise une démonstration de force en septembre 1968 à Montréal. Elle ferme les chantiers par une grève illégale. Au-delà de 10 000 ouvriers participent à une manifestation dans les rues de la ville, sous une pluie battante, et Laberge est là en tête du défilé, «mouillé jusqu'aux os», se souvient-il.

Le ministre Bellemarre va jeter du lest et sa loi sera adoptée une semaine avant Noël, le 18 décembre 1968. «Un cadeau de Noël», dit aujourd'hui Laberge qui a participé aux tractations entourant le projet. «Presque tous les dirigeants de nos syndicats de la construction poussaient en faveur de cette loi, Roger et Ti-Guy Perrault, Marcel Raymond, André Desjardins. Et tout l'exécutif de la FTQ. La loi n'était pas parfaite mais c'était un grand pas en avant.»

La sauce va se gâter à partir de 1970 quand la FTQ, sous l'impulsion de «Dédé» Desjardins, fera campagne pour éliminer la CSN et conquérir le monopole de la représentation syndicale dans la construction, une industrie où elle est largement majoritaire.

La bataille du français

Octobre 1969 est un mois chaud qui apparaît un peu comme une répétition générale avant la Crise d'octobre 1970.

L'armée canadienne est mandée d'urgence à Montréal, le 7 octobre 69, pour rétablir l'ordre lors d'une grève sauvage des policiers et des pompiers. L'atmosphère est tendue. Les pompiers sont affiliés à la FTQ, et Laberge va les rencontrer en assemblée générale pour appuyer leurs revendications. Une loi d'urgence de l'Assemblée nationale force les grévistes à retourner au travail à minuit le soir même.

Montréal revient à peine à la normale que s'enclenche une des plus longues séries de manifestations de rues dans l'histoire de la métropole, dans le cadre d'une mobilisation massive pour s'opposer au «bill 63» du gouvernement de l'Union nationale dirigé par Jean-Jacques Bertrand. Ce projet de loi vise à assurer aux parents le libre choix de la langue d'enseignement pour leurs enfants; il est dénoncé comme une porte ouverte à l'assimilation des immigrants au profit de la minorité anglaise et comme un encouragement à l'anglicisation des francophones. Le «bill 63» est combattu par un front commun sans précédent que coordonne le Mouvement Québec français et qui réunit le Parti québécois de René Lévesque, certains députés de l'Union nationale et du Parti libéral, tous les groupes nationalistes et les syndicats... sauf la FTQ.

Les étudiants et les enseignants, qui organisent des débrayages, sont les premiers à monter aux barricades. Le point culminant de cette opposition est une marche sur le Parlement de Québec qui rassemble près de 40 000 personnes, le 31 octobre 1969. À Montréal, l'administration municipale du maire Drapeau adopte un règlement sévère qui interdit les manifestations. Mais en dépit de la contestation, la loi 63 sera finalement adoptée en novembre et laissera de profondes déchirures dans la société québécoise.

Durant toute cette agitation, la FTQ et son président

restent à peu près silencieux et marchent les fesses serrées. Et quand Laberge laisse échapper une première déclaration, fin octobre, il aggrave son cas: »Pour les travailleurs, soutient-il, la question linguistique n'est pas une préoccupation prioritaire. On ne peut pas dire que cela intéresse la masse des travailleurs.»[31]

Ti-Louis, appuyé par la majorité de son exécutif, estime que la FTQ ne doit pas prendre position à chaud sur un sujet aussi controversé: plus de 20 % des membres de sa centrale sont anglophones et allophones et, surtout, il n'a aucun mandat des syndicats affiliés pour se prononcer. Il ne peut donc pas faire adhérer la FTQ au Mouvement Québec français où sont pourtant présents la CSN et la CEQ. Mais cet attentisme et ce manque de leadership provoquent de vifs remous au sein de la centrale et de son comité exécutif.

Deux des plus grands syndicats affiliés; les Métallos de Jean Gérin-Lajoie et le SCFP alors dirigé par Fernand Daoust, décident de prendre position contre le bill 63 et d'appuyer le Mouvement Québec français. Le premier syndicat local à avoir demandé publiquement à la FTQ de se prononcer avait été celui des employés du poste de radio CKAC à Montréal*. Finalement, sous la pression qui monte, l'exécutif de la FTQ décide *in extremis* que le congrès qui s'en vient devra prendre position sur la question de la langue française.

Ce congrès tempétueux, où le leadership de Laberge est mis en cause, s'ouvre le 19 novembre 1969 au *Patro Rocamadour* dans la basse-ville de Québec. Ti-Louis y essuie sa plus forte contestation depuis qu'il est président de la FTQ.

Il a préparé son discours inaugural avant que l'exécutif décide que le congrès devra se prononcer sur la politique linguistique du Québec. On peut donc relever dans son texte

---

* L'auteur de ce livre, alors jeune journaliste à CKAC, était vice-président de ce syndicat, la section locale 291 des Travailleurs unis de la radio et de la télévision (FTQ-CTC). Le président du syndicat était l'annonceur Gaston Blais, également très actif à l'Union des artistes (FTQ). Le conseiller syndical était Maurice Hébert.

— qui n'a pas été entièrement lu — des phrases révélatrices du genre: «Il est possible que nous devions nous en tenir pour le moment à une attitude de neutralité sur certaines questions trop délicates dans le contexte surchauffé de l'heure.»

Prudent et défensif, Laberge dit encore: «Le syndicalisme québécois est maintenant dépassé par les événements, débordé à droite et à gauche par de nouveaux modes de pensée et d'action.» Il dénonce l'émergence d'un «nouveau style anarcho-révolutionnaire de syndicalisme», allusion aux nouvelles orientations du Conseil central de Montréal de la CSN désormais présidé par Michel Chartrand, le grand-prêtre du radicalisme populiste. Or, dit-il, «nous ne voulons pas être à la remorque de tout ce qui conteste, gueule, s'agite, marche, terrorise et détruit ces temps-ci au Québec».

Il exprime aussi ses inquiétudes à propos du séparatisme: «Nous ne devons pas faire le saut dans l'inconnu de l'indépendance et entraîner les travailleurs dans des aventures collectives. La vocation du Québec est-elle celle d'un petit pays scandinave? Ou n'est-elle pas plutôt celle d'une partie intégrante d'un grand ensemble fédéral ou même continental?»

Les propos pusillanimes de Laberge, son immobilisme dans la bataille du «bill 63», ses peurs à l'égard de l'indépendantisme, tout cela met le feu aux poudres lors du congrès. Au cours d'un débat houleux qui va durer trois heures, il se fait copieusement enguirlander par les délégués, surtout ceux du Syndicat des Métallos. Un vrai barrage d'artillerie, une canonnade!

— Pendant qu'on votait la loi 63 à l'Assemblée nationale, le président de la FTQ et ses acolytes se sont cachés, accuse Clément Godbout, le représentant vif-argent des Métallos de la Côte-Nord.

— Le sigle de la FTQ, est-ce que ça veut dire «Ferme-toi, Québécois?» demande avec insolence son confrère Théo Gagné, le héros de la grève de Murdochville.

— Ti-Oui, on t'a élu pour te prononcer, pas pour fermer ta gueule, tonne un autre métallo, son bon ami Herby Bérubé.

— Lorsqu'on est président d'une centrale syndicale, il faut agir, pas jouer un rôle d'éteignoir. C'est un Italien qui vous le dit, plaide Antonio Bruno de l'Abitibi.

Clément Godbout se souvient: «Louis était trop peureux. On lui a dit: "Prends position, sacrament!" On était un peu agités, il était trop prudent, on l'a fait avancer un peu.»

Au terme du débat, le congrès exige le rappel du «bill 63». Puis radicalisant quelque peu la résolution d'urgence fignolée par la direction de la FTQ, les délégués adoptent, par une mince majorité, une politique linguistique plus musclée et proche de celle du PQ: le français comme langue de travail et l'obligation pour les immigrants d'inscrire leurs enfants à l'école française — où l'on doit aussi donner une connaissance suffisante de l'anglais. Peu après, la FTQ adhère au Mouvement Québec français. Deux ans plus tard, au congrès de 1971, on fera un pas de plus en exigeant que le français soit la seule langue officielle au Québec... et à la FTQ.

Laberge rappellera alors sa déconvenue: «Au dernier congrès, j'ai dû essuyer le feu nourri des délégués qui reprochaient à la FTQ d'être restée en dehors de la lutte contre le bill 63. Nous avons avalé ces critiques, en bonne partie justifiées, avec la conviction que les militants, tout en nous critiquant, nous donnaient le mandat clair d'assumer une plus grande part de leadership.» Pour la première fois, se souvient-il, des syndicats affiliés jaloux de leurs prérogatives étaient prêts à mandater la FTQ pour qu'elle se prononce sur des questions politiques délicates comme la langue.

«Ma plus grande préoccupation, expliquait-il à l'époque, c'était d'éviter une scission importante et de longue durée au sein de la centrale».[32] Il affirme encore aujourd'hui: «J'avais de bons motifs pour être prudent. Nous avions près de 40 000 membres anglophones et allophones, surtout dans le vêtement, les services et chez les machinistes. Je voulais que tout le monde fasse le chemin ensemble, sans qu'il y ait de scission.»

Il ajoute: «Certains éléments me rebutaient dans le mouvement nationaliste, des gens de droite mais aussi des gens de gauche excessifs comme Michel Chartrand de la CSN, l'homme des grandes utopies et des feux de paille, que même Marcel Pepin considérait comme un extrémiste. Cela dit, les congressistes m'ont donné une bonne leçon de leadership. Ils m'ont dit: "On t'a élu pour présider, eh bien préside! Quand il y a des urgences il faut foncer." J'avais été un peu constipé. Mon garçon Michel, qui était militant du PQ, n'était pas très fier de moi...»

Pour Jean-Guy Frenette, alors fraîchement embauché comme directeur du service de recherche de la FTQ, «Louis s'est fait passer un bon savon. Il ne comprenait pas toute l'importance de certains enjeux comme la langue aux yeux des travailleurs, il n'avait pas encore assez de sensibilité face au mouvement nationaliste. Il a été plus ouvert par la suite.»

Selon son ami Jacques Brûlé, militant du PQ et auparavant du RIN, «Louis a connu son chemin de Damas en 1969: il est devenu moins Canadien français et plus Québécois.» Pour Fernand Daoust, «le congrès du *Patro Rocamadour* a grandement ouvert les yeux de Louis qui a pris un coup de nationalisme québécois. Ce fut le congrès des délégués et la défaite des éléments plus traditionnels.»

Toute cette contestation n'a en rien empêché Laberge d'être élu par acclamation. Tout comme Daoust, qui a profité de la vague nationaliste

Fernand Daoust, secrétaire général

C'est au congrès de 1969 que Fernand Daoust, l'ancien rival de Laberge, a enfin été élu au poste de secrétaire général de la FTQ. Sans opposition. Le «grand Fernand» formera un tandem avec Ti-Louis à la direction de la centrale pour les 22 années suivantes. Un des plus vieux couples du syndicalisme québécois.

Directeur du SCFP depuis 1968, Daoust avait finalement obtenu le soutien de Laberge à sa candidature. «Il était évident que la job revenait à Fernand et il a eu mon entier appui. Je l'ai soutenu malgré les réticences de plusieurs de ceux qui m'avaient supporté à la présidence cinq ans plus tôt. Fernand avait été courageux et persévérant dans ses idées.» Selon Daoust, «le fruit était mûr, Louis le souhaitait, mais ça en irritait certains».

Parmi les gens irrités, il en est même un qui a failli faire la lutte à Daoust lors du congrès: son vieil adversaire fédéraliste bon teint, Noël Pérusse, qui était directeur des communications de la FTQ depuis 12 ans. Pérusse avait presque annoncé sa candidature, mais comme il n'avait pas l'appui de Laberge, c'était peine perdue. Jean-Guy Frenette se souvient: «J'ai dit à Louis: "Si Pérusse devient secrétaire général, moi et d'autres permanents nous ne travaillerons pas sous son autorité." Et Pérusse a dit la même chose à Louis: "Si Fernand est élu, je ne travaillerai pas avec lui."» Mais Laberge avait déjà arrêté son choix et Noël Pérusse a quitté la FTQ.

Ce dernier, qui a bifurqué ensuite dans le monde patronal, est resté un peu amer. Il soutient aujourd'hui: «Laberge a été en quelque sorte contaminé par la gang des petits copains nationalistes qui l'entouraient. Comme ils ne pouvaient pas s'emparer de la présidence, ils se sont donc emparés de Louis... À l'exemple de plusieurs politiciens, Laberge a fini par faire la politique de ses adversaires d'autrefois. Comme disent les Anglais, "if you can't beat them join them..."»

De son côté, Jean-Guy Frenette observe: «Louis et Fernand seront loin d'être toujours sur la même longueur d'ondes, en particulier sur le nationalisme, mais ils formeront vraiment une équipe.» Frenette, qui jouera un rôle discret mais influent comme conseiller économique puis politique de la FTQ, a parfois été qualifié d'éminence grise de la centrale. Il avait d'abord travaillé au SCFP avant d'entrer au service de recherche de la fédération en 1967, à 28 ans. «J'ai été engagé en dépit des réticences de Louis.» Laberge se rappelle: «Il était pas mal exalté et hirsute dans ce temps-là... Mais je suis content qu'il soit venu à la FTQ, il nous a rendu de fiers services.» Ex-secrétaire du petit Parti socialiste du Québec, Frenette était alors un intellectuel radical, sociologue et économiste de formation. Né à Barraute en Abitibi, il avait travaillé pendant ses années d'études classiques à Amos comme mineur à la Québec Lithium.

Pour Jean Gérin-Lajoie, «avec l'élection de Daoust, les deux ailes de la FTQ étaient enfin réunies, les deux bras du même corps. Chacun jouera une partie du rôle, ce sera une dualité constructive.» «C'est là que la vraie fusion, que l'union sacrée s'est faite», estime Jacques Brûlé, qui a succédé à Daoust comme directeur du SCFP à l'invitation expresse de Laberge.

Pour Marcel Pepin, «Daoust sera l'éternel second de Laberge, qui n'hésitera pas à lui piler sur les pieds...» Pour certains, il sera même le faire-valoir, le comparse de Ti-Louis. Pour d'autres au contraire, comme l'ex-président de la CEQ Yvon Charbonneau, «Fernand est un solide gaillard qui a vraiment été la moitié de Louis, son égal».

«Louis m'a laissé de la glace sur la patinoire», dit le grand Fernand. «On a eu une bonne connivence. Avec lui, pas besoin de se parler longtemps, de faire de longues analyses: c'est un gars d'action, rapide, impulsif. Il connaissait mes idées politiques, mes amitiés avec le PQ et René Lévesque, mais nous n'avons pas eu de grosses chicanes là-dessus. Il a énormément de flair politique.» Laberge dit: «On a fait la paire, on s'est bien complété: il est meilleur que moi dans certains dossiers, moi dans d'autres. Je suis heureux d'avoir fait équipe aussi longtemps avec Fernand.»

Outre le duo Laberge et Daoust, le nouvel exécutif élargi de la FTQ en 1969 comprend sept vice-présidents, tous dirigeants de grands syndicats. Trois d'entre eux sont d'ardents militants du PQ et des partisans de la souveraineté du Québec: Jean Gérin-Lajoie des Métallos, Jacques Brûlé du SCFP et Robert Dean de l'Automobile — qui a battu Aldo Caluori des Machinistes, un vieil ami de Laberge. Les autres vice-présidents sont René Rondou du Tabac, Jean-François («Pit») Laroche du Papier, Saul Linds du Vêtement pour hommes et Marcel Raymond de la Construction. Ce dernier sera remplacé en cours de mandat, en septembre 1970, par le nouvel homme fort des syndicats du bâtiment, André «Dédé» Desjardins.

La FTQ représente alors près de 200 000 cotisants sur les quelque 350 000 membres du Congrès du travail du Canada au Québec.

Par ailleurs, le congrès de la FTQ et Laberge en particulier donnent leur appui à une réalisation conjointe majeure des trois grandes centrales: le lancement de l'hebdomadaire *Québec-Presse*. Ce journal de gauche va paraître pendant cinq ans, d'octobre 1969 à novembre 1974; il est la propriété d'une coopérative soutenue par la FTQ, la CSN et la CEQ. «L'appui de Laberge a été indéfectible, il y croyait profondément», rappelle Émile Boudreau, qui fut président du conseil d'administration de *Québec-Presse*. La FTQ devra même rembourser pendant plusieurs années une dette qu'elle avait contractée auprès de la Fédération des caisses d'économie pour soutenir le journal.

En cette fin d'année 1969, la coopération intersyndicale est «assez bonne pour lancer un journal qui soit de notre bord», constate Laberge. Cette collaboration ira grandissant à l'aube des années 70.

FTQ-PQ: le débat Laberge-Lévesque

Un certain rapprochement commence à s'opérer entre la FTQ — ou du moins une bonne partie de sa direction et de ses militants — et le Parti québécois. Les relations vont se réchauffer encore plus lors des élections générales du printemps 70, les premières auxquelles va participer le nouveau parti de René Lévesque.

Parmi les grands artisans syndicaux de ce rapprochement, il y a d'abord le Syndicat des Métallos, dit Laberge: «Lévesque leur avait souvent donné des preuves de son progressisme et, pour eux, il était presque comme un bon Dieu! Plusieurs d'entre eux étaient même davantage lévesquistes que péquistes dans ce temps-là...»

C'est à l'initiative du directeur des Métallos, Jean Gérin-Lajoie, qu'a lieu un débat contradictoire mémorable entre René Lévesque et Louis Laberge, le 20 février 1970, dans une salle bondée de syndiqués à l'auditorium Le Plateau à Montréal. Ce débat fait suite au vote, par le dernier congrès du PQ, d'une résolution plutôt maladroite exigeant une sorte de «citoyenneté» québécoise pure laine des syndicats dans un futur État du Québec souverain. Ce qui ne fait guère l'affaire des syndicats «internationaux» de la FTQ, entre autres des Métallurgistes unis d'Amérique qui n'ont déjà pas la «citoyenneté» canadienne...

La confrontation Laberge-Lévesque est haute en couleurs mais amicale. Premier à parler, le chef du PQ affirme prudemment que peu importent les moyens, l'objectif est de s'assurer que dans les syndicats, aussi bien que dans les entreprises, les «centres de décision» soient aux mains des Québécois. Et qu'il n'y ait plus de syndicats «manipulés de l'étranger». Lévesque rappelle par ailleurs que le PQ est «du côté des travailleurs» et qu'il appuie des revendications de la FTQ comme l'accès à la syndicalisation et la négociation sectorielle.

D'entrée de jeu, Laberge parle de son «bon ami René» et déclare qu'il ne participe pas à un débat «contre» Lévesque mais «avec» lui. Puis il attaque: «René, on t'aime bien, mais ton affaire est inacceptable. C'est aux travailleurs de décider démocratiquement du genre de syndicats qu'ils veulent se donner, pas au gouvernement. Mais je connais René, nous avons mené des luttes ensemble, je sais qu'il ne veut pas étatiser les syndicats. De toute façon, nos unions sont de plus en plus autonomes et nous n'avons pas attendu la naissance du PQ pour nous battre là-dessus. Et quand certaines de nos unions n'ont pas compris, leurs membres sont allés à la CSN...»

Laberge sait bien que les syndicats affiliés à la FTQ ne sont pas alors tous aussi québécois que les Métallos et qu'ils ont encore des croûtes à manger. «Mais je ne pouvais pas accepter que les péquistes, par démagogie, chantent les mêmes chansons que la CSN contre les unions soi-disant américaines.» Il a sûrement été convaincant puisque *La Presse* du lendemain titre son article sur le débat: «Le Québec face aux syndicats internationaux: les arguments de la FTQ ébranlent

Lévesque.»[33] Le chef du PQ a fini par admettre qu'il fallait réexaminer ce projet de «naturaliser» les syndicats nord-américains et canadiens dans un État québécois indépendant. La résolution du parti sera par la suite modifiée.

Selon Émile Boudreau des Métallos, un des organisateurs du débat qui avait rencontré Lévesque au préalable, «Louis et René se sont affrontés un peu à la manière de deux porcs-épics qui font l'amour... en faisant bien attention! J'ai rarement vu deux gars patiner aussi artistiquement sur de la glace aussi mince...» Militant actif du PQ, Boudreau est l'un de ceux qui contribuera à modifier la résolution contestée.

Pour Gérin-Lajoie, ce débat civilisé et ses suites heureuses ont permis d'éviter une brisure, qu'il craignait fort, entre la FTQ et le PQ. Dans la foulée, les Métallos en viendront bientôt à donner leur appui au PQ et à la souveraineté du Québec, à leur congrès de Sherbrooke en 1972. Ce sera le premier syndicat de la FTQ à plonger, suivi par le SCFP. Gérin-Lajoie a joué un rôle clé dans l'évolution de la centrale à cet égard. Il avait coutume de dire: «Le Québec, c'est ma maison, l'Amérique du Nord, c'est ma cour...»

Bourassa et ses 100 000 emplois

Le 29 avril 1970, c'est jour d'élections au Québec.

La FTQ, même si elle entretient des sympathies pour le PQ, a décidé de n'appuyer officiellement aucun parti. Laberge décoche néanmoins quelques flèches à l'endroit du gouvernement sortant de l'Union nationale, dirigé par Jean-Jacques Bertrand, et aussi en direction du Parti libéral qui vient de se donner un nouveau chef, le jeune Robert Bourassa. Les libéraux, tout en tirant à boulets rouges sur les «séparatistes», font campagne avec le slogan «Québec au travail» et la promesse de créer 100 000 emplois en l'espace d'un an.

Le 29 avril, le Parti libéral est élu avec 44 % des voix. Le Parti québécois arrive au deuxième rang avec 24 %, supplantant l'Union nationale.

Le PQ n'a toutefois fait élire que sept députés, tous dans des comtés ouvriers de l'Est de Montréal et de la Côte-Nord où il a reçu un bon appui des syndiqués. Parmi ses élus: un syndicaliste du SCFP à Hydro-Québec, Charles Tremblay, et un avocat de la CSN, Robert Burns. «La moitié des membres de la FTQ ont appuyé le PQ», estime Daoust. «Ça va augmenter aux prochaines élections», prédit Gérin-Lajoie.

Laberge n'est pas aussi optimiste mais affirme que, même s'il n'était pas «séparatiste», il a voté pour le PQ en 1970. Comme il l'a d'ailleurs toujours fait depuis lors.

Au lendemain du scrutin, il prévient le nouveau premier ministre Bourassa: «Pour la FTQ, en ces temps de montée du chômage, la priorité doit aller au développement économique. Mais nous ne nous laisserons pas éblouir par une promesse de 100 000 emplois qui risque de ressembler à un pétard mouillé.»

Robert Bourassa sera le chef de gouvernement québécois que Laberge combattra avec le plus d'acharnement, même si ses relations personnelles avec lui seront fort correctes. Le chef libéral, associé par mariage à la grande famille millionnaire des Simard de Sorel, a parfois rappelé qu'il avait grandi dans un milieu modeste, sur le Plateau Mont-Royal, comme Ti-Louis. Mais il était loin d'être prosyndical.

L'autre priorité politique de la FTQ, c'est la mise en place rapide d'un régime public d'assurance-maladie que les syndicats appellent de tous leurs vœux depuis belle lurette. À la suite d'une bataille rangée d'un front commun FTQ-CSN-CEQ, soutenu en Chambre par le PQ, le gouvernement Bourassa fera voter la loi de l'assurance-maladie qui entrera en vigueur à l'automne 70. «Un régime universel, accessible et gratuit, une de nos plus belles conquêtes sociales», dit Laberge, tout en notant qu'un tel régime existait depuis longtemps en Saskatchewan grâce au premier gouvernement CCF élu au Canada et dirigé par Tommy Douglas. Marcel Pepin ajoute: «Grâce à l'action conjointe des syndicats, le Québec a gagné le meilleur régime d'assurance-maladie en Amérique du Nord et l'un des deux ou trois meilleurs dans le monde.»

* * *

Au printemps 1970, Laberge prend un engagement qui aura à la longue des retombées considérables dans sa vie syndicale, l'influençant, entre autres, dans la mise sur pied du Fonds de solidarité de la FTQ: il accepte de siéger au conseil d'administration de la Caisse de dépôt et placement, la caisse de retraite publique et aujourd'hui multimilliardaire des Québécois.

«C'est plus qu'un gros bas de laine, c'est un outil de développement économique extraordinaire pour le Québec, dit-il. Si on ne l'avait pas eu, on serait bien plus mal pris aujourd'hui.» Quand il est allé siéger à la Caisse, il succédait à Marcel Pepin comme représentant des syndicats. Il y siège encore vingt ans plus tard. Il a notamment aidé à canaliser vers la Caisse la gestion des énormes régimes de retraite des travailleurs de la construction.

À la même époque, les trois grandes centrales, en très bons termes, réalisent une première: quinze colloques régionaux conjoints sur l'action politique des syndicats. «Ces rencontres ouvrent la voie à une action commune dans plusieurs villes et régions du Québec et favorisent une plus grande politisation des travailleurs», se réjouit alors Laberge.

Autre action commune: l'organisation de la première manifestation du 1er Mai, Fête internationale des travailleurs, qui deviendra une tradition annuelle. Au printemps 1970, Laberge, Pepin et Raymond Laliberté marchent en tête du défilé qui rassemble plusieurs milliers de manifestants dans les rues de Montréal. Alors que partout en Amérique du Nord les syndicats célèbrent la Fête du Travail le premier lundi de septembre, jour férié, le mouvement ouvrier québécois se distingue en se rattachant à la tradition mondiale du 1er Mai.

Chapitre 12

De la Crise d'octobre à la manifestation de La Presse

Octobre 1970... Octobre chaud et octobre rouge.

Le Front de libération du Québec lance une offensive terroriste sans précédent en Amérique du Nord, deux kidnappings politiques dont l'un s'achèvera, dramatiquement, par un assassinat. Le gouvernement canadien sort de son arsenal la vieille Loi des mesures de guerre pour mater une présumée «insurrection appréhendée» au Québec[34].

Tout en condamnant fermement le terrorisme, Louis Laberge et la FTQ seront parmi les chevilles ouvrières de l'opposition aux mesures de guerre, aux côtés des autres grandes centrales syndicales et des deux partis dont la FTQ se sent proche: le NPD de Tommy Douglas et le Parti québécois de René Lévesque.

Non aux mesures de guerre

Cette fiévreuse histoire débute le 5 octobre avec l'enlèvement du diplomate britannique James Richard Cross.

Cinq jours plus tard, pour forcer les autorités à céder à ses exigences — notamment la libération des prisonniers politiques — le FLQ s'empare d'un deuxième otage, Pierre Laporte, ministre du Travail et de l'Immigration et vice-premier ministre du gouvernement québécois. Une semaine après, le 17 octobre, au lendemain de la proclamation de la Loi des mesures de guerre et de l'intervention de l'armée canadienne, le ministre est retrouvé «exécuté».

En vertu de la loi d'exception, la Déclaration canadienne des droits et libertés a été suspendue, près de 500 personnes sont appréhendées et emprisonnées sans mandat.

La première réaction de la FTQ, au début des événements, est terriblement prémonitoire: «On s'en va vers le délire, le terrorisme risque d'entraîner la perte des libertés fondamentales», prévient le vice-président Jean Gérin-Lajoie. Faisant référence au fait que le Manifeste du FLQ appuie les travailleurs en lutte, le directeur des Métallos ajoute: «Il existe d'autres moyens que l'extrémisme pour régler des conflits ouvriers. Il ne faut pas oublier que la violence entraîne la contre-violence.»[35] Laberge se souvient: «Nous étions d'accord avec certains points du Manifeste mais en désaccord total avec les moyens d'action du FLQ.»

La journée du 14 octobre — deux jours avant les mesures de guerre — est une date mémorable pour le président de la FTQ. Il reçoit dans l'après-midi un coup de téléphone de René Lévesque, fort grave. Le leader du PQ l'invite à participer le soir même à une réunion d'urgence, avec d'autres personnalités, afin de signer une déclaration publique qui pourrait aider à dénouer la crise. La rencontre a lieu vers 19 heures à l'*Hôtel Holiday Inn* dans le centre-ville. Laberge s'y rend accompagné de son coéquipier Fernand Daoust et de son ami Robert Soupras, président de la Fédération des caisses d'économie.

Il y a là d'autres dirigeants syndicaux: Marcel Pepin de la CSN — dont le «frère ennemi» Michel Chartrand sera emprisonné deux jours plus tard — le nouveau président de la CEQ, Yvon Charbonneau, et Matthias Rioux de l'Alliance des professeurs de Montréal, ainsi que Jean-Marc Kirouac, secrétaire général de l'Union des cultivateurs. René Lévesque est accompagné de deux gros bonnets du PQ, Jacques Parizeau et le docteur Camille Laurin. Il y a aussi le directeur du quotidien *Le Devoir*, Claude Ryan, et le président du mouvement coopératif Desjardins, Alfred Rouleau. Au total, seize personnes. Le texte ébauché par Lévesque, cigarette au bec, est peaufiné par les participants.

La «Déclaration des 16», rendue publique en conférence de presse vers 21 heures ce soir-là, a l'effet choc d'une... bombe. Cet appel spectaculaire condamne le FLQ mais ajoute que son action est révélatrice du «mauvais état» de la société. Et surtout, les «16» donnent leur «appui le plus pressant à la négociation d'un échange des deux otages contre les prisonniers politiques». L'objectif est d'appuyer le gouvernement du Québec si celui-ci veut réellement négocier avec le FLQ. Lévesque en a, au préalable, avisé le premier ministre Robert Bourassa.

Or c'est la ligne dure du refus de négocier qui prévaudra, la ligne du gouvernement de Pierre Elliott Trudeau. Surtout que la «Déclaration des 16» paraît confirmer une rumeur plutôt paranoïaque de complot qui commence à circuler à Ottawa, par suite des positions de Lévesque et Ryan en faveur de la négociation avec le FLQ: on craint une conspiration en vue de former un «gouvernement provisoire» ou «parallèle» qui prendrait la relève de Bourassa, visiblement dépassé par les événements.

Résultat: deux jours plus tard, dans la nuit du 16 octobre, le gouvernement fédéral proclame la Loi des mesures de guerre pour mater une fictive «insurrection appréhendée» au Québec. Une loi justifiée *a posteriori* par un épouvantail qui fera la manchette du quotidien *Toronto Star*: «La menace d'un coup d'État au Québec a forcé Ottawa à réagir»[36].

Ces histoires de croque-mitaines, Laberge en rit de bon cœur aujourd'hui même si, à l'époque, il ne les avait pas trouvées drôles du tout. «Le gouvernement parallèle, c'était de l'aberration mentale, de la folie furieuse. N'empêche que j'ai reçu des menaces de mort, des téléphones et des lettres au bureau et à la maison, comme si j'avais été un des chefs du FLQ!»

Il a été d'autant plus menacé qu'il avait condamné avec la dernière énergie la Loi des mesures de guerre, dès sa promulgation: «On ne pouvait pas laisser passer une loi semblable sans protester. C'était la pire affaire qui nous était arrivée, un viol des droits et libertés, une écœuranterie. Et Bourassa avait l'air d'un deux de pique à côté de Trudeau, qui jouait toutes ses cartes sans se préoccuper de son partenaire...»

Dans la soirée du 16 et la nuit du 17 octobre, les exécutifs de la FTQ, de la CSN et de la CEQ — qui représentent 550 000 membres — se réunissent d'urgence à Québec, durant huit heures. On s'entend pour former un front commun et préparer la riposte aux mesures de guerre proclamées la nuit précédente. Les trois centrales convoquent une réunion extraordinaire conjointe des 500 délégués à leurs trois instances supérieures, pour le 21 octobre, «afin de décider des moyens d'action à prendre pour sauver la démocratie au Québec». Laberge, Pepin et Charbonneau dénoncent le «nouveau régime militaire digne d'une république de bananes» et la «reddition» de Bourassa aux mains de Trudeau[37].

Le matin du 17, après avoir dormi à peine une heure, Laberge prend l'avion pour Sept-Îles où il doit parler au congrès annuel des Métallos. Il y dénonce à tour de bras Trudeau, «ce riche intellectuel désincarné et provocateur», qui «profite des circonstances pour nous fesser dessus». Contre le terrorisme du FLQ, dit-il, «il faut faire à temps une réforme profonde de notre société. Nous avons fait trop peu pour régler des problèmes criants comme le chômage.»

Laberge reprend aussitôt l'avion pour Montréal où il s'adresse, en soirée, aux congressistes d'une association patronale, la Corporation des maîtres-électriciens, à l'*Hôtel Reine-Élizabeth*. Il le fait à l'invitation expresse de son ami Jean Lebon, directeur général de la Corporation, qui lui a demandé de remplacer presque au pied levé le conférencier invité absent, et pour cause: il s'agissait du ministre du Travail Pierre Laporte...

Le président de la FTQ profite de cette tribune pour dénoncer «tous les extrémismes, aussi bien de droite que de gauche»: «S'il n'y avait aucune raison d'enlever messieurs Cross et Laporte, il n'y a aucune raison maintenant d'arrêter des centaines de personnes sans mandat. Il n'y a pas d'insurrection appréhendée. Aujourd'hui, on arrête des barbus et des jeunes, demain ce sera peut-être vous.»

Les patrons qui l'ont invité ne sont pas sur la même longueur d'ondes que lui: certains commencent à l'interrompre et même à le huer, si bien qu'il doit écourter son discours. Il se rappelle: «Pour plusieurs d'entre eux, FLQ et FTQ, c'était quasiment du pareil au même! C'est comme si j'étais tombé dans un nid de guêpes: ils étaient tellement agressifs que je me demandais si je pourrais sortir de là...»

* * *

En fin de soirée, peu avant minuit, affreux coup de théâtre: le cadavre du ministre Pierre Laporte est retrouvé, «exécuté» par le FLQ. Dans les heures qui suivent, ce meurtre odieux soulève la réprobation générale et fait basculer l'opinion publique dans le camp de la loi et de l'ordre.

«Après cet assassinat barbare, raconte Laberge, ce fut très douloureux. Beaucoup de nos membres ne nous suivaient plus. Ça nous a pris pas mal de cran pour maintenir nos positions contre les mesures de guerre, contre Trudeau et Bourassa.» Marcel Pepin renchérit: «Il a fallu être courageux parce que la base était en état de choc, prête à justifier l'extrémisme de Trudeau et de sa clique. Tout ça nous a beaucoup rapprochés, Louis et moi.»

Le lendemain de la mort de Laporte, le dimanche 18 octobre, se tient au siège de la CSN une deuxième réunion au sommet, en deux jours, des exécutifs des trois centrales. On rédige une autre déclaration commune, lue aux médias par Pepin flanqué de Laberge, Daoust et Matthias Rioux. Le mouvement syndical condamne sans restrictions l'assassinat de Pierre Laporte, «un acte barbare»; il affirme aussi que «la suppression des libertés civiles menace davantage la démocratie que le terrorisme». On demande au FLQ de relâcher son otage encore vivant.

René Lévesque, invité par les syndicats à participer à la conférence de presse, n'a pas de mots assez forts pour condamner l'assassinat commis par le FLQ. Il dit cependant que «personne ne doit profiter de la situation pour faire du Québec une prison».

Le soir du 21 octobre, dans une atmosphère empreinte de gravité, Laberge, Pepin et Charbonneau président conjointement le premier congrès intersyndical de l'histoire du Québec. Quelque 500 délégués participent à la réunion extraordinaire, au *Centre Mgr Marcoux* à Québec. Après avoir dénoncé le FLQ ainsi que «le terrorisme policier et militaire», ils demandent le retrait de la Loi des mesures de guerre. Ils s'engagent à élaborer des «mesures de paix», c'est-à-dire un programme d'urgence de redressement social, économique et politique.

Officiellement, tout se passe dans l'unanimité. Mais en coulisses, des dissidences sérieuses ont éclaté lors des réunions séparées des instances de chacune des trois centrales qui ont eu lieu juste avant la rencontre conjointe. Au conseil général de la FTQ, près du quart des délégués ont voté contre la recommandation de l'exécutif.

Les dissidents, qui approuvent les mesures de guerre, représentent «nos syndicats les plus réticents à s'engager dans l'action politique», se souvient Laberge: le Syndicat du papier, les Machinistes, les deux unions du vêtement (UIOVD et TAVT), l'Union des employés de services, les Teamsters et quelques autres. Ce sont aussi les syndicats qui comptent dans leurs rangs bon nombre de membres anglophones et allophones. Les appuis viennent toutefois des plus grands syndicats de la FTQ: les Métallos de Gérin-Lajoie, le SCFP de Jacques Brûlé, la Construction de «Dédé» Desjardins, l'Automobile de Robert Dean, ainsi que des conseils régionaux du travail dont le plus gros, celui de Montréal.

Dès le lendemain de la rencontre intersyndicale à Québec, les dissidents émettent un communiqué pour se dissocier publiquement de la position de la FTQ. Plusieurs sections locales vont se désaffilier. Au plus fort de la crise interne, la dissension — sans aller nécessairement jusqu'à la désaffiliation — va toucher environ 45 000 membres, soit 20 % de l'effectif de la centrale. La FTQ doit entreprendre une tournée d'explication auprès de ses syndicats. «C'est Fernand qui a fait le plus gros de la tournée», dit Laberge.

Il ajoute: «Ce fut un moment bien difficile à passer. Nous étions vilipendés par plusieurs dirigeants de syndicats qui ne pouvaient pas comprendre nos positions. Par exemple, nos vieux amis du Syndicat du papier comme «Pit» Laroche de Gatineau, vice-président de la FTQ, et le grand Philémon Beaudin, président du Conseil du travail du Saguenay-Lac-Saint-Jean. Il y avait aussi beaucoup de grogne chez les Machinistes, mon ancien syndicat. Certains ont même porté plainte auprès du Congrès du travail du Canada pour qu'il nous désavoue, mais le CTC nous a soutenus.»

Daoust se rappelle: «Le CTC nous regardait aller avec crainte et tremblement mais a fini par nous appuyer. Louis a été courageux en sapristi. Pour lui, ce fut un autre point tournant du côté nationaliste. Nous n'avons pas été complaisants envers le FLQ et nous nous sommes rapprochés du PQ.»

Laberge reviendra sur la Crise d'octobre lors du congrès de la FTQ un an plus tard: «Il y a bien peu de travailleurs qui croient que la violence qui les menace peut venir de terroristes enragés. Ce qui frappe chaque jour les salariés, ce ne sont pas les bombes ou les cocktails Molotov: c'est le chômage, les accidents du travail et les maladies, l'impossibilité de manger et de se loger à des coûts abordables. C'est ça la vraie violence.»[38]

En décembre 1970, Laberge annonce la création par la FTQ d'un secrétariat d'action sociale et politique. Le responsable en est André Leclerc, un jeune permanent tout feu tout flamme venu du SCFP et qui a fait ses premières armes à la FTQ comme responsable de l'information durant la Crise d'octobre. Leclerc prêtera sa plume pour la rédaction des discours les plus radicaux de Laberge dans les années qui vont suivre. Un des organisateurs chevronnés du soutien aux grèves, il va faire ses preuves dès 1971 lors d'un conflit célèbre, celui de *La Presse*.

Lock-out à *La Presse*, manif et coups de matraque...

«Les coups de matraque que j'ai mangés lors du conflit de *La Presse*, je m'en souviendrai encore longtemps»...

Louis Laberge évoque avec un air belliqueux cette longue lutte syndicale, qui a duré près de sept mois, au «plus grand quotidien français d'Amérique».

Le 19 juillet 1971, le nouveau propriétaire du journal, le conglomérat Power Corporation du financier Paul Desmarais, décrète un lock-out contre ses 350 typographes, clicheurs, photograveurs, pressiers et expéditeurs, membres de syndicats de métiers affiliés à la FTQ. Les typos — qui appartiennent au plus vieux syndicat international au Québec — et leurs camarades se battent contre les effets des changements technologiques qui menacent leurs emplois.

La direction ayant remplacé les lock-outés par des briseurs de grève et des cadres, *La Presse* continue de paraître mais la tension monte dangereusement. Fin octobre, le lock-out s'étendra aux mille autres employés du journal et *La Presse* cessera de publier jusqu'en février 1972. Le conflit prendra fin par une victoire des syndiqués de la FTQ, qui gagneront la sécurité d'emploi absolue contre les changements technologiques.

Dès le début des hostilités, Laberge décide de faire de ce conflit une bataille exemplaire parce que l'enjeu est majeur: la sécurité d'emploi des travailleurs remplacés par des machines. «On utilise les hommes comme du combustible, dit-il: on les brûle puis on les rejette.» Il se rappelle que des conflits du genre avaient éclaté les années précédentes dans plusieurs grands quotidiens, au Canada et aux États-Unis, et que «pas une seule grève n'avait été gagnée».

Après la première conférence de presse convoquée par la FTQ pour appuyer les lock-outés, il interpelle les dirigeants syndicaux restés seuls dans la salle avec lui et le permanent André Leclerc:

— Qu'est-ce que vous allez faire maintenant?

— Du piquetage, lui répond-on.

— Voyons donc, s'exclame-t-il, au train où c'est parti, vous allez piqueter pendant des années! Des scabs ont pris vos jobs, des injonctions limitent le piquetage, des gardes de sécurité vous bousculent, le journal continue de paraître. Vous devez former un comité de stratégie et prendre les moyens de gagner. Je vais mettre à votre disposition notre meilleur spécialiste, André Leclerc.

Le plus interloqué est Leclerc lui-même, celui qui raconte cette histoire: «Je ne connaissais encore à peu près rien dans la direction de grève. Ce fut mon apprentissage. La rumeur s'est vite répandue qu'un expert de la FTQ était entré en action, un agitateur professionnel, et qu'on prendrait les grands moyens comme de recourir aux bras des gars de la construction ou des débardeurs! En fait, on a surtout mené une bonne campagne d'information et fait un peu d'action directe contre les scabs. On a aussi formé un front commun des onze syndicats FTQ et CSN de *La Presse*. Tout ça avec l'appui de Laberge, que je tenais constamment au courant. En octobre, on a réussi à bloquer à quelques reprises les portes du journal.»

L'édifice de *La Presse*, transformé en forteresse, est désormais protégé par des agents de sécurité armés, des taupins qui jouent les fiers-à-bras parfois accompagnés de chiens policiers. Finalement, l'employeur décrète un lock-out général et le journal cesse de paraître le 27 octobre. Cette fermeture survient deux jours avant une manifestation massive de solidarité organisée de longue main par la FTQ avec le soutien de ses syndicats.

La veille de la manif, le grand patron du journal, Paul Desmarais, rencontre le maire Jean Drapeau. Celui-ci sort des boules à mites son règlement anti-manifestation: un grand quadrilatère autour de l'édifice de *La Presse* sera interdit d'accès par la police. La tension monte d'un cran.

Peu après, le président de la FTQ et des représentants de la CSN et de la CEQ — qui appuient la manif — rencontrent le directeur de la police de Montréal et ses acolytes. Laberge rapporte: «Je leur ai clairement expliqué notre projet: le soir de la manifestation, les présidents des trois centrales allaient traverser symboliquement et calmement les barrières de police, puis nous nous laisserions arrêter sans résistance et traduire devant les tribunaux pour contester le règlement de Drapeau. Ils étaient bien au courant de nos intentions, on s'était entendu sur le déroulement. C'est pourquoi j'ai été tellement stupéfait quand la police a chargé la foule... Il y avait sans doute de la naïveté de notre part, mais je me suis senti trahi...»

Quelques heures avant la manifestation, à la demande expresse de René Lévesque, Laberge rencontre le chef du PQ qu'il avait personnellement convié à prendre part à la marche de solidarité. Le tête-à-tête a lieu au restaurant *Chez Butch Bouchard* où Ti-Louis reçoit son monde dans un petit salon particulier:

— Louis, vous devriez contremander la manifestation et la remplacer par une assemblée publique, lui dit gravement Lévesque en tirant une bouffée de sa cigarette.

— Écoutez, René, il est vraiment trop tard pour changer nos plans, on ne va pas reculer, rétorque Laberge qui s'en allume une à son tour.

Peu après, l'exécutif national du Parti québécois, qui appuie les lock-outés, décide par un vote serré (6 contre 5) de ne pas participer à la manif par crainte d'une explosion de violence.

Le vendredi soir 29 octobre, plus de 15 000 personnes descendent la rue Saint-Denis, depuis le square Saint-Louis, dans l'ordre, le calme et même la bonne humeur. En tête du cortège, les présidents des trois centrales: Laberge avec son large sourire, Marcel Pepin avec ses airs de bouledogue et le grand Yvon Charbonneau avec sa tête d'intellectuel à lunettes. À leurs côtés marche l'avocat syndical Robert Burns, membre de l'exécutif du PQ et député du comté ouvrier de Maisonneuve, qui affiche ainsi sa dissidence avec Lévesque.

Juste derrière Laberge on aperçoit trois jeunes gens dans la vingtaine, ses trois fils Michel, Pierre et Jean. «On avait décidé d'y aller ensemble et de marcher tout près de notre père pour le protéger au cas où...», raconte Michel Laberge, un costaud et un bon vivant comme Ti-Louis. «Dans un journal, sous une photo prise ce soir-là, on a écrit que le président de la FTQ était entouré de ses gardes du corps. Eh bien ses anges gardiens, c'étaient nous!»

Laberge dit: «De toute ma vie, je n'ai jamais eu de gardes du corps, j'ai toujours été capable de me défendre tout seul. Je me disais même que le jour où j'en aurais besoin, je m'en irais de la FTQ...»

Tout au long du parcours, des détachements de policiers sont déployés dans les rues avoisinantes. Arrivés au square Viger, rue Craig, les manifestants doivent stopper devant une double rangée de barrières métalliques. Derrière, un barrage de policiers en rangs serrés, casqués, portant visières et longues matraques en mains: l'escouade anti-émeute bloque le passage vers l'édifice de *La Presse*. L'air est chargé d'électricité.

Laberge, qui garde son sang-froid, s'adresse à la foule grâce à un haut-parleur installé sur une camionnette:

— Mes amis, annonce-t-il, les policiers nous interdisent le passage mais nous allons passer quand même, uniquement les trois présidents de centrales, calmement. S'ils ont à nous arrêter, qu'ils le fassent. Mais pas de violence, je vous en prie!

Joignant le geste — symbolique — à la parole, Laberge, Pepin et Charbonneau entreprennent d'enjamber les deux barrières métalliques. Laberge est flanqué d'un vice-président de la FTQ — son grand ami Jacques Brûlé — et de ses fils. Ils réussissent tant bien que mal à franchir les barricades malgré quelques coups, tout comme Pepin et Charbonneau, mais «le grand Yvon» est durement accueilli par les policiers. «Ils ne m'ont pas manqué, se souvient-il. J'ai reçu un solide coup de poing sur la gueule, mes lunettes ont revolé, j'étais en sang.»

N'ayant pas été arrêtés par la police, les trois présidents reviennent à leur point de départ pour constater qu'on est au bord de l'affrontement: des projectiles volent en direction des policiers, des agents provocateurs sont à l'œuvre — dont des policiers en civil —, le service d'ordre paraît débordé. Laberge demande un micro pour s'adresser aux manifestants et les calmer:

— Arrêtez, c'est fini, crie-t-il debout sur une barrière et soutenu par son entourage. La manifestation est terminée, nous avons gagné notre point: Drapeau ne voulait pas qu'on passe, on est passés quand même. Si on a transgressé la loi, que la police nous arrête, Marcel, Yvon et moi. C'est fini maintenant.

Mais aucun son ne sort du micro... et on voit un policier avec un fil arraché dans les mains.

Après un face à face qui paraît interminable, dans une atmosphère de tension extrême, on entend alors un ordre sec, «Go!», et la police charge la foule. Avec une brutalité inouïe, à grands coups de matraques. Bilan officiel: 190 blessés et un mort, une jeune femme qui succombe étouffée à la suite d'une crise d'asthme. Et au-delà de 200 arrestations. Une des manifestations les plus sanglantes dans l'histoire du mouvement ouvrier au Québec.

Un des premiers matraqués, sur la ligne de front, est l'aîné des fils de Laberge, le plus robuste, Michel. Il tombe à terre assommé, saignant abondamment du nez, ses lunettes brisées. Son père se penche pour l'aider à se relever mais, à son tour, Ti-Louis est roué de coups de matraque dans le dos. «Heureusement que j'avais un peu de graisse», essaie-t-il de rigoler aujourd'hui, mais le cœur n'y est pas. «Les policiers m'ont "vargé" dessus, j'essayais de protéger mon fils avec mon corps. J'ai finalement réussi à le relever, je l'ai soutenu contre mon épaule, aidé de mon garçon Jean, et nous avons pu partir à pied vers les bureaux de la FTQ situés un peu plus haut sur la rue Saint-Denis, au coin de Sainte-Catherine.»

Ses fils se souviennent de cette marche infernale: «Les policiers à motos chargeaient les gens qui quittaient les lieux comme nous. À un certain moment, on a dû se cacher derrière une voiture pour ne pas être renversés par un motard qui nous a foncé dessus, à plusieurs reprises. Un officier de police, reconnaissant mon père, a offert de nous escorter jusqu'aux bureaux de la FTQ. On n'avait pas fait cent pas que l'officier s'est fait garrocher des projectiles: des gens pensaient que Louis était en état d'arrestation! Mon père a dit au flic: je vous remercie beaucoup, mais ce serait plus sécuritaire si vous nous laissiez seuls!»

À leur arrivée près de la FTQ, rue Saint-Denis, une rangée de policiers barrent le chemin. Laberge leur demande poliment la permission de passer avec ses fils, mais un des agents, surexcité, lève sa matraque en l'air, prêt à frapper. Ti-Louis empoigne la matraque et engage une sorte de partie de bras de fer avec le policier... jusqu'à ce qu'un officier dise à l'agent: «Ça suffit, laissez passer monsieur Laberge»... Entrant dans son bureau, le président de la FTQ aperçoit sa fidèle secrétaire, Gisèle Roth, qui pleure à chaudes larmes en écoutant les nouvelles à la radio...

Ti-Louis avait «le feu au cul» ce soir-là et il a fait, peu après, ses déclarations les plus enflammées contre les policiers. Il les a traités notamment de «chiens enragés». «J'ai vu des scènes atroces, dira-t-il plus tard devant le congrès de la FTQ. Des femmes et des personnes âgées qui, souvent, n'avaient rien à faire avec la manifestation, qui n'étaient même pas au milieu d'un attroupement, se faire renverser sauvagement par les motos des policiers. Des hommes battus par trois, quatre ou cinq policiers alors qu'ils tentaient simplement de secourir des personnes tombées et menacées d'être piétinées par la foule. Ce soir-là, les policiers n'ont été rien d'autre que le prolongement de leur matraque, le bras armé du pouvoir du dictateur Drapeau.»[39]

«J'étais vraiment furieux», se rappelle-t-il encore aujourd'hui. «Surtout que j'avais personnellement aidé le syndicat des policiers de Montréal à régler quelques-unes de ses conventions collectives. Mon ami Jacques Brûlé leur avait servi d'arbitre. J'ai même été proche de certains de leurs dirigeants comme Jean-Paul Lapointe, Roger Lavigueur, Jean-Paul Picard, Raymond D'Astous et Guy Marcil, et j'ai assisté à plusieurs congrès de la Fédération des policiers municipaux. J'avais été proche d'eux et je me sentais trahi, c'était quasiment un geste fratricide des policiers à notre égard. Mon ressentiment a été profonds.»

À propos de la mort de Michèle Gauthier, la jeune manifestante qui a succombé à l'asphyxie lors de la charge policière, Laberge affirme crument qu'il s'agit d'un «meurtre»[40]. La jeune femme a droit à des funérailles syndicales impressionnantes de dignité, le matin du 2 novembre, à Sainte-Rosalie près de Saint-Hyacinthe. Parmi les porteurs: Louis Laberge, Marcel Pepin et Yvon Charbonneau.

«Il faut casser le régime»...

Quatre jours après le «carnage», en cette soirée automnale un peu fraîche du 2 novembre, près de 17 000 personnes en colère envahissent le Forum de Montréal pour une manifestation fiévreuse de solidarité, dans une ambiance de «Grand Soir».

L'assemblée a été convoquée d'urgence par le Conseil central de Montréal du franc-tireur Michel Chartrand, qui porte pour l'occasion une flamboyante chemise rouge. Le Forum vibre aux cris de groupes de syndiqués venus de partout au Québec. Il y a là, entre autres, une forte délégation de pompiers de Montréal, en uniformes, qui ont fait une entrée remarquée. Parmi la brochette d'orateurs: Laberge, Daoust, Charbonneau, Chartrand — qui va lire aussi un message de Marcel Pepin absent —, le député syndicaliste Robert Burns du PQ, des dirigeants syndicaux de *La Presse* et de nombreux groupes en conflit.

La soirée débute par une longue et émouvante minute de

silence à la mémoire de la jeune manifestante décédée, Michèle Gauthier.

Profondément bouleversé par les événements, Laberge est encore sous le coup de l'émotion. Un flot d'émotion très vive. Traumatisé par le matraquage de son fils et le sien, écœuré de la «trahison» des policiers, radicalisé, il sent qu'il a des choses très importantes à dire ce soir-là. Pour se donner des forces, il a ingurgité deux bonnes rasades de cognac avant de prendre la parole.

Afin de détendre l'atmosphère, il fait d'abord chanter la foule sur un air connu: «Un coup de matraque, ça frappe, ça frappe... Un coup de matraque, ça frappe en tabarnak...» Puis il se lance dans un discours à l'emporte-pièce où il laisse échapper cette petite phrase célèbre: «Ce n'est pas des vitres qu'il faut casser, c'est le régime que nous voulons casser»...

Vingt ans plus tard, il explique gravement: «Casser le régime... Disons que c'était une figure de style, peut-être mal choisie, pour dire qu'on voulait des changements profonds dans la société. Ça ne voulait pas dire dresser des barricades et prendre des fusils... Ni mettre en place un régime communiste: je me suis toujours battu et je me battrai toujours contre tout système totalitaire. Non, notre projet de société, c'est le socialisme démocratique comme on disait dans le temps, la social-démocratie.»

Dans son discours du Forum, le président de la FTQ a mis les syndiqués en garde contre toute velléité de recours à la violence. Et pour cause: ce soir-là, par crainte d'une flambée de colère syndicale, près de mille policiers sont déployés aux abords du Forum situé tout près de l'enclave cossue de Westmount. Laberge se livre néanmoins à une charge en règle contre la police et contre «la sauvagerie des chiens à deux pattes». Et il répète ce que plusieurs manifestants brutalisés par les policiers lui ont dit: «À l'avenir, les victimes ne seront pas seulement de notre bord...»

Il fait aussi un long plaidoyer en faveur de «l'union sacrée» des syndicats: «En dix ans, il n'avait pas été possible de faire l'unité des travailleurs de toutes les centrales. En une soirée, Drapeau y est parvenu. Il a créé une unité que rien ne pourra plus jamais ébranler.» Il ajoute: «À la FTQ, ce soir-là, nous avons fait pas mal de chemin. Nous en avons encore beaucoup à faire mais on ne pourra plus dire qu'on est en arrière des autres, on est en avant.»[41]

Les autres leaders syndicaux ne sont pas en reste. Dans son message lu par Chartrand, Pepin proclame: «Nous vivons des moments historiques, plus importants que ceux d'Octobre 70. Le régime actuel a vécu, il n'y a plus de place pour nous dans un tel régime.» Pour Charbonneau qui dénonce la «drapolice», «c'est une séance de réchauffement avant la grande bataille à venir». Quant à Chartrand, emporté par son éloquence, il lance un appel à une grève générale de 24 heures pour soutenir les syndiqués de *La Presse*.

Ti-Louis ne décolère pas. «Nous allons aller plus vite et plus loin», dit-il dans une entrevue publiée par *Québec-Presse*. «Avant d'organiser une autre manifestation pacifique, il faudra peut-être penser à des grèves. Légales ou illégales.» Sur l'action politique, il déclare avec son pragmatisme invétéré: «Il faut avoir des amis au pouvoir, aux bons endroits, pour nous aider, sinon c'est de la foutaise. Actuellement, ce n'est pas le cas. Nous ne devons compter que sur nous-mêmes.»[42]

Qui pourraient être ces amis? «Il y a des gens dans le PQ qui sont plus près de nous que dans d'autres partis. Le PQ est plus ouvert à nos positions, c'est avec lui qu'on a la meilleure coopération.» Mais, dit-il, le rapport de forces syndical est aussi important, sinon plus, que les bonnes relations avec un parti.

* * *

Quelques jours après «l'émeute» du 29 octobre, Laberge, Pepin et les négociateurs syndicaux de *La Presse* réussissent enfin à rencontrer, pour la première fois, le grand patron du journal, le financier Paul Desmarais.

Le face à face se déroule aux bureaux du ministère du Travail grâce à la médiation du premier ministre Bourassa et du nouveau ministre du Travail, Jean Cournoyer. Ce dernier est un ancien avocat patronal que Laberge appelle «mon ami Ti-Jean» et qu'il a pu apprécier lors des négociations dans la construction. Ils ont siégé ensemble au Conseil supérieur du travail. Lorsque Cournoyer a été directeur des relations de travail à l'Expo 67, Laberge lui a donné un coup de main pour négocier la signature, par la FTQ et la CSN, de la «paix syndicale» lors de l'Exposition universelle.

Cournoyer raconte que Bourassa l'a appelé après la manifestation de *La Presse* pour lui dire simplement: «Paul (Desmarais) m'a téléphoné. Il faut essayer de régler ça...» Laberge se souvient: «On a fini par voir le vrai boss de *La Presse* et on s'est parlé entre quatre yeux.»

— Vous voulez diriger mon journal, je ne l'accepterai jamais, s'exclame le grand patron de Power Corporation.

— Vos négociateurs vous ont menti, rétorque Laberge. Tout ce qu'on veut, c'est protéger les emplois de nos membres face aux changements technologiques.

Et Laberge d'expliquer longuement à Paul Desmarais «les vrais enjeux du conflit». Il dit aujourd'hui: «Quand on peut parler directement au grand patron, les choses se règlent plus vite. Je m'en suis aperçu souvent dans ma vie syndicale...»

Peu après, on apprend à travers les branches que des têtes vont tomber à la direction de *La Presse*... Et un tout nouveau négociateur patronal apparaît dans le décor, un jeune avocat fringant du nom de Brian Mulroney que Desmarais vient d'engager. Laberge a déjà négocié avec cet Irlando-Québécois cordial, fils d'un électricien de Baie-Comeau, qui aime prendre un coup solide: il a réglé avec lui quelques conflits dans les ports du Saint-Laurent.

Les pourparlers reprennent donc intensivement. Laberge et Pepin dirigent les comités syndicaux de négociations. Après de longues séances nocturnes, une médiation spéciale et quelques coups de pouce de Cournoyer et Bourassa, on finira par signer, au début de février 1972, une entente avec les onze syndicats FTQ et CSN de *La Presse*.

Les derniers à «régler» ont été les journalistes affiliés à la

CSN. Laberge s'en souvient bien, et pour cause: «Nos membres avaient déjà perdu près de 7 mois de salaire à se battre, soit beaucoup plus que les syndiqués de la CSN, et nous avions enfin un bon règlement qui garantissait leur sécurité d'emploi. Or les journalistes voulaient profiter de notre bataille pour aller en chercher encore plus, soi-disant le contrôle de la salle de rédaction. J'ai rencontré le président du syndicat des journalistes, Claude Beauchamp — aujourd'hui un patron fédéraliste — et je lui ai dit franchement: "Nos membres commencent à tirer de la langue. Vous ne devez pas essayer d'avoir à tout prix le contrôle de la rédaction, ce que personne n'a jamais réussi à obtenir. On vous donne une semaine pour régler, après quoi nos membres vont rentrer au travail."» Et d'ajouter: «Une semaine plus tard, c'était réglé.»

Peu après, plusieurs têtes tombaient du côté patronal à *La Presse*, y compris celle du président et éditeur, remplacé par Roger Lemelin. Ti-Louis conclut: «La manifestation de *La Presse* n'avait pas été inutile... ni la rencontre avec Paul Desmarais.»

La radicalisation

Un mois après la manif de *La Presse*, la FTQ tient son congrès biennal à l'*Hôtel Reine-Élizabeth* à Montréal, fin novembre 1971. Le congrès de la radicalisation, sinon idéologique, tout au moins circonstantielle. Un congrès où la FTQ a adopté son célèbre manifeste «socialiste», *L'État, rouage de notre exploitation*, qui critique le rôle de l'État libéral au service du système capitaliste et de sa «machine à profits».

Dans son discours aux congressistes intitulé *Un seul front*, peaufiné par la plume passionnée et le style ouvriériste d'André Leclerc, Laberge n'y va pas de main morte. Il parle d'un «front large et unifié de lutte à opposer aux forces de l'argent», d'une stratégie à développer pour «casser le système actuel» et «instaurer chez nous un véritable pouvoir populaire». Ce pouvoir, il l'identifie vaguement à un «socialisme québécois». Il ajoute: «J'ai parlé dernièrement d'un complot que les puissances occultes de l'argent étaient en train d'ourdir contre la classe ouvrière et les forces progressistes. On m'a alors reproché mes "excès de langage". J'aime mieux risquer quelques "excès de langage" et répondre aux coups lorsqu'ils viennent plutôt que d'être surpris dans mon sommeil.»

Dans le manifeste de la FTQ fricoté par Jean-Guy Frenette — selon la grille d'analyse marxiste — et adopté par le congrès, on se chauffe du même bois: «Le système économique et politique dans lequel nous vivons tend à nous écraser. Nous n'avons pas d'autre choix que de le détruire pour ne pas être détruits.» Le document propose de nombreuses nationalisations dont, pour la première fois, «la nationalisation progressive de l'épargne collective» (caisses de retraite, assurances) et sa canalisation vers la Caisse de dépôt. Par ailleurs, le congrès approuve le principe de la grève générale au besoin et souhaite un front commun permanent des centrales.

«C'était un radicalisme quasiment de mise dans les circonstances, dit aujourd'hui Laberge. On ne pouvait pas faire autrement. C'était une période de blocage social et politique avec Trudeau, Bourassa et Drapeau, on avait une réaction viscérale de rejet. Il n'y a aucun doute que je me suis radicalisé après la Crise d'octobre et le conflit de *La Presse*. Il y a eu une évolution marquée chez moi et dans toute la FTQ. J'ai dû modérer du monde chez nous, mais je devais aussi me modérer moi-même!»

Selon Daoust, «la FTQ a pris un net virage à gauche mais les mots dépassaient notre pensée et le discours était parfois excessif. On tournait les coins rond. À cause d'influences marxisantes, certes, mais beaucoup parce qu'on vivait des conflits très raides, très violents.» Pour Frenette, «c'étaient des années de répression contre le mouvement syndical et Louis s'est dit: on ne va pas se laisser piler sur les pieds, on va réagir fort. Et on n'était pas les seuls à se radicaliser.»

Gérin-Lajoie est plus critique: «Je trouvais que Louis

avait tendance à s'inspirer un peu trop volontiers des lignes de conduite et du vocabulaire gauchisant et pseudo-révolutionnaire de la CSN. Il était influencé par la vague, il voulait être dans le vent, mais il avait parfois plus de voile que de gouvernail... On a eu de grosses chicanes là-dessus, j'ai dit publiquement qu'il y avait eu du déraillage.»

André Leclerc, le principal collaborateur de Laberge pour ses discours, admet franchement: «On s'est leurrés, moi le premier, sur la radicalisation idéologique de Louis: c'était conjoncturel. Casser le régime, ce n'était pas le régime capitaliste mais le régime de Bourassa, de Trudeau et de Drapeau! Il souhaitait une social-démocratie, pas un socialisme radical. Il avait hâte que les gouvernements soient à nouveau parlables. Quand le PQ a pris le pouvoir en 1976, on avait enfin un gouvernement parlable.»

Sans appuyer encore officiellement le Parti québécois, on sent que Laberge et la FTQ s'en rapprochent beaucoup: «S'ils veulent soutenir le PQ, nos militants ont la bénédiction de la FTQ», indique Fernand Daoust à l'issue du congrès. Il souligne «l'excellent travail» accompli par le parti de René Lévesque, tout comme par le NPD.

Le congrès se prononce pour le *droit* à la souveraineté du Québec, après avoir rejeté massivement une résolution antiséparatiste présentée par quelques loges des Machinistes. La résolution «souverainiste», très nuancée, dit ceci: «La FTQ proclame son appui au principe d'un Québec détenant totalement son droit à l'autodétermination, y compris le droit de proclamer sa souveraineté, sous réserve que ce processus doit s'accomplir en fonction des besoins et des aspirations des classes laborieuses.»

Outre Laberge et Daoust, réélus par acclamation, l'exécutif de la FTQ — qui compte maintenant 225 000 cotisants — se compose du vétéran Jean Gérin-Lajoie ainsi que de Jacques Brûlé, Robert Dean, Saul Linds, «Pit» Laroche et «Dédé» Desjardins (qui bat Willie Fortin du Syndicat des salaisons, un vieux socialiste). Un seul nouveau venu: Normand Cherry, représentant de la loge 712 des machinistes de Canadair, copain de longue date de Ti-Louis et futur ministre du Travail dans un gouvernement... libéral.

* * *

Le Forum de Montréal est à nouveau le théâtre d'une super-assemblée syndicale et politique au début de 1972: au-delà de 12 000 personnes participent à un «Ralliement anti-chômage» le soir du 28 février, à l'appel du Conseil du travail de la FTQ. Tous les leaders syndicaux sont là de même que le chef du PQ, René Lévesque, et celui du NPD, David Lewis.

C'est un Laberge plutôt émoustillé qui préside l'assemblée et passe à l'attaque: «Pour combattre le fléau du chômage, il faut renverser le régime à Ottawa et à Québec, déloger Trudeau et Bourassa.»

René Lévesque déclare de son côté: «À ceux qui parlent de renverser le système, je dis qu'il n'y a pas un système au monde sur lequel on peut travailler comme on veut tant qu'on est un peuple colonisé.» Autrement dit: faisons d'abord du Québec un vrai pays, un pays souverain.

«Lévesque s'est imposé au ralliement du Forum comme le leader le plus impressionnant de cette unité élargie des forces du changement», écrit dans *Le Devoir* l'éditorialiste progressiste Jean-Claude Leclerc. En revanche, «le mouvement syndical reste dangereusement inorganisé et inarticulé sur le front qu'il juge le plus important, le front politique».[43] En effet, les syndicats hésitent encore entre l'appui au PQ et la formation éventuelle d'un parti plus à gauche, un «parti ouvrier». Ils hésitent aussi entre la souveraineté du Québec et le fédéralisme canadien.

Parlant de Laberge, Leclerc critique par ailleurs son comportement erratique, dû à l'alcool, comme président d'assemblée à cette soirée du Forum. Ti-Louis reconnaît: «J'étais un peu chaudette, c'est vrai. La pression est parfois trop forte et je m'en veux énormément par la suite.»

La FTQ profite de cette soirée pour diffuser un Manifeste pour l'emploi qui appelle à «l'instauration d'un socialisme québécois». On y prône la création d'entreprises à propriété collective et on souhaite que les travailleurs puissent «pénétrer peu à peu dans le champ du contrôle et de la gestion des entreprises» — comme le permettra graduellement, douze ans plus tard, le Fonds de solidarité des travailleurs du Québec.

Chapitre 13

Les Événements de Mai 1972, la prison à Orsainville

Le Front commun du secteur public

«Si c'était à refaire, si j'étais placé dans une situation identique, je referais la même chose. Je serais prêt à faire de la prison pour mes principes. Je n'ai rien oublié, je ne regrette rien et on ne demande pas pardon pour une chose qu'on ne regrette pas.»

Louis Laberge se remémore avec passion les événements dramatiques de 1972 qui l'ont conduit en prison, pendant près de six mois, lui et ses compagnons d'armes de la CSN et de la CEQ, Marcel Pepin et Yvon Charbonneau.

C'était à l'occasion de la plus importante grève déclenchée à cette date dans l'histoire du mouvement ouvrier au Canada, celle de quelque 200 000 employés des services publics québécois, membres d'un «Front commun» CSN-CEQ-FTQ. Un affrontement spectaculaire qui a dégénéré en une grave crise sociale, la pire que le Québec ait connue.

Pour la première fois, les syndiqués des secteurs public et

parapublic — 12 % des salariés québécois — négociaient en front commun afin d'accroître leur rapport de forces avec l'État-employeur, en l'occurrence le gouvernement de Robert Bourassa. Leur revendication majeure — qui sera gagnée: un salaire de base de 100 $ par semaine pour les 50 000 employés les moins bien payés des services publics. Un gain qui concernait tous les salariés à cause de son effet d'entraînement sur le secteur privé. Autres acquis majeurs de cette bataille: l'indexation des salaires à la hausse du coût de la vie, une réduction des écarts entre les plus hauts et les plus bas salariés et un régime amélioré de sécurité d'emploi.

Le Front commun intersyndical regroupe les fonctionnaires, le personnel des réseaux de la santé, des services sociaux et de l'éducation, ainsi que les employés de sociétés d'État comme Hydro-Québec et la Société des alcools. Comme dit Laberge à l'époque, «ça va de l'employé d'hôpital qui gagne 72 $ par semaine à l'enseignant qui fait jusqu'à 350 $». Environ la moitié sont des syndiqués de la CSN (100 000), la CEQ en compte 70 000 et la FTQ — centrale du secteur privé — n'en a que 30 000 dont 10 000 à Hydro-Québec.

La première rencontre en vue de former un front commun, à l'initiative de la CSN, remontait au 31 juillet 70. «Louis a tout de suite accepté, se souvient Marcel Pepin. Il voyait bien les avantages d'une table unique de négociations. Surtout que son groupe était le plus petit.» «Ce n'est pas la queue qui fait branler le chien», confirme Ti-Louis dans son langage imagé. Les trois centrales signent le protocole d'entente du Front commun juste avant le Jour de l'An 72, à l'échéance du contrat de travail.

Entre temps, les négociations se sont amorcées avec l'État au printemps 1971, mais elles avancent à pas de tortue. Du côté de la FTQ, Laberge est le coordonnateur des pourparlers, secondé par «le gros Jacques» Brûlé, directeur du Syndicat canadien de la fonction publique. «Louis et moi, nous avons vécu près d'un an ensemble au *Holiday Inn Châteaubriand* à Sainte-Foy, le quartier général du Front commun. Une vie de fou, comme toutes les interminables négociations dans le secteur public. Heureusement qu'on prenait un verre au bar de temps en temps pour détendre l'atmosphère...»

Les trois présidents participent aux négociations. «Comme au hockey, on formait une "punch line", raconte Charbonneau: Pepin au centre, qui était le porte-parole à la table, Louis et moi aux deux ailes.» «On s'engueulait parfois mais on jouait bien ensemble», confirme Pepin. Dans l'équipe adverse, à côté du jeune ministre de la Fonction publique Jean-Paul L'Allier, le gros joueur est le sous-ministre Roch Bolduc, un homme coriace qui ne laisse rien aller. «La partie patronale avait tellement peur de perdre quoi que ce soit, je leur ai dit qu'ils portaient des bretelles et une ceinture en plus», blague Laberge.

Pour faire bouger le gouvernement, les «200 000» se prononcent massivement, le 9 mars 1972, en faveur de la grève. Lors d'une assemblée qui réunit 12 000 personnes au Forum de Montréal (le troisième ralliement syndical à cet endroit en quatre mois), parmi les banderoles arborant le slogan *Nous le monde ordinaire*, Laberge cherche à se faire rassurant pour le grand public: «Nous ne cherchons pas l'affrontement mais une convention négociée. Tout ce que nous voulons, c'est notre juste part.»[44]

Mais la grève apparaît inévitable. Laberge, Pepin et Charbonneau prennent l'avion ensemble et font une tournée éclair de toutes les régions pour informer leurs membres. Ils tiennent des assemblées dans une quinzaine de villes: «Louis parlait le premier pour réchauffer la salle, raconte Charbonneau. Avant même de parler, il avait le public pour lui, comme Yvon Deschamps! Il galvanisait notre monde, il tirait fort. J'étais le deuxième à intervenir et Marcel clôturait l'assemblée avec un rapport plus technique des négociations.» Laberge dit: «Cette tournée nous a beaucoup rapprochés tous les trois pour la suite des événements.»

Un premier arrêt de travail d'une journée est fixé au 24 mars mais annulé à la dernière minute à cause d'un des charmes de l'hiver québécois: une tempête de neige... Il a lieu le 28. Le gouvernement ne bouge pas. Le 11 avril 72, avec le retour du printemps, c'est le signal de la grève générale illimitée. Une première du genre: plus de 200 000 grévistes, une véritable lame de fond. «La base était prête à donner un grand coup, se rappelle Laberge, et moi j'étais tout feu tout flamme. Je sentais qu'il y aurait un affrontement, que ça allait barder fort.»

Le gouvernement riposte aussitôt en obtenant de la Cour des injonctions sévères qui ordonnent le retour au travail des 10 000 grévistes d'Hydro-Québec et de 14 000 grévistes de 71 hôpitaux spécialisés, même si les services essentiels ont été maintenus selon les syndicats. Les employés d'Hydro, membres de la FTQ, rentrent à l'ouvrage à contrecœur, tout comme la majorité des grévistes des hôpitaux affiliés à la CSN. Mais dans plusieurs établissements, on défie les injonctions, encouragés en cela par les trois présidents. Au bout de dix jours de grève, le 21 avril, le gouvernement Bourassa décide de casser le mouvement par une loi spéciale, la loi 19, qui force le retour au travail sous peine de fortes amendes et d'emprisonnements.

Laberge s'écrie: «Nous vendrons notre peau très cher. Ce ne sera plus jamais pareil.»[45] Il laisse planer la menace d'une grève générale de solidarité de la FTQ. La direction du Front commun et les trois présidents recommandent aux grévistes du secteur public de défier la loi spéciale et organisent à ce sujet une consultation de la base. Les 80 000 syndiqués qu'on a pu consulter, malgré un court délai d'une quinzaine d'heures, décident à une mince majorité (55%) de défier la loi. Mais comme cette majorité et la participation au vote ne sont pas suffisantes, les leaders syndicaux recommandent le retour au travail, la mort dans l'âme.

Quatre jours après la loi d'exception, Laberge, Pepin et Charbonneau se voient infliger une ordonnance de comparaître en Cour pour outrage au tribunal: ils ont conseillé de passer outre aux injonctions dans les hôpitaux, des injonctions émises par le juge Georges Pelletier de la Cour supérieure, avec la bénédiction du ministre de la Justice Jérôme Choquette, bras droit de Bourassa. Les trois présidents avaient eux-mêmes réclamé d'être poursuivis, s'il le fallait, plutôt que de voir le tribunal imposer des condamnations à de simples syndiqués. «Nous avions les yeux grands ouverts quand nous avons proposé de défier ces maudites injonctions, dit Laberge. Fallait se tenir debout, aller au bout de nos convictions, sinon le syndicalisme dans le secteur public aurait reculé de beaucoup.»

Le 4 mai, les trois chefs se rendent au Palais de Justice de Québec pour leur comparution. Ils sont accompagnés de leur famille, d'amis et de plusieurs militants syndicaux, au total 150 personnes qui envahissent la plus grande salle du Palais: tous les sièges sont occupés, y compris le banc des jurés, et il y a plein de gens debout! En attendant le juge, Laberge demande à tout le monde de rester calme et silencieux. Après environ une demi-heure d'attente, le juge n'est toujours pas arrivé et ce sont des policiers de l'escouade anti-émeute de la Sûreté du Québec qui font irruption dans la salle et prennent position.

«L'anti-émeute en pleine Cour! s'exclame Laberge. C'était un précédent dans les annales judiciaires. Et le juge qui avait une demi-heure de retard. On s'est regardés Marcel, Yvon et moi et on s'est dit: qu'est-ce qu'on fait là? Puis on a sacré notre camp. De toute façon, on savait que les dés étaient pipés et que nous serions condamnés...»

Ce fut donc *in abstentia* — en l'absence des présidents et de leurs avocats — que procéda le juge Pierre Côté de la Cour supérieure. L'affaire a duré à peine vingt minutes, seule la Couronne présentant sa preuve. La procédure a été expéditive: quatre jours plus tard, le 8 mai, le juge Côté rendait sa sentence. La sentence maximale pour outrage au tribunal: une année d'emprisonnement. Un coup de massue.

«Au lieu de nous imposer une amende de 50 000 $, commente Laberge, il a fait de nous des martyrs de la cause...»

34 autres militants, dirigeants de syndicats locaux, ont été eux aussi condamnés à la prison pour outrage au tribunal.

Les trois chefs en prison

Par un soleil éclatant, en cet après-midi printanier et vert du 9 mai 1972, Louis Laberge, Marcel Pepin et Yvon Charbonneau descendent à pied le chemin Saint-Louis, dans la Haute-Ville de Québec.

La tête haute mais étreints par l'émotion, ils marchent en direction du Palais de Justice pour aller se livrer aux autorités et être écroués à la prison d'Orsainville. Ils ne sont pas seuls dans leur épreuve: plus de 2 000 personnes les accompagnent dans la rue, militants et sympathisants, qui défilent dans le calme et une certaine sérénité malgré les circonstances.

Les trois présidents savent qu'ils ont quinze jours pour en appeler du jugement rendu contre eux. Mais auparavant ils attendent la réaction des syndiqués. «Sans le crier nous-mêmes sur tous les toits, dit Laberge, nous souhaitions des grèves de solidarité partout au Québec. Nous n'allions pas être déçus...»

Les trois chefs, qui se considèrent comme des prisonniers politiques, ont passé leurs dernières heures de liberté en compagnie de leur famille et de leurs proches. Des moments émouvants, à l'*Hôtel Holiday Inn Châteaubriand* de Sainte-Foy, quartier général du Front commun. Des moments drôles aussi, au bar de l'hôtel, lorsque Laberge a offert la traite à tout le monde en disant au barman: «Tu m'enverras la facture à Orsainville!»

Vers 16 heures, les portes de la prison se referment avec un bruit sourd derrière les trois compagnons d'infortune, qui passeront quinze jours à l'ombre avant de faire appel. Laberge ne peut s'empêcher de ressentir un pincement au cœur une fois derrière les barreaux. Il se souvient de sa naïveté: il s'était présenté candidement avec sa valise remplie de linge, comme à l'hôtel, pour se faire dire que la prison fournissait les uniformes aux détenus... Les gardiens lui ont aussi confisqué les deux réconfortantes bouteilles de cognac offertes par ses amis...

Ti-Louis se rappelle en riant: «Des policiers nous avaient

emmenés en fourgonnette du Palais de Justice jusqu'à Orsainville. Durant le trajet, je leur ai demandé: est-ce qu'on peut prendre une rasade ou deux de cognac? Ils ont répondu non. Mais en jasant avec eux, on a appris que leur juridiction se terminerait aussitôt que nous aurions franchi la première des deux portes à barreaux de la prison... Avant que la deuxième porte s'ouvre et que les gardiens nous prennent en main, Marcel, Yvon et moi on a eu le temps d'avaler chacun une couple de gorgées, pour le plaisir...»

Mieux vaut en rire qu'en pleurer: les premiers moments «en dedans» se passent en blagues et en taquineries de toutes sortes. Les trois présidents, qui ont passé à la fouille puis sous la douche comme tous les détenus, se lancent des quolibets en revêtant leur «habit de prisonnier», un t-shirt blanc et un pantalon de toile gris. Le grand Yvon a «de l'eau dans sa cave» avec son pantalon beaucoup trop court, le t-shirt de Ti-Louis ne réussit pas à cacher son ventre et le pantalon de Marcel est trop large.

Et Laberge de raconter sa blague célèbre: «Nous marchions tous les trois vers les cellules, dans nos uniformes, les bras chargés de couvertures, de draps et d'oreillers, de serviettes et de débarbouillettes, plus un paquet de tabac et un rasoir sans lame. Je suivais Marcel et il commençait à fortiller des jambes et à s'écartiller: à chaque pas, son pantalon trop large baissait, baissait... jusqu'à ce qu'il finisse par tomber. De toute ma vie syndicale, je n'ai jamais vu d'aussi près les fesses de la CSN!...»

Ti-Louis a beau faire de l'humour, il sent l'angoisse le saisir quand il se retrouve tout fin seul, le soir, en prison: «La première nuit a été terrible, je n'ai pas pu dormir. J'entendais encore dans ma tête le bruit des portes qui se referment avec un gros "bang" et ça me faisait mal...»

Se retrouver emprisonné pour ses principes, à 48 ans, être traité comme un criminel de droit commun, c'est humainement très difficile. «Quand tu te bats pour la liberté des gens et que tu es privé de la tienne...»

Les Événements de mai 1972

À peine les trois présidents sont-ils emprisonnés que ce geste de répression, rarissime dans les pays démocratiques, provoque les premières grandes grèves de solidarité dans l'histoire du mouvement ouvrier au Québec: les Événements de Mai 1972.[46]

Lancé sous le coup de la colère, le mouvement de débrayages illégaux apparaît comme un immense défi à l'ordre établi, une vague de désobéissance civile qui se donne de petits airs de révolution... Réclamant la libération de leurs dirigeants, près d'un demi-million de grévistes vont participer, pour des durées variables, à cette flambée qui va s'étendre sur plus d'une semaine. Les arrêts de travail éclatent dans les services publics mais surtout dans le secteur privé. «Un feu de forêt inextinguible», titre *La Presse*.

La FTQ, qui représente près de la moitié des syndiqués québécois, est à la fine pointe du mouvement. Les bougies d'allumage sont ses deux plus importants syndicats du privé: la Construction de «Dédé» Desjardins, qui compte 70 000 membres, et les Métallos de Jean Gérin-Lajoie qui, avec leurs 40 000 membres, forment le plus grand syndicat industriel. La solidarité est également vive dans d'autres syndicats comme le SCFP, les machinistes, l'automobile, l'alimentation, les débardeurs, l'imprimerie, la radio-télévision.

Dans des villes ouvrières comme Sept-Îles, Thetford, Saint-Jérôme, Joliette, Sorel, le mouvement est presque général, au point qu'on parle de contrôle des lieux par les grévistes. Des postes de radio sont occupés par les syndiqués qui y diffusent leurs messages. À Montréal, les quotidiens ne paraissent pas la journée du 11 mai.

Laberge en est encore remué: «Nos gens du secteur privé ont vraiment fait preuve de solidarité et supporté les gens du secteur public dans leur conflit. Ça m'a fait aimer encore davantage le monde chez nous. Grâce surtout aux gars de la construction et aux métallos, nous avons eu un début de grève générale. Une expérience formidable qui a sensibilisé des dizaines de milliers de travailleurs.»

«Bien sûr, certains militants, n'écoutant que leur enthousiasme, sont sans doute allés trop loin: ils n'ont pas usé de toute la diplomatie dont ils auraient dû faire preuve à l'égard d'autres syndiqués. Plusieurs ont dû joindre les piquets de grève après une visite des "comités d'éducation" de la FTQ-Construction... Il y a eu aussi des erreurs, des bêtises qui ont fait du tort à l'ensemble du mouvement, comme des clous répandus sur la chaussée du pont Jacques-Cartier. On a perdu de la popularité à cause de ces gestes irréfléchis.»

Le bras droit de Laberge au Front commun, son ami Jacques Brûlé du SCFP, se souvient que les syndicats de la construction ont été les plus prompts dans les débrayages: «Louis et moi nous étions proches d'eux, proches d'André Desjardins. Nous sommes devenus très liés, une sorte de triangle: Louis, Dédé et moi.»

Chez les Métallos, un des plus fougueux combattants est certes le coordonnateur régional du syndicat sur la Côte-Nord, Clément Godbout — futur secrétaire général de la FTQ: «On a fermé une bonne partie de la Côte-Nord avec les gars de la construction. On a brassé la ville de Sept-Iles. Une grosse semaine d'arrêts de travail.» Godbout agissait en liaison avec Jean-Claude Sureau, le responsable de la FTQ-Construction sur la Côte, un grand plombier costaud. «Nous sommes retournés à l'ouvrage quand Louis et l'exécutif de la FTQ nous ont demandé de rentrer parce que les trois présidents allaient en appel. Jean Gérin-Lajoie était inquiet de nous voir aussi turbulents...»

Gérin-Lajoie, le directeur des Métallos, appuie le mouvement de solidarité mais ne cache pas ses appréhensions: «Chez nos syndicats du privé, il y avait des réticences à l'égard de certaines actions du Front commun. Les syndicats du secteur public avaient tendance à se mettre au-dessus des lois, au-dessus de la société. Ils exagéraient.»

Au bout du compte, les trois présidents portent leur cause en appel et sortent de la prison d'Orsainville après quinze jours de captivité, le 23 mai, au soulagement général. Ils ignorent encore qu'ils devront y retourner pour plus de cinq mois en 1973...

«Il fallait que les grèves arrêtent, dit Laberge. Il fallait calmer les esprits et éviter les débordements. De toute façon, je n'ai jamais pensé qu'on pouvait renverser un gouvernement au Québec par la grève générale! Mais on pouvait mettre de la pression et on l'a fait.» Fernand Daoust renchérit: «On se devait d'être responsables, sinon c'était le chaos. Il ne fallait pas jouer avec le feu.»

Les présidents décident aussi de recouvrer leur liberté pour une autre raison, reliée à la vie interne de la CSN où une grave scission est en cours. «C'était un gros facteur dans notre décision, note Charbonneau, car Marcel avait d'énormes problèmes avec son monde.» Le schisme allait conduire les éléments de droite de la CSN à fonder, en juin 1972, la Centrale des syndicats démocratiques (CSD), forte de 30 000 membres. La CSN perdra aussi les 30 000 cotisants du Syndicat des fonctionnaires provinciaux et quelques autres syndicats qui deviendront indépendants. Une saignée qui touchera au total près du tiers de ses membres.

Laberge se souvient d'avoir dit à Pepin, avec un humour cynique: «Marcel, si tu restes trop longtemps en dedans, tu n'auras peut-être plus de membres quand tu vas sortir...» Il ajoute: «Quand Yvon m'a demandé pourquoi je voulais sortir de prison, je lui ai répondu: ça va tellement bien chez nous à la FTQ que j'ai peur qu'ils s'habituent à mon absence...»

Les trois chefs invoquent une dernière raison à leur sortie de prison: pour relancer les négociations avec le Front commun, le premier ministre Bourassa a décidé de remplacer son jeune ministre de la Fonction publique, Jean-Paul L'Allier, par un ministre-négociateur plus chevronné, celui du Travail, Jean Cournoyer.

Les pourparlers vont donc bientôt reprendre et, en bout de ligne, les syndiqués obtiendront beaucoup plus que ce qu'offrait le gouvernement avant la grève. La FTQ sera la première à signer un protocole d'entente, pour tous ses groupes, le 15 octobre 1972. La durée de la convention collective est prolongée d'un an afin d'inclure le fameux salaire de base de 100 $ par semaine à compter du 1er juillet 74 — un salaire qui équivaut à environ la moitié du salaire industriel moyen au Québec à l'époque. Et la clause d'indexation est très généreuse.

Cournoyer confie: «La prolongation d'un an de la convention, c'est l'astuce qu'on avait trouvée Louis et moi.» Selon l'un des principaux négociateurs patronaux, Réjean Larouche, «Laberge exerçait un grand leadership à la table de négociations. C'est beaucoup grâce à lui qu'un règlement a pu être conclu.»

«Après les Événements de Mai, constate Laberge, le gouvernement a réussi à trouver 100 millions de dollars de plus pour les trois premières années du contrat, plus un autre 120 millions pour la quatrième année. Je suis convaincu que si on n'avait pas fait la grève générale et que si nous n'avions pas refusé d'obéir aux injonctions, nous n'aurions jamais pu obtenir un tel règlement.»[47]

Dans son rapport au congrès de la FTQ en 1973, Laberge tirera cette conclusion: «À bien y penser — et j'ai eu tout le temps d'y penser en prison — je suis convaincu que nous ne pouvions pas éviter cet affrontement terrible. Il était indispensable que nous menions cette lutte pour que justice soit faite à des milliers de travailleurs, parmi les plus démunis.»

Le retour à Orsainville

Le 31 janvier 1973, Louis Laberge se prélasse au bord de la mer au chaud soleil de Miami en Floride. Ses premières vraies vacances depuis des années. Hélas, à peine arrivé là-bas, il apprend qu'il doit rentrer au Québec, dans le froid et la neige, pour passer des vacances d'un tout autre genre. À «Orsainville Beach», comme il dit...

La Cour suprême du Canada vient de statuer qu'elle refuse d'entendre l'appel des trois présidents et qu'ils doivent purger leur peine d'un an de prison pour outrage au tribunal. La sentence avait déjà été maintenue par la Cour d'appel. Et ce, malgré tous les efforts de Me Philip Cutler, l'avocat de Laberge et du Front commun, un homme que Ti-Louis estime beaucoup. «Phil» est un ancien leader ouvrier qui a été emprisonné lui aussi pour ses activités syndicales lors de la Deuxième Guerre mondiale. Plombier de métier puis représentant de l'AFL à Montréal et vice-président de la FPTQ, il est devenu membre du Barreau en 1954 et œuvre au service des syndicats.

Laberge comprend donc que le sort en est jeté. De retour au Québec, il dissuade tous ses proches à la FTQ d'organiser quoi que ce soit, ni manifestations, ni débrayages, ni coups d'éclat. Il passe son dernier week-end en famille et le lundi 5 février est son ultime journée de liberté avant d'être incarcéré à Orsainville. Le midi, il salue une dernière fois les permanents de la FTQ réunis à Québec. Il préside ensuite une réunion des membres de son exécutif, soupe et prend un dernier verre avec eux à la *Cave des Moines*, puis ses collègues vont le conduire à Orsainville, vers 21 heures. Gérin-Lajoie se rappelle une anecdote: «On est tous allés le reconduire avec mon auto, une familiale. On devait y aller dans l'immense Cadillac blanche de Dédé Desjardins mais son "char" ne partait pas. Dédé était furieux...»

Dernière déclaration de Laberge aux médias avant d'être emprisonné: «C'est une condamnation politique. Je ne demanderai pas pardon et je ne reviendrai pas sur mes principes. Mais quant au reste, si on m'offre une porte de sortie, je ne me ferai pas prier pour partir.» Faisant allusion à la rocambolesque évasion du criminel Lucien Rivard de la prison de Bordeaux à l'hiver 1965, Ti-Louis conclut avec un humour plutôt noir: «S'ils veulent me faire arroser la patinoire, c'est avec plaisir que je le ferai!.»

En réalité, ce soir du 5 février 1973, Laberge n'a aucune envie d'aller croupir en prison. Il ne le «prend» tout simplement pas et ça lui fait très mal.

* * *

Les trois présidents vont vivre trois mois et demi à l'ombre avant d'être libérés en mai 1973. Une libération limitée puisqu'ils devront ensuite passer toutes leurs fins de semaine en prison jusqu'à la mi-septembre. Si on ajoute les quinze jours déjà purgés en 1972, cela fera près de six mois d'emprisonnement au total. «Je n'ai pas oublié une journée, une heure, une minute, une seconde du temps que j'ai passé en dedans», dit Laberge en serrant les dents.

Lui et ses compagnons Pepin et Charbonneau cohabitent dans une très grande cellule. Une sorte de dortoir avec une dizaine d'espaces pour des lits, une salle commune, une toilette et une douche. Chacun y possède son coin, délimité par une cloison, où il peut vaquer à ses affaires personnelles.

«Les gardiens nous regardaient parfois comme si on était des tigres en cage, se souvient Charbonneau. C'était vrai en particulier de Louis, assez impatient et qui trouvait le temps long. Chacun faisait son affaire, on écrivait beaucoup, on lisait. Louis s'est fait apporter des piles de livres. On n'a pas eu de grandes conversations intellectuelles, mais on a fait beaucoup de plaisanteries en regardant la télévision ensemble et en jouant aux cartes. Je perdais tout le temps aux cartes, je ne suis pas un bon joueur.»

Pepin ajoute: «La prison, c'est la meilleure retraite fermée que tu puisses faire... Heureusement qu'on jouait aux cartes. Comme on était trois, on jouait au neuf. Louis est un excellent joueur, mais il ne se forçait pas pour avoir un visage impassible, une "poker face": je le savais quand il avait un bon jeu... On avait des petites gageures, c'est Louis qui tenait les comptes. J'ai gagné, mais je n'ai pas réclamé mes dettes de jeu...»

Pepin et Charbonneau se rappellent que «Louis était souvent et longuement en train de faire sa toilette. Il pouvait se raser jusqu'à trois fois par jour quand il avait des visites. Il est fier de sa personne et il a un bon moral.» Habitué d'être tiré à quatre épingles, Ti-Louis n'a toutefois pas de quoi plastronner dans son «bel habit gris» de prisonnier.

«La prison nous a beaucoup rapprochés tous les trois»,

dit-il. Ses compagnons sont plutôt des intellectuels alors que lui est davantage porté vers l'action, note-t-il. «Mais Yvon n'est pas aussi austère qu'il en a l'air, c'est un pince-sans-rire. Il était très radical, très à gauche dans ce temps-là. Quant à Marcel, malgré ses airs bourrus, c'est un bon vivant comme moi et il a un bon sens de l'humour.»

Laberge a beaucoup lu et beaucoup écrit. Il a fait beaucoup d'exercice physique au gymnase et a maigri de 42 livres — qu'il a reprises par la suite, hélas. Il était membre de l'équipe de ballon volant et a gagné un tournoi de ping-pong, jeu dans lequel il excelle. Pour le reste, «je m'occupais de certains dossiers de la FTQ, je gardais le contact avec Fernand (Daoust), qui tenait le fort en mon absence et qui a fait un excellent boulot.»

Il dit avoir beaucoup réfléchi en prison à plusieurs questions syndicales et à l'une d'entre elles en particulier: l'autonomie de la FTQ et de ses syndicats au Canada et en Amérique du Nord. «J'étais convaincu que les relations entre les membres québécois et les directions des syndicats, tant canadiens que nord-américains, changeraient inévitablement au cours des années à venir. C'était une tendance absolument irréversible.»

Une réunion du bureau de direction de la FTQ s'est tenue à Orsainville, avec la permission spéciale du directeur de la prison. Une réunion restée mémorable parce que Fernand Daoust avait réussi à apporter, sous le manteau, un cadeau à Laberge — qui n'avait rien demandé, tient-il à préciser: un petit flacon de cognac... «Louis était sevré depuis assez longtemps, raconte Daoust, on s'est dit: il lui faut un médicament.» Laberge a pu boire quelques rasades lors de la réunion, les membres de l'exécutif aussi, en l'absence temporaire du surveillant. Mais quand ce dernier est revenu, il a bien senti que toute la pièce embaumait le cognac! «Ça sentait fort en sapristi», dit le grand Fernand, qui a pu faire disparaître subrepticement le flacon avant d'être fouillé à la sortie...

* * *

Daoust et un autre membre de l'exécutif de la FTQ, le vice-président Jacques Brûlé, ont fait des démarches pour que les trois chefs puissent sortir plus rapidement de prison. Brûlé révèle: «J'étais membre du Conseil consultatif de la justice, comme représentant des syndicats, et j'avais un laissez-passer pour rencontrer les présidents en prison en tout temps. Nous avons tenté de faire des arrangements en vue d'une sortie plus rapide, avec l'aide, entre autres, du ministre du Travail Jean Cournoyer. Mais le projet a été bloqué en haut lieu.» Robert Bourassa se justifie: «Je ne voulais pas m'ingérer dans l'administration de la justice, tout simplement. Ce n'était pas par esprit de vengeance.»

Malgré les pressions politiques et syndicales de toutes sortes, y compris des centrales ouvrières internationales et du Bureau international du travail, les présidents vont donc purger toute leur peine. Le 1er mai 1973 à Montréal, lors d'une manifestation imposante, près de 30 000 personnes descendent dans la rue pour réclamer leur libération, à l'appel des syndicats et du Parti québécois. Le président de l'exécutif national du PQ, Jacques Parizeau, marche en tête du cortège avec les leaders syndicaux.

Les trois prisonniers vont quitter leur cellule à la date prévue en vertu des libérations conditionnelles, le 16 mai 1973, par une belle journée ensoleillée de printemps. À sa sortie de prison, Laberge ne peut s'empêcher de lancer, frondeur: «On ne trouve que du monde bien ordinaire en dedans. Je n'y ai pas vu un seul patron, même s'il y en qui mériteraient d'y aller... Aucun juge ni aucun avocat... Chose certaine, les membres de la FTQ avaient la majorité en dedans! J'ai pu trouver du travail à 22 détenus: dans la construction, le transport, les hôpitaux, les hôtels et les restaurants.»

Et de conclure sur l'essentiel: «Je suis toujours aussi convaincu de la nécessité de renverser le régime Bourassa. Et c'est le Parti québécois qui semble le mieux répondre aux aspirations de nos membres.»[49]

Selon Jean Gérin-Lajoie, «Louis n'était pas du tout

abattu quand il est sorti de prison. Il était plus calme et en grande forme physique et mentale. Il avait profité de sa longue période d'exercice physique et de sobriété.» Plusieurs membres de l'état-major de la FTQ, qui demandaient à Laberge de «mettre la pédale douce» sur sa consommation d'alcool, notent qu'il s'était radouci à cet égard. Il était «régénéré et assagi», selon ses garçons.

L'un d'eux, Pierre, a ce commentaire perspicace: «Comme chef syndical, mon père n'était pas mécontent d'être allé en prison: ça prouvait qu'il était prêt à aller loin pour défendre ses membres.» Même son de cloche chez un vieux compagnon d'armes de Laberge, Émile Boudreau des Métallos: «Ça ne lui déplaisait pas d'avoir ça à son palmarès, c'était une plume à son chapeau. Il m'a dit: "Y a pas que Michel Chartrand qui peut aller en prison, moi itou!" Et puis c'est un gars brave, courageux: il n'a pas peur des conséquences de ses actes, il en assume la responsabilité.»

Autre point de vue chez l'un de ses vieux amis de Canadair, Robert Soupras: «Cette expérience-là en prison, il ne l'a pas prise pantoute. Il était prêt à aller jusqu'au bout, donc en prison, mais je ne sais pas s'il était aussi prêt une fois en dedans! Louis est un bon vivant et ce n'est pas en prison que tu profites de la vie...»

Selon André Leclerc de la FTQ, «ça l'a beaucoup marqué. Il a mesuré les conséquences et les limites d'une certaine forme de radicalisme. Pour lui, tu ne pouvais pas aller plus loin dans cette direction-là. Louis n'a pas abdiqué ses idéaux mais il a senti, amèrement, la nécessité d'éviter des chocs aussi forts. Sinon c'était quoi l'étape suivante? L'insurrection? Louis a toujours été contre tout extrémisme.»

Pour Jean-Guy Frenette, «tout cela aurait pu entraîner un dérapage et des conséquences beaucoup plus graves pour le mouvement syndical. En prison, Louis a beaucoup réfléchi. Il a notamment vu que trop de radicalisme pourrait provoquer une scission au sein de la FTQ, comme il venait d'y en avoir une à la CSN.»

Commentant ces événements vingt ans plus tard, Robert

Bourassa ironise: «Louis Laberge disait qu'il fallait casser le régime en place. Ses discours sans excès de nuances, inspirés d'un philosophe un peu passé de mode du nom de Karl Marx, ont été suivis d'une période de réflexion intense dans un monastère de style particulier, en banlieue de Québec...» Plus sérieusement, le chef libéral ajoute: «Des leaders syndicaux recommandaient de ne pas respecter les lois, dans des services publics essentiels comme la santé. C'était de la désobéissance civile, ce n'était ni légal ni légitime.»

Quant à Laberge, il persiste et signe: «Je ne regrette rien, j'ai fait ce que je considérais devoir faire. Bourassa a peut-être fait sa job en me mettant en prison, moi j'ai fait la mienne, je me suis battu pour mes principes.»

Comme disait le grand leader syndical américain Eugene Debs, «j'aime mille fois mieux me sentir moralement libre en prison que de devoir ma liberté à la flagornerie ou à la poltronnerie».

Chapitre 14

De l'amour et des combats

L'amour de Lucille

Pendant son emprisonnement à Orsainville, Louis Laberge a été réconforté par les rares visites autorisées, le dimanche, de sa famille et de quelques amis proches.

Mais la visite qui lui fait le plus chaud au cœur et qu'il attend toujours avec une impatience fébrile, c'est celle de Lucille... Lucille Chaput, le deuxième grand amour de sa vie. Une femme qu'il aime passionnément depuis quelques années déjà et qu'il épousera en 1980.

Lucille le rencontre à la prison accompagnée de la secrétaire particulière — et complice — de Laberge, Gisèle Roth. Celle-ci raconte: «Ils étaient en amour par-dessus la tête. Le plus dur pour monsieur Laberge à cette époque-là, c'était d'être séparé d'elle. Ils se voyaient à travers la vitre épaisse de la prison. Lucille pleurait toutes les larmes de son corps, lui aussi. J'ai vu monsieur Laberge pleurer plusieurs fois dans sa vie, mais pas autant qu'à ces moments-là. C'était pathétique.»

Laberge confie avec retenue: «C'était pas drôle pour Lucille: en plein hiver, dans les tempêtes de neige, elle faisait le trajet Montréal-Québec aller-retour pour venir me voir avec madame Roth. Une fois par semaine, à peine une petite demi-heure. On n'avait pas le privilège de se voir plus longtemps...»

Lucille et Louis se connaissaient depuis le milieu des années 60. Mais voilà: c'était la femme d'un bon ami de Laberge, le syndicaliste Roger Perreault, directeur du Conseil des métiers de la construction. «La femme d'un vieux "chum", c'était sacré pour moi. Mais malgré mon grand courage, je n'ai que trop peu résisté! J'ai quand même résisté, j'ai beaucoup hésité. Nous avons commencé à nous voir de temps en temps, en secret, mal à l'aise tous les deux.» C'était au début de 1965. Louis avait 40 ans, Lucille 35.

«C'était une jolie femme, avec des yeux pétillants et une couette blanche dans ses cheveux noirs.» Il l'appelle «ma noironne», elle l'appelle «mon Ti-Pit»... Elle est toute simple, très «nature», timide aussi, mais elle a du caractère. «J'ai quasiment rencontré une petite sauvageonne. Et je voulais qu'elle garde son naturel, je ne voulais pas la changer. Je me souviens encore de notre première rencontre avec un groupe d'amis. On jouait aux cartes, elle adore les cartes elle aussi. Elle m'est tombée dans l'œil et j'ai tout fait pour paraître à mon mieux...»

Lucille raconte leur histoire d'amour avec une candeur désarmante: «Pour moi, ce fut le coup de foudre. Sa gentillesse, sa politesse, ses petites attentions, c'est comme ça qu'il m'a séduite. Il faisait le baisemain, il était courtois et charmeur. Et il pensait aux autres avant tout.» Elle avoue: «Je lui ai un peu forcé la main. Après notre première rencontre, c'est moi qui l'ai appelé pour le revoir, j'ai couru après. On s'est revu en tête-à-tête à quelques reprises et chaque fois Louis me disait: faut pas faire de folies, tu as pris un verre, tu vas le regretter demain, vaut mieux que tu partes.»

Une bonne fois, révèle Lucille, elle ne l'a pas prévenu et s'est présentée à sa chambre d'hôtel à l'improviste durant un congrès. Aussitôt qu'il a ouvert la porte, elle lui a sauté au cou, l'a embrassé et s'est exclamée:

— Louis, je n'ai pas bu une seule goutte, je suis parfaitement lucide...

Il lui a répondu du tac au tac:

— Justement, veux-tu prendre un verre?

Et il l'a gardée avec lui...

Lucille Chaput vient d'une famille de quinze enfants. Elle-même en a eu neuf, dont deux fois des jumeaux, mais seulement quatre de ses enfants ont survécu. Son mari, Roger Perreault, un journalier dans le bâtiment, est devenu gérant de l'Union des journaliers puis directeur général du Conseil des métiers de la construction. Elle s'est toujours intéressée aux affaires syndicales, davantage que l'épouse de Laberge, et c'est cela aussi qui a séduit Ti-Louis. Elle va l'accompagner presque partout dans ses activités et lui servira même de chauffeur dans ses nombreux déplacements.

En 1974, à 50 ans, Louis Laberge se séparera de sa femme Thérèse, après trente ans de mariage et alors que les enfants ont tous quitté la maison. Il divorcera en 1979 pour se remarier l'année suivante avec Lucille. Ils vivent depuis 1977 dans leur maison de L'Assomption non loin de Montréal.

Selon Michel Laberge, l'aîné des fils de Louis, «contrairement à Thérèse, Lucille a tellement accepté la job de mon père qu'elle était prête à aller avec lui et à le conduire à des tas d'assemblées syndicales et de rencontres en tous genres. Elle est aussi devenue une sorte de conseillère, ses yeux et ses oreilles dans les milieux syndicaux. Et surtout, elle l'a rendu heureux. Par contre, Louis a conservé de bonnes relations avec Thérèse: c'est elle qui a gardé la maison à Montréal et il l'a bien soutenue financièrement. Il dit: "c'est la mère de mes enfants, ça je ne l'oublierai jamais."»

Il a même réussi, à partir des années 80, un petit tour de force: réunir Lucille et Thérèse chaque Jour de l'An pour les festivités familiales. C'est également lui qui a présenté à Thérèse son nouvel ami, un syndicaliste de l'Union des employés de services (FTQ), Marcel Ménard. Thérèse dit aujourd'hui: «Notre séparation m'a fait très mal, mais Louis et moi nous avons trop de bons souvenirs ensemble. On a de l'estime l'un pour l'autre et je l'ai toujours beaucoup admiré.»

«Quand j'ai connu Louis dans les années 60, raconte aujourd'hui Lucille avec un sourire lumineux, il avait plus mauvais caractère que maintenant. Il piquait parfois des colères noires. Un homme tellement "prime" qu'il pouvait donner un coup de poing dans le mur! Mais il s'est beaucoup radouci à mon contact...»

Elle poursuit: «Bien sûr, ce n'est pas le genre d'homme à se laisser manger la laine sur le dos. Mais Louis est capable de beaucoup de tendresse, il est très sensible. On a vécu de très belles années, sans grosses chicanes. On se chicane seulement quand on joue aux cartes l'un contre l'autre: je suis mauvaise perdante...»

Occupation du ministère du Travail

Dès sa sortie de prison en mai 1973, Louis Laberge est rapidement happé par les activités et les luttes syndicales, en cette période de fortes turbulences sociales.

Le 11 juin, en compagnie de ses vieux complices Pepin et Charbonneau, il participe à une grande manifestation intersyndicale à Joliette en guise d'appui à des syndiqués en lutte contre deux multinationales américaines: Firestone (10 mois de grève au total) et Gypsum (20 mois). Un front commun FTQ-CSN-CEQ s'est formé dans la région.

Les grévistes de l'usine de pneus Firestone, membres de la FTQ, vont finalement gagner leur bataille. Laberge se souvient de leur slogan: «La victoire appartient à ceux qui tiennent une minute de plus.» Devant la menace brandie par la compagnie de déménager ses pénates hors du Québec, il avait dit en conférence de presse: «Ils peuvent bien s'en aller s'ils le veulent, mais ils n'auront plus d'équipement à déménager...» Ti-Louis n'avait rien perdu de son franc-parler malgré son séjour à l'ombre.

Il monte à nouveau sur la ligne de feu le 27 août 1973, en

plein été chaud, lors d'une action d'éclat: près de 400 grévistes, venant d'une vingtaine d'entreprises syndiquées FTQ et CSN, font l'occupation des bureaux du ministère du Travail, boulevard Crémazie à Montréal. Les occupants, qui ont apporté leurs sacs de couchage pour tenir durant un long siège, réclament une loi anti-briseurs de grève et exigent de rencontrer le ministre Jean Cournoyer. Ce dernier est dans les Laurentides et c'est Laberge, de son bureau de la FTQ, qui finit par le rejoindre au téléphone:

— Il faut que tu descendes à Montréal, dit-il à son ami Ti-Jean. La police menace d'évacuer les occupants, ça va faire du grabuge. Je serai là avec Marcel (Pepin). Tu dois venir leur parler absolument.

— Je n'accepte pas ces méthodes-là, répond Cournoyer. Mais je vais quand même y aller parce que tu me le demandes et que tu es le plus parlable des chefs syndicaux.

Arrivé sur les lieux, le ministre, flanqué de Laberge et Pepin, rencontre les occupants qui lui lisent un manifeste et expliquent chacun leur conflit. Sous la pression, il finit par promettre une loi anti-briseurs de grève, assortie de dispositions assurant que le vote de grève soit pris au scrutin secret. Selon André Leclerc, l'organisateur de l'occupation pour la FTQ, «c'est Louis qui a pu arracher la promesse de cette loi, avec l'aide des occupants évidemment...»

La loi anti-briseurs de grève ne sera pas votée par le gouvernement libéral mais par le nouveau gouvernement du PQ, en 1977, lors de la réforme du code du travail.

Autre succès encourageant pour Laberge qui y a travaillé fort, mais pas autant que Fernand Daoust et Jean-Guy Frenette, dit-il: la relance à Témiscaming dans le nord-ouest québécois, sous le nom de Tembec, de l'usine de pâte fermée sauvagement par la multinationale américaine Canadian International Paper. Les opérations reprennent en 1973 un an après la fermeture, grâce à la détermination et à l'investissement de 400 travailleurs membres du Syndicat du papier, des cadres et de la population locale aidés par le gouvernement du Québec. Tembec sera l'un des grands *success stories* de l'entrepreneuriat québécois et un modèle de participation ouvrière à l'entreprise. Laberge évoquera ce précédent lorsqu'il lancera le Fonds de solidarité de la FTQ, dix ans plus tard.

Ti-Louis songe à partir...

«Je suis infiniment déçu du résultat des élections provinciales. Je ne suis pas sûr que je serai prêt à accepter un autre mandat à la présidence de la FTQ au prochain congrès...»

Sous un titre fracassant («Laberge veut tout lâcher»), *La Presse* publie ces propos pleins d'amertume au lendemain du scrutin du 29 octobre 1973. L'électorat a reporté massivement au pouvoir le Parti libéral de Robert Bourassa, «ce bâtard de gouvernement...». Le Parti québécois de René Lévesque augmente son score comparativement à 1970, franchissant le cap de 30 % des voix; mais il ne fait élire que six députés à cause du mode de scrutin. La pilule est dure à avaler pour Laberge.

Sans appuyer officiellement le PQ, la FTQ avait donné comme mot d'ordre de voter contre le gouvernement Bourassa, «un des gouvernements les plus antisyndicaux de notre histoire» selon la formule rituelle. Et d'appuyer des candidats issus du mouvement syndical, qui se présentaient presque tous sous l'étiquette du PQ. Laberge révèle à *La Presse*: «J'ai voté pour le Parti québécois bien que je ne croie pas au séparatisme.» Deux des plus grands syndicats affiliés à la FTQ, les Métallos de Gérin-Lajoie et le SCFP de Jacques Brûlé, ont appuyé le PQ.

Un des représentants de la garde montante des Métallos, Clément Godbout de Sept-Îles, a été battu de justesse comme candidat péquiste dans le comté de Duplessis. Il s'en souvient avec amertume: «J'ai été battu, entre autres, à cause de certains gars de la construction qui ont fourni de l'huile à bras au Parti libéral. Des gars de Dédé Desjardins en particulier. Louis avait pourtant dit à Dédé en lui tordant le bras: nuis pas à Godbout! Louis m'en a reparlé après l'élection, il avait presque les larmes aux yeux... René Lévesque a dénoncé publiquement «la gang à Dédé...»

* * *

Lorsque le congrès de la FTQ arrive en décembre 1973, Laberge, remis de ses émotions, est à nouveau candidat à la présidence comme un seul homme. Et il n'a pas d'opposition comme d'habitude.

Dans son rapport aux congressistes, il revient sur les dernières élections: «Nous avons dénoncé le gouvernement Bourassa, le plus acharné de notre histoire à vouloir détruire le mouvement ouvrier. Mais nous avons cru bon de ne pas intervenir *(en faveur du PQ)* de peur de nuire aux forces progressistes qui participaient à cette élection et dont l'image publique était meilleure que la nôtre.» Mais c'était «une erreur de stratégie», croit-il. Selon un sondage réalisé lors du congrès, 76% des délégués ont voté PQ et 11 % libéral.

Mais Laberge sait bien que la cote d'amour des syndicats est en chute libre: «Être réaliste, dit-il dans son rapport, c'est être conscient que notre action n'est pas comprise et acceptée par la majorité des citoyens. Cela veut dire aussi qu'on regarde bien en face les faiblesses de la conscience collective des travailleurs.» Ces travailleurs qui votent pour les libéraux et qui ont encore une peur bleue du socialisme «rouge». Pourtant, «lorsque nous évoquons le socialisme démocratique, nous ne faisons qu'affirmer la primauté des hommes sur l'argent».

Ti-Louis reconnaît que plusieurs le trouvent «trop revendicateur et parfois emmerdeur», mais il dit du même souffle: «Je ne suis pas convaincu que je respecterai toutes les lois à l'avenir.» Comme pour lui donner raison, le congrès vote une résolution très radicale en faveur de la «désobéissance civile», au besoin, pour riposter aux injonctions et aux lois spéciales jugées injustes.

L'exécutif élu au congrès est solidement aligné derrière Laberge. Il se compose, outre le tandem Laberge-Daoust, des vice-présidents Gérin-Lajoie, Brûlé, Dean, Desjardins, Linds et de deux nouveaux venus: Aimé Gohier de l'Union des employés de services, un ancien machiniste confrère de Laberge à Canadair, et Marcel Perreault du Syndicat des postiers, président du Conseil du travail de Montréal et identifié à l'aile gauche de la centrale.

Les femmes à la FTQ

L'exécutif de la FTQ ne comprend alors aucune femme.

Même si la fédération compte en 1973 au moins 20 % de travailleuses dans ses rangs, elle n'a encore jamais élu de femme à son bureau de direction. Et parmi les quelque 700 permanents des syndicats affiliés, on dénombre un pourcentage minuscule de femmes: 3 %[50]. Il faudra attendre six années encore, jusqu'en 1979, pour qu'une première dirigeante syndicale accède à une vice-présidence, Marie Pinsonneault du syndicat de Bell Canada.

Le congrès de la FTQ fait un petit pas en 1973 en votant ses premières résolutions «féministes». Des résolutions modérées issues du rapport d'un comité sur la condition féminine formé l'année précédente par la centrale. Laberge, qui n'a évidemment rien d'un militant de la cause féministe, avoue au congrès que lui et ses confrères ont des croûtes à manger pour modifier leur mentalité à ce sujet mais qu'ils doivent le faire. Il se rappelle ses prises de bec avec Huguette Plamondon, la seule femme membre de l'exécutif du CTC où il siège aussi, et se dit en son for intérieur qu'il a de vieilles habitudes à changer.

«Comme beaucoup d'hommes de sa génération, il était alors très macho, même s'il avait assez d'habileté pour ne pas trop le laisser paraître», dit Mona-Josée Gagnon, qui peut s'enorgueillir d'avoir été la première femme embauchée comme permanente à la FTQ, justement en cette année 1973. Elle avait auparavant coordonné les travaux du comité sur la condition féminine.

Sociologue de formation, Gagnon a été engagée au service de la recherche — dont elle deviendra plus tard directrice — malgré certaines réserves de Laberge, se souvient Jean-Guy Frenette, responsable du service à l'époque: «Louis disait qu'elle n'était pas assez polyvalente parce qu'elle ne pourrait pas travailler avec les gars de la construction... Dans ce temps-là, quand il parlait des employées de bureau, il disait encore "les p'tites filles". Même s'il y avait de plus en plus de femmes au sein de la FTQ, Louis et presque tout son exécutif n'étaient pas encore ouverts à leurs problèmes.»

À preuve, cette petite histoire survenue en 1974 lors d'un conseil général de la FTQ. Mona-Josée Gagnon avait dû amener à la réunion son fils de quatre ans, Sébastien, et le petit s'amusait avec ses cahiers à colorier, près de sa mère, au fond de la salle. À un certain moment, l'enfant se faufile sous une table et provoque un certain remous à l'arrière. Laberge, qui préside la réunion, se hérisse:

— Tu parles d'une idée d'amener un enfant ici, ce n'est pas une garderie!

Alors que Mona-Josée Gagnon s'apprête à quitter les lieux avec son fils, quelqu'un dans la salle propose que le petit puisse rester avec sa mère. La proposition, dûment secondée, est votée majoritairement.

Laberge admet franchement aujourd'hui qu'il a dû «faire pas mal de millage» sur la question de la place des femmes dans le mouvement syndical et dans la société, mais qu'il était représentatif de sa génération: «Les plus jeunes nous ont poussés dans le dos. Et comme je l'ai dit maintes fois aux militantes syndicales: vous ne serez jamais si bien servies que par vous-mêmes. Je crois que les femmes ont maintenant leur mot à dire à la direction de la FTQ. De façon générale, elles ont fait des pas de géantes. Mais il reste beaucoup à faire, et c'est pourquoi il faut implanter des programmes d'accès à l'égalité et d'équité salariale dans les milieux de travail.»

Lauraine Vaillancourt de l'Union du vêtement pour dames, qui sera élue plus tard vice-présidente de la FTQ, est responsable du dossier de la condition féminine à la direction de la centrale. Elle estime que Laberge a fait «tout un cheminement» sur la question des femmes: «Il l'a fait tardivement mais il l'a fait avec sincérité. Pour Louis, la FTQ était une gang de gars, de bras même, mais on lui a parlé fort, et il a pris la peine de nous écouter. Une fois convaincu, il est embarqué avec nous, il a tenu parole, et les femmes sont devenues partie prenante à la FTQ. Il a fait bien plus que simplement féminiser ses discours...» Elle révèle: «Je l'ai souvent pris par les sentiments car c'est un tendre, il est plein d'émotions et peut pleurer, contrairement à bien des hommes.»

Parmi les incidents qui l'ont marqué, Laberge se souvient de ce qu'il appelle «l'affaire du baisemain». Lui qui était parfois enclin, «par courtoisie», à baiser la main des femmes qu'il rencontrait, il s'est fait «revirer raide» un jour: une militante syndicale féministe, offusquée, a retiré sa main rapidement et avec dégoût. «Je n'aime pas les féministes radicales, mais je me suis dit que j'étais peut-être un peu vieux jeu avec les femmes.»

«Malgré ses airs parfois macho, il a toujours eu un grand respect pour les femmes», estime son conseiller Jean-Guy Frenette, qui raconte cette histoire: «À la fin des années 60, une secrétaire de la FTQ s'était plainte auprès de moi qu'un professeur d'université, engagé pour nos cours d'éducation syndicale au Collège canadien des travailleurs, faisait ce qu'on appellerait aujourd'hui du harcèlement sexuel. J'en ai parlé à Louis et ça n'a pas été une traînerie: il a fait renvoyer le professeur sur-le-champ. Louis n'a jamais toléré ce genre de choses.»

FTQ-CTC: vers la souveraineté-association

Pince-sans-rire, Laberge parle des syndicalistes du Canada anglais: «Nos amis anglophones ont du respect pour nous et sont prêts à nous écouter... quoiqu'ils ne portent pas toujours leur appareil de traduction simultanée lors des congrès. Ils ont quand même compris au congrès du CTC, en 1974, que les Québécois étaient vraiment différents...»

Cette année-là est à marquer d'une pierre blanche pour la

FTQ qui conquiert finalement, après une décennie de palabres interminables, ce que Laberge appelle laborieusement «un statut particulier d'autonomie qui nous engage dans la voie de la souveraineté-association» à l'égard du Congrès du travail du Canada. L'événement tant attendu se produit lors du congrès de la centrale canadienne, en mai, à Vancouver.

Pour l'emporter à ce congrès capital qui doit décider de son avenir face au CTC, la FTQ a confectionné pour les délégués un document choc intitulé *Appel aux syndiqués de tout le Canada*[51]. Elle y réclame un transfert de juridictions, de pouvoirs et de ressources financières en sa faveur afin, déclare Laberge, de concrétiser «le droit des syndiqués québécois de vivre une vie syndicale autonome tout en participant à la vie syndicale canadienne si c'est là leur décision». Il nous faut «le maximum d'autonomie», insiste-t-il. Et pour ce, il faut aussi redéfinir les liens avec les syndicats canadiens et nord-américains.

Les revendications de la FTQ là-dessus remontent au début des années 60; elle a présenté sa première résolution sur le transfert de juridictions lors du congrès du CTC en 1966. Un de ses arguments majeurs est la présence d'une centrale rivale au Québec: «Si on compare les ressources de la FTQ à celles de la CSN, on se demande combien de temps encore nous pourrons tenir le coup.» Et de souligner que le budget annuel de la CSN en 1974 est de l'ordre de 3,5 millions de dollars, alors que celui de la FTQ atteint à peine un demi-million. Même si ses grands syndicats affiliés sont plus riches et plus forts que ceux de la CSN, la FTQ elle-même ne fait pas le poids comme centrale.

Selon l'ex-président Marcel Pepin, «la FTQ a joué la carte de la CSN pour marquer des points. Louis me le disait: "J'ai besoin d'une CSN forte, ça m'aide à aller me battre à Ottawa!"» Laberge corrobore: «Je ne crois pas que nous aurions évolué aussi vite s'il n'y avait pas eu la CSN. On s'en est servi pour aller chercher plus d'autonomie.»

Ce que la FTQ exige minimalement tient en trois points:

1- Le transfert de la juridiction complète sur les services d'éducation et de formation syndicales;

2- Le transfert de la juridiction complète sur les Conseils du travail régionaux et locaux;

3- Le transfert des ressources humaines et financières correspondant à l'argent versé au CTC par les syndiqués québécois et en retour duquel ils reçoivent moins de services à cause de leur spécificité linguistique et culturelle.

Pour forcer la main de la centrale canadienne, la FTQ a mis sur pied son propre service d'éducation en septembre 1973. Laberge explique: «Nos amis du CTC étaient prêts à négocier pendant 100 ans... On s'est donc dit: on est mieux de mettre le pied dans la porte et de négocier ensuite. De créer des précédents, comme font les Anglais. La réalité est plus importante que les textes. Sais-tu que les statuts de la FTQ n'ont jamais été ratifiés par le CTC comme ce devrait être théoriquement le cas?»

Fernand Daoust se rappelle qu'un journaliste a demandé à Laberge à l'époque:

— Ce que vous faites là, n'est-ce pas contraire aux statuts du CTC?

— Ah oui, les statuts du CTC.... ça fait longtemps que je les ai pas lus...

Lorsque le congrès débute à Vancouver en mai 1974, la FTQ est bien préparée. Elle n'a pas l'appui de la direction du CTC mais croit pouvoir gagner celui d'une majorité de congressistes, surtout les délégués des deux plus grands syndicats, le SCFP et les Métallos, mis dans le coup par leurs camarades québécois. On espère ainsi éviter un schisme grave.

Lorsque la commission des structures, contrôlée par les dirigeants du CTC, recommande le rejet de la résolution autonomiste de la FTQ, un coup de théâtre se produit: les délégués désavouent leurs dirigeants, à une très forte majorité, après un long débat tenu dans un climat agité. Laberge, suivi de Daoust et Gérin-Lajoie, est allé au micro défendre énergiquement la position de sa centrale. Le lendemain, par un vote de plus de 80 %, le congrès approuve l'octroi d'un statut particulier à la FTQ. «Un vote historique», commente Laberge. Le transfert des pouvoirs sera rapidement négocié et réglé en 1975, grâce à la coopération des deux parties.

«Nous avons réussi à revirer le congrès de notre bord», se souvient Ti-Louis avec satisfaction. La FTQ a même fait battre le vice-président québécois sortant du CTC, Jean Beaudry des Métallos, qui s'était opposé à la résolution autonomiste. Il a été remplacé par Julien Major du Syndicat du papier, un ancien permanent de la FTQ qui fut militant du Parti communiste dans sa jeunesse. Contre la «slate», la FTQ a aussi contribué à faire élire Don Montgomery des Métallos et Shirley Carr du SCFP. Celle-ci sera la première femme élue présidente du Congrès du travail du Canada dans les années 80.

Laberge ajoute: «Sans vouloir me vanter, je crois bien que si je l'avais voulu, j'aurais été élu président du CTC contre le candidat officiel Joe Morris, un bon gars mais un syndicaliste de la Colombie-Britannique qui ne comprenait pas le Québec. Mais ça ne m'intéressait pas une maudite miette d'aller à Ottawa. J'ai dit aux gens de la FTQ qui m'incitaient à y aller: pensez pas que vous allez vous débarrasser de moi comme ça!»

À l'issue du congrès, il a même été «baveux sur les bords» en réponse aux questions de la presse: «Pourquoi irais-je vivre à Ottawa quand je peux contrôler le CTC en restant à Montréal?...»

* * *

La FTQ n'était toutefois pas au bout de ses peines avec la centrale canadienne. Quelques années plus tard, révèle Laberge, il devra se défendre contre une attaque menée par la vice-présidente Shirley Carr, qu'il avait pourtant aidée à se faire élire à l'exécutif. Celle-ci recommande en effet, dans un rapport confidentiel, de mettre la FTQ sous une forme de tutelle parce qu'elle ne se conforme pas aux statuts du CTC.

Lors d'une réunion de l'exécutif de la centrale, le président Joe Morris remet copie du rapport à tous les membres présents. Laberge le parcourt rapidement, fourre ses dossiers dans sa serviette, se lève et s'apprête à claquer la porte de la réunion. Joe Morris l'interpelle:

— Eh Louis, where are you going?

— Je m'en vais... Si le CTC décide de mettre la FTQ sous tutelle, je n'ai plus le droit de siéger à l'exécutif, je n'ai donc plus rien à faire ici!

— Je n'ai pas encore lu le rapport, répond Morris. On en reparlera quand je l'aurai examiné.

Laberge se rassied. Morris fait ramasser toutes les copies du rapport et ordonne qu'elles soient déposées sur son bureau. On n'a jamais reparlé du fameux rapport...

Autre incident inédit raconté par Laberge: la vice-présidente Shirley Carr a fait des démarches auprès de la centrale américaine, l'AFL-CIO, «pour qu'elle aide le CTC à mettre la FTQ au pas». La FTQ est donc invitée à une rencontre à Washington, au siège de l'AFL-CIO, à laquelle participent Carr, Laberge et Fernand Daoust. Or le mandataire des Américains dans ce dossier est Paul Hall du Syndicat des marins, une vieille connaissance du président de la FTQ. «Les folies se sont arrêtées là, révèle Laberge. C'est la seule fois que j'ai eu affaire directement à l'AFL-CIO, et la seule fois que je suis allé à leur bureau. Ils ne nous ont jamais achalés.»

Il ajoute ce grain de sel: «J'ai trouvé plutôt incongru que Shirley Carr, venant d'un syndicat entièrement canadien comme le SCFP, fasse appel aux Américains de l'AFL-CIO...»

Plusieurs syndicats affiliés à la FTQ avaient, à cette époque, commencé à mener des luttes autonomistes majeures au sein de syndicats nord-américains et canadiens. Des groupes avaient rompu avec leurs «unions internationales» pour former des syndicats canadiens et même québécois, parfois à l'amiable, parfois dans l'adversité. C'était le cas, entre autres, de syndicats du bâtiment comme les électriciens, les charpentiers-menuisiers et les opérateurs de machinerie lourde, ainsi que des travailleurs du textile et de l'industrie chimique. Dans le papier, le Syndicat canadien, fort de 20 000 membres au Québec, a été fondé en 1974 à la suite d'une rupture avec le syndicat américain.

La FTQ avait soutenu toutes ces luttes autonomistes des sections québécoises et canadiennes de certains syndicats «internationaux». À son congrès de 1973, elle avait même accepté d'affilier directement — et non plus par le biais du CTC — des groupes de syndiqués en rupture de ban avec leur «internationale». Un mouvement d'émancipation inéluctable, selon Laberge.

* * *

Peu après le congrès du CTC en 1974, Laberge se lance dans la mêlée des élections fédérales aux côtés du NPD, comme il l'avait fait lors du scrutin de 1972 qui avait donné un gouvernement libéral minoritaire dirigé par Trudeau, le Nouveau Parti et son chef David Lewis détenant la balance du pouvoir.

Ti-Louis est loin d'y mettre la ferveur des débuts, mais son appui au NPD aura été constant pendant 30 ans. «C'est le seul parti fédéral qui prend la défense des travailleurs», dit-il à l'époque en dénonçant la consigne d'annulation de vote lancée par le Parti québécois: «Si on ne vote pas aux élections, qu'est-ce qu'on fait? On s'achète des fusils?»

Le NPD glisse toutefois sur une pente descendante au Québec, où il recueille à peine 7 % des voix aux élections de juillet 1974. Les libéraux forment un gouvernement majoritaire à Ottawa. Rien pour plaire à la FTQ ni à Laberge, qui ne peut pas voir Trudeau en peinture.

Chapitre 15

«Nettoyage» dans la construction: Ti-Louis, Dédé et la commission Cliche

«Ce fut la période la plus noire, la plus douloureuse de toute ma vie syndicale...»

Louis Laberge a vécu à 50 ans, en 1974, une année pénible dont il traîne encore des séquelles aujourd'hui. À vrai dire, ce furent deux longues années éprouvantes, 1974 et 1975. Deux années qui lui ont fait perdre quelques illusions sur la nature humaine et qui l'ont rendu beaucoup plus prudent à l'égard de certaines fréquentations et «amitiés» dangereuses qu'il vaut mieux éviter. Certains dirigeants syndicaux de l'industrie de la construction lui ont en effet causé les pires déboires, tourments et blessures qu'un leader ouvrier puisse subir. Mais Ti-Louis avait couru un peu après.

Les faits révélés par une commission d'enquête gouvernementale étaient accablants: la corruption et le banditisme s'étaient installés au plus haut niveau du Conseil des métiers de la construction (FTQ) et de quelques-uns de ses grands syndicats affiliés. Et l'un des responsables de cet état de fait était un homme proche de Laberge, le directeur général du

Conseil des métiers de la construction et l'un des vice-présidents de la FTQ, André «Dédé» Desjardins.

Saccage à la Baie-James

Cette triste saga a commencé officiellement le 21 mars 1974, dans le Grand Nord québécois, avec le saccage survenu au chantier du barrage hydroélectrique LG-2 à la Baie James, «le chantier du siècle».

La violence avait éclaté par suite de la volonté musclée du Conseil des métiers de la construction (FTQ) d'instaurer son monopole sur le chantier, aux dépens des syndiqués de la CSN et du pluralisme syndical garanti par la loi. La situation était vite devenue très tendue et, dans ce climat trouble, des agents provocateurs étaient à l'œuvre.

Certains syndicalistes de la FTQ ont carrément perdu les pédales. On se souviendra longtemps de cette scène ahurissante: un représentant syndical devenu quasiment fou furieux, Yvon Duhamel de l'Union des opérateurs de machinerie lourde, aux commandes d'un Caterpillar D-9, détruisant des génératrices coûteuses à coups de bulldozer. Il sera condamné à dix ans de prison.

Bilan de cette flambée de violence: des dommages directs et indirects évalués à 33 millions de dollars par la Société d'énergie de la Baie James; le licenciement pendant plusieurs mois de centaines de travailleurs et la suspension catastrophique des plus grands travaux jamais entrepris dans l'histoire du Québec[52].

Malgré tout, grâce à ces travaux et à ceux des Jeux olympiques de Montréal, le taux de chômage québécois va tomber en moyenne à 6,6 % en 1974. Une situation de quasi-plein emploi jamais revue depuis lors.

Depuis la dernière campagne officielle de «maraudage» syndical dans le bâtiment à l'automne 1972, la FTQ arrive largement en tête: elle a recueilli l'adhésion de 72 % des quelque 100 000 travailleurs. La CSN en a recruté 23 % et la CSD 5%. La FTQ a négocié la convention collective avec la majorité des employeurs, et le ministre du Travail, Jean Cournoyer, a consacré cet état de fait par une loi en 1973.

Mais le Conseil des métiers de la construction en veut toujours plus. Sous l'impulsion de son leader «Dédé» Desjardins, il instaure un véritable régime de terreur sur les grands chantiers, comme à la Baie James, afin d'en chasser la CSN. Pour pouvoir travailler, des syndiqués de la CSN doivent virer capot et signer une carte de membre de la FTQ — de la même façon que, quelques années auparavant, des syndiqués de la FTQ avaient dû signer des cartes de la CSN pour travailler sur des chantiers à la Manicouagan, à Tracy et à Baie-Comeau.

La CSN a lancé une campagne de dénonciation virulente reliant certains dirigeants du Conseil des métiers de la construction au crime organisé. «Une campagne de salissage», grogne Laberge, qui a vu son portrait à la une de l'hebdomadaire *Le Petit Journal* sous le titre: «Gangstérisme syndical: qui sont les amis de Louis Laberge?»[53] Sur la photo, le président de la FTQ est en compagnie de Dédé Desjardins et d'un proche de celui-ci, Eugène Lefort, un caïd de la pègre de la Rive-Sud de Montréal lié au clan Cotroni. Le cliché a été pris à Miami lors d'un congrès des syndicats de la construction américains, les «Building Trades».

Laberge raconte: «La photo avait été prise lors d'une réunion syndicale où Dédé m'avait invité pour l'aider à régler certains problèmes avec les Américains. Avec mon avocat Phil Cutler, j'ai intenté une poursuite en libelle diffamatoire et en dommages-intérêts contre le journal. J'étais quand même dans mes petits souliers et j'ai dit à Dédé quand on a dîné ensemble Chez Butch: je ne demande pas le baptistère des gars que je fréquente mais quand même, fais attention... Aux journalistes, j'ai dit en blague que j'avais aussi été photographié avec des juges...»

Une commission d'enquête

Le saccage stupéfiant survenu à la Baie James, la mise en tutelle subséquente par la FTQ de l'Union des opérateurs de machinerie lourde — d'artillerie lourde, disent certains —, les accusations de banditisme proférées par la CSN, en voilà bien assez pour que le gouvernement intervienne.

Le 1er mai 1974, le premier ministre Bourassa annonce la création d'une commission d'enquête sur l'exercice de la liberté syndicale dans l'industrie de la construction. Elle sera mieux connue sous le nom de commission Cliche, du nom de son président le juge Robert Cliche, ancien leader du NPD-Québec où il avait été un compagnon d'armes de Laberge. Le bouillant Beauceron est entouré de deux commisaires: l'avocat patronal et militant du Parti conservateur Brian Mulroney — avec qui Laberge a déjà négocié notamment à *La Presse* — et le syndicaliste péquiste Guy Chevrette, vice-président de la CEQ. Ce dernier a été choisi «à la demande expresse de Louis et de Marcel (Pepin)», précise Yvon Charbonneau. Quant au procureur-chef de la commission, c'est un homme qui fera plus tard sa marque dans le monde politique, Me Lucien Bouchard.

Dès l'ouverture des audiences en septembre, la FTQ est sur la sellette. Laberge présente le mémoire de la centrale en compagnie de «Dédé» Desjardins. Il donne cette assurance: «Que la commission fasse la preuve qu'il y a des indésirables dans nos syndicats et nous ferons nous-mêmes le nettoyage. Nous laverons notre linge sale.»

La preuve ne sera pas longue à venir. Grâce à des enquêtes de police, la commission Cliche démontre que des éléments criminels se sont infiltrés dans quatre grands syndicats du Conseil des métiers de la construction (sur 23): les plombiers, les électriciens, les opérateurs de machinerie lourde et les mécaniciens d'ascenseurs. Ils y ont implanté les mœurs et les méthodes de la pègre: prêt usuraire («shylocking»), loteries illégales, extorsion et pots-de-vin, voies de fait, chantage et intimidation, incendies criminels, sabotages, ventes d'emploi et *tutti quanti*. Un certain nombre de délégués de chantiers, reconnus comme des repris de justice, forment «une petite armée privée de fiers-à-bras sans pareille dans l'histoire des relations ouvrières au Québec», note la commission.

Selon le procureur-chef Lucien Bouchard, «la pourriture s'était installée au cœur du Conseil des métiers de la construction (FTQ) et de nombreux patrons s'en étaient accommodés, alimentant même le système.» Parmi les «canailles, crapules et escrocs» pointés par la commission, on compte des amis et acolytes de Dédé Desjardins. Par exemple, son conseiller et confident Raynald «Ti-Blond» Bertrand, gérant de la section locale 144 des plombiers et Robert «Bob» Meloche, gérant de la section 791 des opérateurs de machinerie lourde, ainsi que le «bras» droit de Meloche, René Mantha.

Devant ces révélations, il faut bien se rendre à l'évidence. Le 24 novembre 1974, Laberge annonce solennellement que la FTQ a décidé de mettre sous tutelle son Conseil des métiers de la construction qui regroupe 23 syndicats du bâtiment et 70 000 membres. La tutelle sera assumée par le secrétaire général Fernand Daoust; elle a été acceptée à 89 % lors d'un congrès spécial du Conseil.

«La FTQ n'aurait jamais osé aller aussi loin sans la commission Cliche», déclare alors Laberge qui, dans son langage cru, parle de la nécessité de «se décrotter»... Il faut redonner aux syndiqués du bâtiment «un mouvement fort et propre». Il a appris «avec extrêmement de tristesse que des confrères et des amis étaient impliqués», mais il en relativise l'ampleur: seules quelques personnes sont en cause sur plusieurs centaines de délégués de chantiers et de permanents syndicaux[54].

Il souhaite que la commission enquête vraiment sur «la mafia patronale» et sur ses ramifications jusqu'au gouvernement, car «il faut aller au fond des choses». Quant aux syndicats, «si la commission a d'autres preuves de corruption, qu'elle les sorte, nous prendrons nos responsabilités.» Laberge compare l'opération en cours au Watergate: «Là-bas aux États-Unis, ça n'a pas fait de tort à la démocratie. Eh bien, ça va être pareil ici pour le syndicalisme.» Il conclut gravement: «Je sais que je survivrai à la commission Cliche parce que je suis honnête et que je n'ai jamais pris une cenne de personne.»

«Dédé» Desjardins, «un maudit bon gars»...

Le lendemain de la mise en tutelle, autre coup de théâtre, le 25 novembre 1974 : on annonce la démission d'André Desjardins de son poste de directeur général du Conseil des métiers de la construction et de celui de vice-président de la FTQ.

Le tuteur Fernand Daoust explique ce geste avec sa circonspection habituelle, en forçant un peu la note: «André est bouleversé par les événements récents. Il part pour que la tutelle soit complètement libre d'agir. Il a accompli comme syndicaliste un travail gigantesque, avec une vigueur extraordinaire.»

Quant à Laberge, il est terriblement ébranlé: «Ce qu'on fait, il faut le faire même si c'est très douloureux. Ce n'est pas seulement un collègue que je perds mais un ami.» Il dit malgré tout: «À mes yeux et aux yeux des autres dirigeants de la FTQ, André Desjardins a été un bon leader syndical.»

Qu'en est-il vraiment? Quel genre d'homme et de syndicaliste était donc Desjardins?

«Le Gros Dédé», alors âgé de 44 ans, est un plombier de métier, fils et petit-fils de plombier. Né dans le vieux quartier populaire du «Faubourg à m'lasse», au coin d'Ontario et Cartier dans le centre-sud de Montréal, il a été apprenti à l'âge de 14 ans; il a appris la job dans la *shop* de son grand-père. Dans sa jeunesse, il a purgé une peine de prison «pour une peccadille» et il compte quelques repris de justice parmi ses copains, dont certains amis d'enfance.

Dédé a commencé à militer à 28 ans, en 1959, dans la section locale 144 du Syndicat des plombiers, qui deviendra son fief. Il est rapidement élu «agent d'affaires» en 1963, «gérant d'affaires» l'année suivante et, enfin, directeur général du Conseil des métiers de la construction au début de 1970. À ce poste clé, il succède à Roger Perreault, un ami de Laberge, qui s'en va à la direction de la Commission de l'industrie de la construction. En septembre 1970, Dédé devient vice-président de la FTQ.

Doué d'un ascendant naturel et d'une belle vitalité, c'est un meneur d'hommes, un stratège intelligent et un bon organisateur. Un homme à la poigne solide, une sorte de bouledogue. Un homme pratique aussi, pour qui un service en attire un autre.

Corpulent, il a l'air d'un hidalgo avec sa moustache, ses longs favoris et sa mèche blanche dans les cheveux. Il porte une bague à diamants imposante (il est copropriétaire d'une bijouterie), se promène en Cadillac blanche et aime passer ses vacances en Haïti. C'est un bon vivant qui peut prendre un coup solide. Ses lieux de rendez-vous préférés sont le *Club Cherrier* près de la Palestre nationale, propriété de l'Association sportive du «144» — et que Laberge fréquentait à l'occasion — et le *Café Évangéline*, rue Saint-Hubert, longtemps un repaire de la petite pègre.

Presque tous ceux qui ont œuvré avec Desjardins à la FTQ le qualifient de «maudit bon gars» et vantent ses qualités de leader et son énorme capacité de travail. Les syndiqués du bâtiment voyaient en lui un chef combatif capable de mater les employeurs. C'est ce que reconnaissait même un de ses opposants les plus fermes, le vieux socialiste Henri Gagnon, qui fut président de la Fraternité des ouvriers en électricité: «Il était à sa façon dévoué aux intérêts des ouvriers qu'il représentait, surtout des plombiers. Partisan de la manière forte, il ne s'est pas gêné pour l'utiliser à la fois contre les patrons et contre ses rivaux dans le monde syndical.»

Louis Laberge dit aujourd'hui en pesant bien ses mots: «André a fait une bonne job et a travaillé très fort. Il a été de toutes les luttes, en particulier lors des événements de mai 1972 quand j'étais en prison. Je suis encore persuadé que ce sapré gars-là n'a jamais mis cinq cents dans sa poche provenant d'un patron de la construction. La commission Cliche n'a d'ailleurs absolument rien retenu contre lui.»

Mais — car il y a un «mais» — Laberge ajoute: «Le malheur qui lui est arrivé, c'est qu'il était prisonnier de son passé, de ses "chums", et qu'il avait le cœur gros comme ça. Il n'a pas su dire non aux amis qu'il s'était faits quand il était jeune et qu'il était allé en prison. Des gars de sa "gang" mais qui étaient des moutons noirs comme on en trouve dans toutes les "gangs". Il n'a pas eu la fermeté, le courage de refuser de les aider à avoir des jobs dans la construction. Il en a placé comme permanents syndicaux et surtout comme délégués de chantiers. Ils ont fait la pluie et le beau temps, sans aucune éthique ni démocratie syndicale, sans respect des droits des syndiqués. Des gars que tu devais prendre au sérieux quand ils disaient de quelqu'un: je l'haïs pour le tuer... André leur a laissé trop de corde, ils étaient rendus trop loin et je crois qu'il ne pouvait plus les arrêter. Ces gens-là étaient en train de nous faire très mal, Dédé le savait, mais il n'a pas eu la volonté, la force d'âme de mettre le holà. Nous avons dû lui demander de partir.»

La demande est venue immédiatement après l'assemblée de mise en tutelle des syndicats de la construction, le 24 novembre 1974. La scène s'est passée dans un salon privé du restaurant Le *Castel François* dans le nord de Montréal. Laberge, son ami Jacques Brûlé ainsi que Fernand Daoust ont formellement demandé à Desjardins de remettre sa démission.

Brûlé se rappelle: «J'avais présidé l'assemblée de tutelle avec Louis et Fernand, en l'absence de Dédé, et nous sommes ensuite allés le rencontrer au restaurant. Il était clair qu'il devait s'en aller: il s'était senti trop fort, il avait manqué de mesure et de jugement. Quand nous lui avons demandé de laisser son poste, Dédé pleurait comme un enfant. Louis aussi était bouleversé, déchiré...»

L'homme qui est devenu plus tard le leader de la FTQ-Construction, Jean Lavallée de la Fraternité des électriciens, aujourd'hui un intime de Laberge, confie pour sa part: «C'est vrai que Dédé avait le cœur sur la main, mais il fallait qu'il s'en aille. Ça n'a pas été facile pour Louis de dire à Dédé: tu n'as plus d'affaire là! Louis n'est pas le genre d'homme à laisser tomber ses *chums*. Mais il a coupé toutes relations. Ce fut une période terrible pour lui. Et il a admis la part de responsabilité de la FTQ.»

Selon «Johnny» Lavallée, «le plus dur pour Louis, ce fut d'apprendre qu'on ne lui avait pas tout dit. Et même qu'on lui avait menti. Des gars comme Robert Meloche du 791, un de ses partenaires de cartes à l'occasion: Bob lui avait juré dur comme fer qu'il était blanc comme neige... Louis a été blessé, sa confiance avait été trahie.»

Selon André Leclerc, adjoint de Daoust pour la tutelle, «Louis s'est aperçu que Dédé ne lui avait pas tout dit . Mais avant ça il a cru longtemps — et la FTQ aussi — ce que Desjardins lui disait, jusqu'à preuve du contraire. Dédé avait toujours protesté de sa bonne foi.» Le fils aîné de Laberge, Michel, livre ce témoignage: «Un soir chez nous, mon père m'a dit, les yeux plein d'eau: "Dédé était mon *chum*, je n'en reviens pas, il aurait dû m'en parler." C'est l'une des rares fois où j'ai vu mon père aussi émotionné.»

Laberge confirme: «Tu essaies de t'informer de ce qui se passe et tu ne peux rien savoir vraiment... On ne m'a pas tout dit. Quand je demandais à Dédé si c'était vrai toutes ces histoires, il me répondait: c'est de la propagande de la CSN et du PQ contre nous autres...»

L'ex-président de la CSN, Marcel Pepin, donne son point de vue: «Je connais assez Louis pour être persuadé qu'il n'était pas au courant. De la même façon que moi, à la CSN, je n'étais pas au courant des activités louches du président de notre Fédération du vêtement à l'époque, Jean-Noël Godin. Mais on peut quand même reprocher à Louis ce qu'il a reproché à Desjardins: il avait trop grand cœur et a défendu Dédé jusqu'à l'extrême limite. C'est son penchant pour les "I owe you": il m'a aidé, faut que je l'aide...»

C'est aussi l'opinion de Jean Gérin-Lajoie, alors le plus ancien vice-président de la FTQ et un adversaire juré de

Desjardins: «Louis est d'une sincérité et d'une intégrité irréprochables, sans aucun doute. Mais il a frayé dangereusement avec les gens de la construction: c'étaient ses amis, sa claque dans les congrès. Il a eu tendance à s'allier avec eux, à les cautionner, à les excuser. Il avait une solidarité presque tribale, du genre: si on nous fesse dessus, on fesse à notre tour! La commission Cliche a joué un rôle précieux parce qu'on n'arrivait pas à se nettoyer tout seuls. Mais Louis a survécu à tout ça, il a un style coureur de fond: au bout de la course, il est encore là malgré les embûches.»

Pour Émile Boudreau, «la grande faiblesse de Louis, c'est qu'il est trop loyal envers ses amis, une loyauté jusqu'au bout qui le porte à protéger des gens et à excuser l'inexcusable. Son cœur l'emporte sur sa raison.»

Pour Fernand Daoust, tuteur de la FTQ-Construction, «ça n'avait plus de maudit bon sens, on était dans de sales draps, fallait faire le nettoyage. L'avoir su, on serait intervenus plus vite, mais on a fait notre *mea culpa* parce qu'on n'avait pas été assez vigilants. Heureusement, le cancer n'était pas généralisé. On s'est dit: jamais plus! J'ai assuré Louis de mon soutien indéfectible, je savais qu'il n'y était pour rien malgré ses amitiés dans le milieu. Mais c'est là un des traits de Louis: il aime le monde, il aime placoter, prendre un verre et se faire des *chums*...»

Les discussions ont été corsées et «viriles» à l'exécutif de la FTQ, qui a tenu plusieurs réunions d'urgence. Jacques Brûlé reconnaît franchement: «Louis et moi, nous avons été les plus blâmés à l'exécutif parce nous étions les plus proches de Dédé, les plus acoquinés, disaient certains. On nous a reproché notre myopie... Mais notre amitié avec lui s'est rompue là. Dédé en est resté amer. Tout ça fut un mal pour un bien, ça nous a permis de faire l'épuration.»

Dans son rapport, la commission Cliche n'y est pas allée de main morte avec Desjardins, qu'elle surnomme «le roi de la construction». «La vérité, soutient la commission, c'est qu'André Desjardins n'est pas un chef syndical. La violence lui est si naturelle qu'il lui doit en grande partie l'empire qu'il a édifié.» Selon le rapport, Desjardins est un peu l'équivalent d'un chef de bande en guerre contre ce qu'il considère comme une bande rivale, la CSN. La commission conclut qu'«il a éclaboussé la FTQ par sa conduite» et qu'«un tel homme ne doit plus jamais exercer de fonction syndicale».

Un chat a neuf vies

«Je me suis fait maganer en maudit, j'ai passé dans le tordeur», grommelle Laberge au souvenir de ces événements pénibles. «Sans parler des rumeurs sans fondement et des mémérages. Mais comme président de la FTQ, je n'avais pas le pouvoir de dire à André Desjardins: "Tu vas me montrer tes livres pour voir comment ça fonctionne tes affaires". Même avec notre tutelle on ne pouvait pas le faire, chaque syndicat protégeait jalousement son petit fief. Par la suite, au congrès de 1975, nous avons amendé nos statuts pour renforcer nos pouvoirs d'enquête et d'intervention, pour faire respecter nos normes de moralité et d'efficacité syndicales. Nous n'aurions sûrement pas pu le faire si ça n'avait été de tous ces événements...»

Que la FTQ n'ait guère d'autorité à l'époque sur ses syndicats affiliés, c'est essentiellement l'argument que Laberge invoque pour sa défense lors de son long interrogatoire de plus de trois heures devant la commission Cliche, le 4 mars 1975. Le président de la FTQ répète qu'il ignorait tout des activités criminelles qui infectaient certains syndicats et que, même le sachant maintenant, il n'a aucun pouvoir coercitif sur eux malgré la «tutelle» officielle de la FTQ sur son Conseil des métiers de la construction.

Pas surprenant donc que dans son rapport déposé en mai 1975, la commission Cliche recommande la mise en tutelle par l'État, pour trois ans, de quatre syndicats: les plombiers, les électriciens, les opérateurs de machinerie lourde et les mécaniciens d'ascenseurs. Cette tutelle gouvernementale ne sera finalement levée que six ans plus tard, en octobre 1981. Mais pas pour la section locale 144 des plombiers, l'ancien syndicat de Desjardins, qui ne regagnera son autonomie que douze ans plus tard, en février 1987.

Autre séquelle du rapport Cliche: une loi sévère qui interdit l'accès à des postes de direction syndicale à toute personne ayant un dossier judiciaire de nature criminelle, et ce, pour une période de cinq années. Laberge se souvient: «C'était une loi contraire aux droits les plus élémentaires de la personne. Des permanents et des délégués de chantiers ont été destitués de leurs fonctions mais le comble, c'est que certains d'entre eux sont devenus peu après contremaîtres et même surintendants car la loi ne l'interdisait pas!...» Selon l'ex-ministre du Travail, Jean Cournoyer, qui s'était opposé à Bourassa à ce sujet, c'était «une loi parfaitement antidémocratique et vengeresse». Cournoyer dit aussi qu'il avait exhorté son ami Ti-Louis à «se débarrasser de Dédé et de ses joyeux bandits avant qu'il soit trop tard».

Une autre loi rigoureuse instaure la présomption de culpabilité contre les syndicats du bâtiment en cas de grève ou de ralentissement de travail illégal sur les chantiers.

Le rapport de la commission Cliche réserve quelques flèches empoisonnées à Laberge pour sa «tolérance» à l'égard d'André Desjardins: «Monsieur Laberge savait ou ne savait pas. Dans le premier cas, s'il ne détenait pas le pouvoir direct de destituer Desjardins et ses affidés, n'avait-il pas le devoir de dénoncer leurs comportements indignes? Dans le deuxième cas, il faut s'inquiéter d'un tel aveuglement et d'une telle méconnaissance des hommes. D'une façon ou d'une autre, le silence de la FTQ s'est interprété comme une caution.»

Laberge qualifie encore aujourd'hui le rapport Cliche de «vaste opération antisyndicale» (la CSN elle aussi a dénoncé le rapport): «Mulroney a bien mieux réussi à défendre le monde patronal que Ti-Guy Chevrette, le monde syndical. La corruption, ça se joue à deux: s'il y avait des gens corrompus du côté syndical, c'est qu'il y avait des corrupteurs de l'autre côté! Mais la commission a surtout fessé sur les syndicats et ménagé les patrons et le gouvernement.»

«Quant à Robert Cliche, qui a été mon ami dans le NPD,

je ne veux surtout pas ternir sa mémoire. Je me souviens que lorsqu'il était chef du Nouveau Parti, il était venu à notre congrès féliciter la FTQ pour sa grande démocratie syndicale... Mais je crois qu'il n'avait pas oublié la gang à Dédé, qui avait contribué à lui faire perdre ses élections en 1968 dans Duvernay. Fier comme il était, il leur devait un chien de sa chienne...»

Il conclut: «Mais c'est sûr qu'il y avait eu des abus dans nos syndicats et qu'il fallait faire du nettoyage, du décrottage. Il a fallu voir à notre affaire. On avait une maudite côte à remonter.»

André Leclerc se remémore «le mépris affiché à l'égard de Laberge et de la FTQ parmi toute une classe de gens, notamment chez les intellectuels». Il constate: «Louis, qui avait d'abord été frondeur et un peu fanfaron face à la commission Cliche, a été très blessé d'apprendre la vérité. Il a fait le gros dos, le dos de canard pour laisser passer l'orage. Il y a laissé quelques plumes. C'est Fernand qui a assumé la tutelle et qui a tenté de redonner une image de respectabilité à la FTQ.»

Pour tout dire, ces événements malheureux ont été comme un gros œil au beurre noir pour la FTQ. Ils ont stigmatisé la centrale et causé, pour plusieurs années, un tort sérieux à sa crédibilité dans l'opinion publique.

Selon Jacques Parizeau, alors président de l'exécutif national du PQ, «Laberge a réussi un tour de force presque miraculeux: il a pu se sortir de ce bourbier grâce à son intégrité. N'importe qui d'autre y aurait laissé sa tête! Quand un homme avec qui vous êtes étroitement associé marche tout croche et que vous, en tant que leader, vous dites que vous marchez droit, c'est difficile à croire. C'est là qu'on a vu à quel point la parole et la réputation de Laberge étaient d'une solidité à toute épreuve. On lui a fait confiance.»

Robert Bourassa abonde dans le même sens: «Je n'ai jamais pensé personnellement que Louis Laberge ait pu faire des choses, disons, pas catholiques. Certains dans son entourage, mais pas lui. Je le connaissais déjà assez pour prendre avec un gros grain de sel certaines allégations de la CSN à son sujet. Il paraîtrait qu'il aurait eu de gros mots en privé à l'endroit de Michel Bourdon de la CSN... Mais son intégrité ne peut pas être mise en doute.»

Michel Bourdon, aujourd'hui député du Parti québécois et alors président de la Fédération du bâtiment de la CSN, est celui qui a mené l'attaque frontale contre la FTQ: «Laberge a hurlé contre moi, mais sa centrale s'est finalement purgée des éléments indésirables qui avaient infiltré des syndicats par ailleurs respectables. La FTQ en est sortie grandie. Laberge, malgré son honnêteté, a mis du temps à prendre ses distances, il a eu du mal: ce n'est pas le genre d'homme à renier ses amis et il avait un réflexe normal de solidarité. Et un certain laxisme. Mais il est intelligent et d'une habileté consommée, un excellent stratège, il a su faire face à la musique. Et le pluralisme syndical l'a finalement emporté dans la construction.»

Pour Matthias Rioux, ex-dirigeant de la CEQ, « les syndicats de la construction étaient devenus la partie honteuse de la FTQ. Mais Laberge est passé à travers la crise parce que c'est un homme authentique, un personnage que les gens aiment malgré tout.»

«Louis est retombé sur ses pattes, mais il est tombé de haut et s'est fait mal, constate Jean Lavallée. Mais il est comme les chats qui peuvent tomber de haut et qui ont neuf vies...»

* * *

Laberge avait bien besoin de ces neuf vies car certains commençaient à réclamer rien de moins que sa tête. «Le temps est venu de songer à remplacer Louis Laberge», peut-on lire dans un gros titre de *La Presse* au début de mai 1975, après la publication du rapport de la commission Cliche[55].

Au même moment, lors d'un ralliement syndical tenu au Centre Paul-Sauvé le soir du 1er mai à Montréal, Laberge est copieusement hué par une partie de la foule de 5 000 personnes. Ti-Louis quitte la salle précipitamment, rouge de colère, en pestant devant les journalistes: «Ce n'est pas des travailleurs qui m'ont hué mais un petit groupe de maoïstes à l'arrière de la salle. Des étudiants à la tête enflée qui n'ont jamais travaillé de leur maudite vie et qui s'imaginent venir nous montrer comment faire...»

Laberge s'est fait huer aussi par des militants syndicaux. D'autant plus que quelques jours auparavant, il a fait — pour la deuxième fois en deux mois — l'éloge public du ministre libéral du Travail, son ami Jean Cournoyer: «Cournoyer est un bon gars qui s'est tenu debout dans bien des tempêtes et qui a toujours marché droit avec la FTQ. C'est le moins pire ministre d'un gouvernement pourri.» La première fois, il avait dit que Cournoyer était «le meilleur homme pour remplir la tâche de ministre du Travail, il ne doit pas démissionner.» À cause de ces propos, il s'était fait semoncer par les présidents des deux autres centrales, Marcel Pepin et Yvon Charbonneau.

Dans un recul stratégique dont il a le secret, il dit quelques jours plus tard: «Je vous demande d'oublier ma faiblesse momentanée.» L'attitude du ministre Cournoyer dans le long et pénible conflit de la United Aicraft l'a terriblement déçu: «Il a joué avec les espoirs des travailleurs et je lui dis: c'est pas correct.»[56]

Aujourd'hui, il estime que Cournoyer a été «un de nos meilleurs ministres du Travail. Pas le meilleur, mais c'était un homme honnête qui a toujours eu le courage de ses convictions.» Il renchérit: «Un bon "chum"... On s'est toujours bien arrangés avec lui et on est allés en chercher pas mal.» Ti-Jean lui renvoie l'ascenseur: «C'est le meilleur chef syndical que j'aie connu.»

Un chef qui réussit à passer à travers les pires épreuves. Un «survivant».

Chapitre 16

Une grève de 20 mois et 3 procès en 4 ans

La grève à la United Aircraft

Au moment où Laberge critique son ami Jean Cournoyer, la FTQ est engagée corps et âme dans le plus long et sans doute le pire conflit syndical de son histoire, qui va durer vingt mois: la grève à la United Aicraft de Longueuil.

La bataille, ponctuée d'actes de violence, oppose depuis le 9 janvier 1974 une multinationale américaine de l'avionnerie, Pratt & Whitney, à 2 500 syndiqués membres des Travailleurs unis de l'automobile et de l'aérospatiale (TUA), l'ancien syndicat de Laberge maintenant dirigé par Robert Dean. La compagnie poursuit sa production de moteurs d'avion à l'aide de briseurs de grève protégés par une escouade de gardes de sécurité.

Un des enjeux centraux du conflit: la formule Rand, c'est-à-dire la déduction obligatoire à la source des cotisations syndicales, que la United Aicraft est l'une des dernières grandes compagnies à refuser au Canada[57].

La bataille n'est pas facile à mener, car le syndicat local

est plutôt faible; il a déjà perdu une grève de sept semaines en 1967. Cette fois-ci, la compagnie a réussi à continuer ses activités à l'aide de briseurs de grève, d'abord grâce à des gens embauchés à l'extérieur puis avec de nombreux grévistes qui, de guerre lasse, sont retournés au travail. Des gardes privés et leurs molosses veillent aux abords de l'usine où, raille Laberge, «il y avait deux sortes de chiens: à deux pattes et à quatre pattes...» La violence éclate souvent sur les piquets de grève et la police est dépêchée sur les lieux. Six bombes ont explosé sur les terrains de la compagnie.

Le point culminant survient au bout de seize mois de conflit: le soir du 12 mai 1975, profitant d'une manifestation tumultueuse de solidarité syndicale dirigée par Laberge, une trentaine de grévistes réussissent une occupation-surprise de l'usine où, en désespoir de cause, ils se retranchent afin de hâter un règlement. L'escouade spéciale de la Sûreté du Québec investit les lieux au début de la nuit, avec armes et matraques. «Un massacre», se souvient Laberge en songeant aux 34 occupants arrêtés dont la plupart ont été tabassés et blessés lors de la charge policière.

Ti-Louis se sent responsable de la tournure des événements car six mois auparavant, lors d'une grande manifestation d'appui aux grévistes, il s'est exclamé avec sa verve coutumière: «S'il n'y a rien qui bouge après cette manifestation, il faudra s'emparer de l'usine! Et ce n'est pas un discours que je vous fais...»[58]

Pour protester contre «le massacre des 34» et faire pression pour le règlement de la grève, la FTQ, pour la première fois de son histoire, lance à ses membres un appel à une grève générale de solidarité de 24 heures. Une grève illégale bien sûr, compte tenu de nos lois du travail, et que Laberge qualifie de «journée d'étude généralisée». La décision a été prise dans le bureau du président de la FTQ à trois heures du matin, peu après l'assaut sauvage de la police contre les occupants. «Il fallait réagir tout de suite pour montrer qu'on était là!»

Avec à peine une semaine d'avis et malgré les obstacles

légaux énormes, au-delà de 100 000 syndiqués de la FTQ — plus du tiers de ses cotisants — débrayent le 21 mai 1975, pour des périodes allant de 1 heure à 24 heures. Laberge observe: «Ça n'a pas été la grève générale et totale, mais 100 000 personnes qui débrayent en guise de solidarité, c'est loin d'être un "flop"... Ou bien c'est un sapré gros "flop"!» En lançant son appel à la grève, il avait déclaré avec emphase: «Jamais, même en incluant le régime Duplessis, la liberté syndicale n'a été aussi menacée. C'est la minute de vérité pour le syndicalisme.»

«La solidarité dans ce conflit a été extraordinaire», se rappelle Laberge, qui a dirigé plusieurs manifestations d'appui dont l'une, massive, a rassemblé près de 40 000 personnes à Montréal le 29 octobre 1974. Il est vrai que cette manif visait aussi à soutenir les syndicats de la construction, cibles de la commission Cliche. Parmi les orateurs, outre Ti-Louis, il y avait Yvon Charbonneau de la CEQ et ce diable de Michel Chartrand, vif comme la poudre.

Les grévistes reçoivent aussi le soutien du chef du PQ, René Lévesque, qui s'engage à rendre obligatoire la formule Rand dans le code du travail. Promesse que son gouvernement réalisera en 1977 peu après son arrivée au pouvoir, en même temps qu'il interdira l'utilisation de briseurs de grève lors d'un arrêt de travail légal.

La bataille va coûter au syndicat nord-américain des TUA plus de 5 millions de dollars en prestations versées aux grévistes: 30 $ par semaine s'ils sont célibataires, 35 $ s'ils sont mariés et 40 $ s'ils ont des enfants.

Laberge raconte à ce sujet une histoire peu connue: «Suite à des divergences sérieuses entre le secrétaire-trésorier des TUA aux États-Unis et la section locale 510 à la United Aircraft, les grévistes ont été privés de leurs prestations à un moment crucial du conflit. Convaincus que c'était assez grave pour casser la grève, les dirigeants du syndicat local se sont adressés à la FTQ pour les dépanner temporairement. Comme la FTQ n'a pas elle-même de fonds de grève, nous avons dû emprunter 90 000 dollars. En fait, c'est Fernand

Daoust et moi qui avons dû emprunter cette somme, avec nos signatures personnelles et en donnant nos maisons en garantie. Les TUA nous ont finalement remboursés, capital et intérêts.»

Laberge garde un autre souvenir vivace de ce conflit, une histoire touchante. Un des grévistes les plus âgés venait de mourir d'une crise cardiaque. Ti-Louis se rend donc au local de grève, au sous-sol de l'église Notre-Dame-de-Fatima, rencontrer la veuve et les compagnons du défunt. Au même moment, une autre grève de la FTQ est en cours au cimetière de Côte-des-Neiges où les sépultures sont interrompues. Croyant bien faire, Laberge est tout heureux de dire que les grévistes de Côte-des-Neiges sont prêts à creuser une tombe pour enterrer le défunt, par solidarité. Il a l'accord du président de leur syndicat, son copain Aimé Gohier de la section locale 298 de l'Union des employés de services. «On n'enterre plus personne au cimetière, pas même les riches, dit-il. Mais on va faire une exception pour un gréviste de la United Aircraft et on va le faire savoir...»

C'est alors que la veuve, une grande femme bien bâtie aux cheveux blancs, dévisage Laberge et lui dit carrément:

— Monsieur Laberge, je vous remercie beaucoup de votre sympathie. Mais mon mari n'a jamais traversé une ligne de piquetage de son vivant, il n'en traversera pas une maintenant qu'il est mort...

«Une réponse si émouvante que j'en suis resté plutôt gêné», se rappelle Ti-Louis.

Pour régler cet interminable conflit, Laberge a travaillé d'arrache-pied avec Robert Dean, directeur québécois des TUA et vice-président de la FTQ. Les deux hommes avaient même réussi à négocier une entente de principe avec le grand patron de la firme à Longueuil, Thor Stephenson. «Avec Bob Dean, j'étais allé le rencontrer à sa belle maison de Westmount. Au bout de plusieurs heures de négociations, nous avions en main un règlement assez satisfaisant sur tous les points en litige. Hélas, il n'a pas pu avoir l'accord de ses grands *boss* américains à Hartford au Connecticut. Et la grève s'est éternisée encore plusieurs mois...»

Robert Dean ajoute: «Louis a tout fait pour nous aider à régler ce conflit pourri, il nous a ouvert toutes les portes qu'il pouvait. Je suis convaincu que jamais une fédération provinciale du travail n'est allée aussi loin au Canada pour soutenir une grève...»

Finalement, après vingt mois de résistance et moult démarches jusqu'au plus haut palier politique, on parvient à négocier «un compromis honorable» en août 1975. Les grévistes gagnent l'indexation des salaires au coût de la vie et le droit de ne faire des heures supplémentaires que sur une base volontaire; ils n'obtiennent toutefois pas la formule Rand ni le réengagement automatique des 34 militants syndicaux congédiés à la suite de l'occupation de l'usine.

«Ça n'a pas été le règlement le plus fabuleux mais on a sauvé le syndicat, conclut Laberge. Et la grève a permis d'arracher des gains pour tous, une fois le PQ au pouvoir: la formule Rand et la loi anti-scabs.»

L'affaire Hupp: les 3 procès de Ti-Louis

Le beau et long week-end ensoleillé du congé de la Saint-Jean, en juin 1975, est plutôt pénible pour Louis Laberge qui le passe à l'ombre... en prison.

Lui qui a déjà passé près de six mois de sa vie «en dedans» pour avoir défendu les travailleurs, il se morfond à nouveau derrière les barreaux, à la prison de Joliette. Il vient d'être condamné à rien de moins que trois ans d'emprisonnement pour «incitation à la violence» lors d'un conflit de travail.

Même s'il réussit à recouvrer sa liberté sous caution le lundi matin, après avoir porté sa cause en appel, il est terriblement secoué. Dégoûté aussi: «Je n'avais vraiment pas envie de retourner en prison. Surtout pour une niaiserie pareille...»

Toute l'affaire avait commencé un an plus tôt, le soir du 29 mai 1974, lors d'une assemblée syndicale à L'Assomption. Laberge avait été invité à rencontrer les travailleurs d'une entreprise qu'il avait lui-même syndiquée au début des années 60, le manufacturier d'appareils électro-ménagers Hupp Canada (anciennement Roy). Les syndiqués, qui fabriquent des cuisinières et des réfrigérateurs, sont membres des Machinistes. Ils doivent décider ce soir-là des moyens à prendre pour forcer le patron à indexer leurs salaires, par suite de la hausse galopante du coût de la vie.

Dans le cadre de la vaste campagne que vient de lancer le mouvement ouvrier en faveur de l'indexation, des centaines de syndicats rouvrent leurs contrats de travail; plusieurs font même des grèves illégales, bravant des injonctions. Les ouvriers de la construction sont parmi les plus prompts à débrayer. Les arrêts de travail sont toujours plus fréquents en période de forte inflation: les travailleurs refusent de faire les frais de la hausse des prix et d'accepter une baisse de leur salaire réel.

Laberge se souvient: «J'avais été invité à L'Assomption pour essayer de convaincre les syndiqués de ne pas débrayer. Aux dires de leurs dirigeants, les membres étaient tellement divisés entre eux qu'ils n'avaient aucune chance de gagner la grève. Je leur avais donc proposé de faire plutôt une grève du zèle, en respectant tous les règlements à la lettre, ce qui se traduirait évidemment par un ralentissement de la production... Je leur ai dit: ne sortez pas en grève, prenez d'autres moyens de pression. Par exemple, ne courez pas, marchez! Si ça prend une autorisation écrite pour aller chercher un outil, attendez-la. Posez une porte verte sur un réfrigérateur rose, ça ne causera pas de dégâts mais des retards. Vous pouvez aussi souder ou brûler en utilisant moins d'intensité dans vos chalumeaux, ça prendra plus de temps...»

Résultats: la compagnie a constaté les jours suivants des dommages matériels qu'elle a évalués à quelque 50 000 dollars. Et le syndicat a gagné une hausse de salaire de 25 cents. Fait à noter, insiste Laberge: la preuve a montré que la plupart des dommages — surtout des «graffignages» — avaient été causés par des ouvriers de l'équipe du soir lorsqu'ils avaient débrayé pour venir à l'assemblée syndicale.

Quatre mois plus tard, en octobre 1974, sur la foi d'un rapport de police, Laberge est accusé de méfait public et d'incitation à la violence. Il est passible de cinq ans de prison pour chacun des deux chefs d'accusation.

Son procès devant jury se déroule au Palais de Justice de Joliette, où il est défendu par son avocat et ami Phil Cutler ainsi que par un avocat local, Me Dugas. Le choix des jurés est long et même fastidieux: le procureur de la Couronne, Me Gérard Girouard, élimine systématiquement tous les travailleurs, syndiqués ou non. La Couronne fait témoigner quelques syndiqués de Hupp, mais le juge Jacques Ducros doit décréter l'avortement du procès: certains médias ont rapporté des propos tenus par le procureur de la Couronne en Cour mais hors de la présence des jurés.

La saga ne fait pourtant que commencer. Un deuxième procès débute en mai 1975, juste après le dépôt du rapport de la commission Cliche et la flambée de violence à la United Aircraft. «Même scénario pour le choix du jury, dit Laberge, mais cette fois la Couronne est bien mieux préparée et le climat tellement différent... En deux temps trois mouvements j'ai été trouvé coupable, et ce n'était pas surprenant dans les circonstances. Et puis les policiers avaient fait signer des déclarations à des syndiqués dont certains ne savaient même pas lire! »

Il ajoute: «Je dois dire aussi que, à cause de mes objections, mes avocats n'ont pas pu procéder tout à fait comme ils l'auraient souhaité. Ils voulaient me faire dire que j'avais pris tous les moyens pour empêcher la grève parce que cette grève aurait été illégale. Mais en toute franchise, je ne m'opposais pas aux grèves illégales et la FTQ non plus. Mais je m'opposais à toute forme de violence.»

À la suite du verdict de culpabilité, Me Girouard réclame la peine maximum de cinq ans: «La société actuelle, plaide-t-il, serait mieux portante sans la présence de Louis Laberge, ce leader ouvrier qui prêche ouvertement la désobéissance civile» — allusion à la résolution votée au dernier congrès de la FTQ. Il rappelle qu'on a affaire à un récidiviste, déjà condamné à un an de prison (même s'il ne l'a pas été pour un acte criminel). Laberge se souvient de ce réquisitoire: «Le procureur a dit à un moment donné à peu près ceci: on se fait assez reprocher de toujours attraper des petits poissons mais cette fois, avec Laberge, on en a "pogné" un gros et on le lâchera pas!»

Le 20 juin 1975, l'atmosphère est tendue au Palais de Justice de Joliette; un silence mortuaire règne dans la salle d'audience où vient d'entrer le juge Marcel Nichols de la Cour supérieure. La sentence s'abat avec un doigt vengeur: trois ans d'emprisonnement. «Une sentence exemplaire», souligne le juge qui qualifie Laberge de «saboteur», d'«irréductible» et de «menace aux assises de l'édifice social». Dans son jugement, il cite les conflits récents dans la construction et à la United Aircraft et insinue que le président de la FTQ est coupable de bien des maux. Laberge écoute cette sentence debout, avec dignité, pendant que sa compagne Lucille éclate en sanglots.

Ti-Louis, à 51 ans, prend à nouveau le chemin de la prison. Il y restera tout le week-end avant de recouvrer sa liberté sous caution, ayant porté sa cause en appel.

La sentence du juge Nichols a l'effet d'une bombe. Et parce qu'elle est excessive, elle a comme contrecoup de transformer Laberge en martyr de la cause, en héros de la classe ouvrière. «Laberge n'est pas condamné pour les bagatelles survenues à L'Assomption, déclare Fernand Daoust, mais pour les luttes des travailleurs de la United Aircraft, de la construction, de *La Presse*, de Firestone et tant d'autres.» Marcel Pepin estime que cette condamnation «vise tout le mouvement syndical» et il lance un appel à la «résistance contre le fascisme». Mais c'est sans doute Claude Ryan, le directeur pondéré du quotidien *Le Devoir*, qui résume le mieux les réactions dans un éditorial intitulé «Une peine excessive».

«Depuis longtemps, écrit-il, les observateurs ont appris à distinguer, quand le président de la FTQ parle, entre la lettre, qui est souvent violente, et l'esprit, qui est généralement beaucoup plus modéré.» Laberge, ajoute-t-il, est doué d'une «verbosité légendaire» et «son délit de verbosité a été commis dans l'exercice de fonctions qui, par leur nature même, se prêtent beaucoup plus facilement que bien d'autres à ce genre d'excès. Notre tradition judiciaire a toujours été, en ces matières, aussi large et tolérante qu'il était humainement possible de l'être.» En «voulant faire œuvre d'exemplarité, le juge Nichols institue un symbole et c'est là une manière discutable d'administrer la justice. C'est un jugement qui crée des dangers plus graves que les délits qu'il prétend châtier.»[59]

Laberge a été condamné «pour délit d'expression dans le cadre de son mandat syndical», affirme de son côté la Confédération internationale des syndicats libres (CISL), la plus grande centrale syndicale mondiale. Le CTC et la CISL déposent une plainte officielle au Bureau international du travail à Genève.

La condamnation de Laberge sera cassée en septembre 1976 par la Cour d'appel du Québec, qui ordonne un nouveau procès. La Cour suprême confirme ce jugement en décembre 1977 et un troisième procès débute en juin 1978. Pas pour longtemps puisqu'au bout de deux jours, le juge Louis Paradis y met fin par suite de la publication d'articles préjudiciables à l'accusé. Les médias titrent: «Y aura-t-il un quatrième procès?»

Quand même pas! Le 21 juin 1978, le ministre de la Justice du gouvernement du PQ, Marc-André Bédard, ordonne l'abandon des procédures judiciaires («nolle prosequi»). Le ministre justifie ainsi sa décision: «Monsieur Laberge a déjà subi trois procès et ce serait un acharnement injuste et injustifié dans les circonstances que d'en entreprendre un quatrième. Et vu le prix très élevé en inconvénients de toutes sortes que Monsieur Laberge a déjà payé pour ses propos de 1974, je suis d'avis que cette affaire a assez duré.»

Au nom de la FTQ, Fernand Daoust affirme que «cette décision ne saurait compenser le tort irréparable causé à Louis Laberge, à la FTQ et à tout le mouvement syndical».

Ti-Louis conclut: «Quand tu te désâmes pour aider les

travailleurs et qu'on veut te jeter en prison... J'étais bien content que toute cette affaire se termine enfin, après quatre années d'incertitude et même d'angoisse.»

L'appui officiel au PQ

Comme pour le consoler de toutes ses tribulations des deux années précédentes, c'est par une longue ovation debout que Laberge est accueilli au congrès biennal de la FTQ, à Québec, en décembre 1975.

Un congrès marquant où la centrale, qui regroupe désormais 270 000 membres, décide pour la première fois d'appuyer officiellement un parti politique à Québec, le Parti québécois. Et, une fois de plus, de réélire Ti-Louis par acclamation.

«Il faut débarquer le gouvernement pourri de Bourassa», proclame Laberge. Et pour s'en débarrasser, «il existe un parti où se regroupent déjà plusieurs milliers de syndiqués», une force populaire et social-démocrate qui est «la seule formation sympathique dans son programme et son action quotidienne aux aspirations des travailleurs».

Certes, d'abord fondé pour faire du Québec un pays souverain, «le PQ n'est pas un véritable parti ouvrier» et «bien d'autres intérêts que les nôtres y convergent». C'est pourquoi, ajoute Laberge, «on doit peser de tout notre poids pour que les changements recherchés par le PQ soient profonds». Et «armer nos militants qui y œuvrent d'une définition claire du socialisme démocratique que nous voulons».

Tout bien considéré, la création d'un autre parti, à gauche du PQ, serait «prématurée et inopportune». Et puisque le PQ a promis de tenir un référendum sur la souveraineté du Québec, on peut l'appuyer aux prochaines élections sans être «séparatiste».

Les congressistes décident donc massivement de donner un «appui tactique» au PQ, comme l'ont déjà fait les congrès du SCFP et des Métallos. C'est une grande victoire pour des hommes qui poussaient dans cette voie depuis belle lurette comme Daoust, Brûlé, Dean et surtout Gérin-Lajoie. «Le fruit était mûr, on l'a cueilli», dit Daoust.

Gérin-Lajoie ne peut s'empêcher au congrès de tirer sur une de ses cibles préférées, les «gauchistes». Il dit en substance: «Une certaine gauche extrémiste passe son temps à dénigrer le PQ et à bâtir l'opposition de l'opposition... au lieu de travailler à bâtir un parti d'opposition social-démocrate comme le PQ, capable de prendre le pouvoir et de faire des réformes positives pour nous.» Laberge aussi est de cet avis, lui qui a passé presque toute sa vie dans l'opposition et qui voit dans le PQ une belle occasion de faire avancer le projet de société de la FTQ.

Autre décision importante: sous l'impulsion de Laberge et après un vif débat, le congrès approuve le principe d'une grève générale — et illégale — pour «défoncer» le contrôle des salaires que vient d'instaurer au Canada le gouvernement Trudeau, imité au Québec par le gouvernement Bourassa. La loi fédérale C-73, votée le 14 octobre 1975, impose un sévère programme anti-inflationniste comprenant la limitation des hausses de salaires pour les trois prochaines années. Les conventions collectives ne peuvent dépasser les normes fixées sous peine d'amendes et même d'emprisonnement. C'est la réponse des pouvoirs publics aux luttes syndicales pour l'indexation des salaires.

Laberge se souvient: «Trudeau avait été élu en 1974 en jurant ses grands dieux qu'il n'imposerait pas de contrôle des salaires, contrairement au Parti conservateur qui s'était engagé dans ce sens. Eh bien, Trudeau a renié sa promesse, il a menti.»

Le 14 octobre 1976, premier anniversaire de l'imposition des contrôles, plus de 250 000 syndiqués québécois vont participer à une grève générale de 24 heures qui ralliera 1,2 million de travailleurs canadiens. La première grève de cette ampleur au Canada et en Amérique du Nord. «L'idée venait du Québec, rappelle Laberge, et la FTQ a poussé sur le CTC pour que le projet se réalise à l'échelle canadienne. La participation a été très bonne en Ontario, grâce entre autres aux

Travailleurs de l'auto et aux Métallos, et en Colombie-Britannique grâce à la fédération provinciale du travail et aux Travailleurs du bois de Jack Munro.»

Il ajoute, incisif: «Certains de ceux qui avaient fait les plus vibrants discours pour la grève, lors du congrès de la FTQ, n'ont même pas tenté d'y faire participer leurs membres. D'autres qui s'y étaient opposés, comme les Métallos, ont réussi à obtenir une participation massive de leurs membres.»

Laberge n'a jamais aimé ceux qu'on appelle «les grands parleux et les petits faiseux».

* * *

Par ailleurs, la FTQ décide de mettre l'accent sur la santé et la sécurité du travail, une priorité dit Laberge. Cette campagne suit notamment une âpre grève de sept mois menée par les 3 000 travailleurs des mines d'amiante de Thetford, membres d'une coalition FTQ-CSN, qui ont forcé le gouvernement Bourassa à adopter la loi d'indemnisation des victimes d'amiantose et de silicose. La FTQ va mettre sur pied en 1977 son propre service de santé et sécurité du travail. Un service dirigé de main de maître par un expert venu des Métallos, Émile Boudreau. La bataille que la FTQ mènera là-dessus aboutira à une nouvelle loi progressiste adoptée sous le gouvernement du PQ.

Le congrès de 1975, en plus de doubler la cotisation mensuelle à 30 cents par membre, donne à la FTQ de plus larges pouvoirs d'enquête et d'intervention auprès de ses syndicats. Après le «lavage de linge sale en public» lors de la commission Cliche, Laberge estime que la centrale doit faire respecter ses normes de moralité et d'efficacité syndicales. Bref, elle doit faire elle-même son lavage en famille.

Les premières enquêtes de ce type, qui provoqueront quelque remue-ménage, seront menées dans les syndicats du vêtement (TAVT et UIOVD) et à l'Union des employés d'hôtels, motels et restaurants (section locale 31). Selon plusieurs à la FTQ, la centrale a supporté le «Local» 31 jusqu'à la décrépitude totale avant de l'expulser, et la CSN a ainsi pu faire main basse sur la moitié des membres de ce syndicat. Laberge se justifie: «Nous avions tout tenté pour nettoyer ce syndicat, avec les moyens du bord. Suite aux nouveaux pouvoirs que le congrès nous a donnés, nous avons agi avec fermeté et le Local 31 a été expulsé de la FTQ par un vote unanime du congrès suivant.»

Outre le duo Laberge-Daoust et les vétérans Gérin-Lajoie, Dean et Gohier, quatre nouvelles figures sont élues à l'exécutif lors du congrès de 1975: Roger Laramée, qui a succédé comme directeur du SCFP à Jacques Brûlé, nommé à l'Office de la construction; Richard Mercier, leader de l'Union des employés de commerce — et futur dirigeant du CTC; Léopold Lavoie de la Fraternité des charpentiers-menuisiers et André Messier, le jeune secrétaire barbu du Conseil du travail de Montréal, représentant de l'aile gauche radicale.

* * *

Laberge va s'engager en 1976 dans deux grandes luttes syndicales: une énorme grève de la construction et une autre, non moins gigantesque, dans les services publics. En fait, l'année 1976 sera la plus lourde de l'histoire des relations de travail au Québec si l'on considère le nombre de jours-personnes perdus à l'occasion des conflits: 6,6 millions! Un record de tous les temps.

Dans le secteur public, Laberge est l'un des artisans, avec Fernand Daoust, de la formation du deuxième Front commun CSN-CEQ-FTQ. L'unité syndicale est plus malaisée à bâtir que la première fois, à cause des cicatrices encore fraîches laissées par les affrontements entre la FTQ et la CSN dans la construction. «Mais nous n'avions pas le choix: nous ne pouvions pas affronter le gouvernement séparément.»

Principale revendication du Front commun: un salaire de base de 165 $ par semaine qui sera gagné pour juillet 1978, dernière année de la convention. Cette fois, la stratégie privilégiée est celle des grèves de 24 heures. En juin 1976, au bout de 48 heures de grève des syndiqués CSN et FTQ dans les hôpitaux, le gouvernement cède sur le 165$. Il consent aussi la parité salariale presque complète entre les hommes et les femmes. Et quatre semaines de vacances payées après un an de service, un gain majeur qui servira de modèle. Plus généreuse pour les bas salariés, l'entente excède les normes de la loi anti-inflation, loi qui sera mise en veilleuse par le nouveau gouvernement du PQ.

Chapitre 17

«Le meilleur gouvernement...»

La victoire du 15 novembre 1976

Le 15 novembre 1976, un tremblement de terre politique secoue le Québec dans ses profondeurs, une secousse tellurique de très forte magnitude.

«Il n'y avait à peu près que nous, à la FTQ, qui croyions que le Parti québécois avait une chance d'être élu», exulte encore Laberge. «Même René Lévesque n'osait y croire, il me l'avait dit juste avant les élections.»

Ce soir-là, en fêtant sa victoire, Ti-Louis a les yeux pleins d'eau et un gros «motton» dans la gorge, se souvient son fils aîné Michel, un indépendantiste de la première heure: «Nous étions réunis à la maison de la rue Langelier, les trois garçons et Thérèse, et mon père est venu nous rejoindre pour regarder les résultats à la télévision. Ça faisait chaud au cœur de se retrouver tous ensemble, et ça nous a chauffé le cœur encore plus quand le PQ a été élu. C'était l'euphorie, surtout quand Bourassa a été battu par Gérald Godin. On a fêté notre victoire en famille.»

Laberge s'était engagé corps et âme dans cette bataille: «Pour discuter de la participation de la FTQ à la campagne, j'avais reçu à mon bureau. avec Fernand Daoust, les députés péquistes Robert Burns, Claude Charron et Marcel Léger. Après la rencontre, j'ai dit à Fernand: on plonge! Il était évidemment d'accord... Nous avons convoqué immédiatement une réunion spéciale du bureau de direction de la FTQ et nous avons fait consensus là-dessus. Nous avions déjà un mandat clair de notre congrès en faveur du PQ et nous avons décidé de tout faire pour nous débarrasser de ce maudit gouvernement Bourassa. Pour la première fois, la FTQ appuyait un parti à Québec. Ça faisait longtemps que j'avais pas gagné mes élections...»

Parmi les élus, beaucoup d'amis et de bonnes connaissances de Ti-Louis: «René», bien sûr, et Jacques Parizeau, mais aussi Pierre Marois, «un de nos meilleurs», un avocat progressiste qui avait déjà travaillé avec la FTQ dans certains dossiers; Robert Burns, un autre avocat autrefois du contentieux de la CSN; le syndicaliste Guy Bisaillon de la CEQ, qui avait organisé le comité de solidarité pour les grévistes de la United Aircraft; Lise Payette, qui avait naguère travaillé avec les Métallos en Abitibi; le journaliste Gérald Godin, ancien directeur de *Québec-Presse*; le Dr Denis Lazure («son bureau de candidat du NPD en 1968 était dans mon sous-sol»); Denis Perron, un militant du SCFP à Hydro-Québec, élu dans Duplessis; Claude Charron et tant d'autres. Le PQ a fait élire 71 députés et récolté 41,4 % des voix.

«Un vent de liberté et de responsabilité vient de souffler sur le Québec», déclare triomphalement Laberge au lendemain des élections. «En portant au pouvoir le PQ, la population se donne un gouvernement qui a les mains libres face aux grands intérêts financiers et qui pourra être attentif aux problèmes des travailleurs. D'un coup, nous passons d'un des gouvernements les plus anti-ouvriers que le Québec ait connu à un gouvernement qui propose une option social-démocrate.»

La souveraineté du Québec, ajoute-t-il, «on verra ça en temps et lieu», lors du référendum promis par le PQ. Mais «il ne faut pas avoir peur d'avoir peur. En attendant, ça ne me déplaît pas d'entendre les gens de Toronto nous dire pour la première fois: "We are concerned". Tant mieux, qu'ils continuent à être concernés.»[60]

Dès après la victoire du PQ, une sorte d'alliance informelle, tricotée assez serrée, se noue entre la FTQ et le gouvernement de René Lévesque. Ainsi, pour la première fois de son histoire, la centrale invite un premier ministre à l'une de ses assemblées, un colloque sur la santé et la sécurité du travail en mars 1977. «C'est **notre** premier ministre», lance Laberge aux 1 000 délégués qui réservent un accueil délirant à Lévesque et au ministre Pierre Marois, qui sera l'architecte de la nouvelle loi sur la santé-sécurité. Lévesque plaisante: «J'espère que Louis ne se sentira pas trop compromis de frayer comme ça avec le pouvoir.»[61]

Laberge explique aujourd'hui: «Si tu bâtis un mouvement syndical fort, une FTQ forte, tu vas être capable de faire un bout de chemin avec n'importe quel gouvernement. Ton rapport de forces sera meilleur. Mais c'est évident que c'est plus facile et agréable avec un gouvernement sympathique...»

«Le PQ a formé un bon gouvernement, le meilleur qu'on ait jamais eu», estime-t-il. «Un gouvernement fort, travaillant, qui a respecté ses promesses durant son premier mandat. On n'avait jamais vu des politiciens faire de la belle ouvrage comme ça. Ils ont passé de bonnes lois et nous les avons aidés à préparer leur législation. En santé et sécurité du travail, par exemple, notre expert Émile Boudreau a fait une bonne job avec Pierre Marois. Évidemment, Michel Chartrand se plaignait que ça n'allait pas assez loin... Cher Michel, un éternel mécontent: il a toujours trouvé des "bibites" partout parce qu'il a cherché la petite bête noire toute sa vie...»

Parmi les meilleures lois du gouvernement du PQ durant son premier mandat, «la crème de la crème», il mentionne d'abord la charte de la langue française (la loi 101), puis toute une série de lois ouvrières. Ainsi, la réforme du code du travail a permis d'obtenir enfin l'interdiction du recours aux briseurs de grève et l'imposition de la formule Rand, ainsi que l'arbitrage de la première convention collective. «Rien qu'avec la loi anti-scabs, on a civilisé considérablement les relations de travail, on a assaini le climat. L'opposition féroce du Conseil du patronat et du Parti libéral à cette mesure s'est grandement atténuée par la suite...»

Quant à la loi sur la santé et la sécurité du travail, elle a mis en place un des meilleurs régimes du genre en Amérique du Nord. Laberge mentionne aussi la loi sur les normes minimales de travail et la hausse du salaire minimum qui en a fait, pour un temps, l'un des plus élevés en Amérique. «Mais il y a des limites qu'on ne peut pas dépasser par rapport à l'Ontario si on veut rester concurrentiels.»

Il signale aussi le régime public d'assurance-automobile, le zonage agricole, les améliorations aux programmes sociaux et des politiques économiques interventionnistes comme le renforcement du rôle des sociétés d'État et de la Caisse de dépôt.

Ti-Louis et son «ami René»...

«Louis me disait souvent: René, ça c'est un homme!», raconte son ami Jean Lavallée de la FTQ-Construction.

«Il avait une grande estime pour Lévesque et c'était réciproque», dit pour sa part Robert Dean, un dirigeant de la FTQ qui deviendra ministre dans le gouvernement du PQ. «Lévesque consultait soigneusement la FTQ et Louis en particulier», témoigne le plus péquiste des vice-présidents de la centrale, Jean Gérin-Lajoie. «Il tenait compte de nos positions et était très diplomate avec ce chat sensible qu'est Louis. Une grande familiarité s'est développée entre eux.»

André Thibaudeau, un ancien secrétaire de la FTQ, rapporte ce témoignage: «René Lévesque, peu avant sa mort, m'a dit que Laberge était l'un des hommes les plus intelligents qu'il avait rencontrés. Il appréciait Louis alors qu'il détestait Marcel Pepin, assez pour le griller à petit feu!» Selon Fernand Daoust, Lévesque a «toujours été plus proche de nous que de la CSN».

Pourtant, selon Jean-Guy Frenette, «avant que le PQ prenne le pouvoir, les relations entre Louis et Lévesque ont parfois été difficiles: comme tant d'autres intellectuels, Lévesque affichait parfois un certain dédain envers la FTQ et ses syndicats "américains". Mais les deux hommes se sont apprivoisés et ont eu des relations bien amicales.»

Laberge dit simplement: «René et moi, on ne se voyait pas régulièrement mais on se parlait souvent au téléphone. Il était coupé carré et moi aussi: quand on n'était pas d'accord, on se le disait dru et quand on était d'accord, on se le disait aussi. On ne faisait pas de cachettes. Je crois qu'on s'entendait bien. C'était un homme de cœur et de courage. Quand il est mort, c'est comme si j'avais perdu un frère et j'ai bien pleuré...»

Des hommes d'affaires ont appelé Laberge pour qu'il leur organise un tête-à-tête avec «le premier». «Des gens comme Sam Steinberg, Sam Maislin.... René m'a dit: Ti-Oui, achale-moi pas avec ce monde-là! J'ai d'autres chats à fouetter, je les rencontrerai plus tard.»

Le président du Conseil du patronat, Ghislain Dufour, confirme: «Laberge me disait parfois, mi-blagueur: si t'as du mal à voir René ou un ministre, appelle-moi, je vais t'organiser un rendez-vous! Je lui ai renvoyé l'ascenseur quand les libéraux sont revenus au pouvoir...»

C'est sous le règne du PQ que Dufour, alors vice-président exécutif du Conseil du patronat, a commencé à frayer davantage avec Laberge: «Quand Louis s'est retrouvé au pouvoir après avoir été si longtemps dans l'opposition, ça lui a donné des forces nouvelles. Il essayait de régler des problèmes plutôt que de faire des chicanes. Il est allé chercher plusieurs lois favorables aux syndiqués, surtout la réforme du code du travail et la loi sur la santé-sécurité que son ami Pierre Marois a fait adopter. C'est à sa demande expresse que je suis allé siéger au conseil d'administration de la nouvelle Commission de la santé et de la sécurité du travail, la CSST: on y a beaucoup travaillé ensemble, on y a mis énormément de temps. C'était du concret et il est à l'aise là-dedans.»

Dufour conclut: «Louis avait une ligne directe avec le PQ. Comme avec tous les gouvernements d'ailleurs. Mais il a surtout été proche de Lévesque et de Parizeau.»

Le ministre des Finances du temps, Jacques Parizeau, fait cette confidence: «Monsieur Lévesque et moi, nous considérions que Laberge était le plus parlable et parfois le seul parlable parmi les présidents de grandes centrales. La CSN faisait alors son *trip* d'opposition aux "sociaux-traîtres" du PQ. Laberge n'était pas inféodé au PQ et nous étions loin d'être toujours d'accord. Mais avec qui d'autre pouvions-nous parler raisonnablement, sans partir en peur, sinon avec lui? Et aussi avec Daoust et Gérin-Lajoie. Louis ne capotait pas. Avec les années, il avait acquis une expérience et une réputation de vieux sage.»

À la CSN et à la CEQ, le son de cloche n'est pas le même, certes. Pour Marcel Pepin, «Louis était.un admirateur de Lévesque, pas moi. Avec Daoust et Gérin, il a attaché le char de la FTQ au PQ.» Pepin avait quitté en 1976 la présidence de la CSN, remplacé par Norbert Rodrigue, mais il y était resté un conseiller spécial fort influent, une éminence grise.

De son côté, Yvon Charbonneau se rappelle: «Louis m'a dit: nos *chums* sont au pouvoir, nous avons une autre stratégie maintenant. Les liens de la FTQ avec la CSN et la CEQ se sont distendus parce que nous autres on restait dans l'opposition. Trop peut-être.»

Les deux autres centrales sont alors fortement pénétrées par l'idéologie marxiste et subissent l'influence de courants d'extrême-gauche. Pepin et Charbonneau vont d'ailleurs fonder à l'époque, avec d'autres intellectuels, le Mouvement socialiste, une petite formation de gauche radicale qui finira par mourir de sa belle mort.

Laberge se souvient de la dérive gauchiste des deux autres centrales qu'il a souvent dénoncée à l'époque: «Les relations entre centrales, particulièrement entre la FTQ et la CSN, ont rarement été aussi tendues», déplore-t-il dans son rapport au congrès en 1979. Il blâme «le charriage idéologique continuel et systématique de la CSN qui empêche toute stratégie commune», ses «positions suicidaires» et sa «fuite en avant».

* * *

La plus grosse pomme de discorde, c'est la stratégie syndicale à suivre à l'égard de la concertation entre l'État et les partenaires sociaux, prônée par le gouvernement du PQ en vue d'établir un «nouveau contrat social». Alors que la FTQ, par exemple, participe franchement aux nombreux sommets socio-économiques organisés par le gouvernement, les deux autres centrales y vont à reculons, quand elles ne les boycottent pas.

Le premier Sommet économique a lieu en mai 1977 à La Malbaie, au Manoir Richelieu de Pointe-au-Pic. Laberge annonce que la FTQ s'y rend «avec une approche positive et critique» car «il n'est plus question d'une stratégie de confrontation permanente comme celle que nous avions avant le 15 novembre». La concertation qui marque ce sommet reste symbolisée par une photo célèbre où l'on voit le premier ministre René Lévesque avec, à sa droite, le financier Paul Desmarais et, à sa gauche, le syndicaliste Louis Laberge. Titre de *La Presse* du lendemain: «Power Corporation, la FTQ et le PM se donnent presque l'accolade»...

L'envers de la médaille, c'est que les trois hommes viennent alors d'accueillir une délégation d'une centaine de manifestants du Syndicat du papier (FTQ) venus au sommet en autobus, avec pancartes et slogans, à l'initiative de... Laberge. Des travailleurs de la papeterie Wayagamack du Cap-de-la-Madeleine, propriété de la Consolidated-Bathurst (Power Corporation), qui risquent de perdre leurs emplois. Cette manifestation syndicale illustre bien le mélange savamment dosé, chez Laberge, de concertation et de contestation, de négociation et de confrontation.

«Cette petite manif, dit-il, a permis de prolonger un peu les activités de l'usine. Mais elle a surtout amené le gouvernement et les compagnies à mettre en branle un plan de modernisation de l'industrie des pâtes et papiers.»

Lors de ce Sommet, Ti-Louis lance une blague qui détend l'atmosphère un peu crispée, aux dépens du chef de l'opposition libérale Gérard D. Levesque:

— Je suis fier d'être le chef de l'Opposition et de m'opposer à ce gouvernement, déclare à un moment donné «Gérard D».

Et Laberge de lui lancer en boutade:

— Mon cher ami, si vous êtes si fier de votre titre de chef de l'Opposition et si vous jouez aussi bien votre rôle, nous allons être tentés de vous garder là longtemps!

Le président de la FTQ sort de ce sommet impressionné par les consensus qu'est parvenu à faire émerger René Lévesque. Il déclare que sa centrale va contribuer à la recherche d'un nouveau contrat social: «Nous voulons aller voir ce qui se fait dans ce sens-là en Suède, en Norvège, en Allemagne, pour bâtir éventuellement un modèle québécois.»

Mais «la mobilisation reste toujours nécessaire» — tel est le thème du congrès de la FTQ à l'automne 77 — et le mouvement syndical ne marque pas de gains sans établir un solide rapport de forces, observe Laberge. Dans son discours aux congressistes, il souligne, prudent, que la FTQ ne veut pas «se lancer dans un grand rêve de concertation sociale». Mais «pour la première fois, les Québécois ont porté au pouvoir un parti qui n'était pas lié au milieu des affaires et de la finance, et qui a été élu malgré l'opposition farouche de ce milieu». Le PQ a un programme progressiste et le gouvernement Lévesque a «le courage de ses convictions» et assez de «culot».

Parmi les priorités de la FTQ, il souhaite une loi pour favoriser l'accès à la syndicalisation (le taux de présence syndicale atteint alors près de 40 % au Québec). Mais il réclame surtout une politique de plein emploi pour juguler un taux de chômage qui est monté à plus de 10 % en moyenne en 1977. Un chômage qui a tendance à se percher dangereusement haut et qui pose de nouveaux défis aux syndicats. Des défis angoissants qu'il faudra bien tenter de relever dans les années qui viennent.

Le voyage en Suède

«J'ai eu un coup de cœur pour la Suède. C'est sans doute le voyage syndical qui m'a le plus marqué.»

Louis Laberge parle avec volubilité de sa visite en Suède en mars 1979, lorsqu'il a fait son pèlerinage à la Mecque de la social-démocratie. «Il en a parlé bien souvent et avec enthousiasme par la suite», se souvient Michel Grant, alors adjoint à l'exécutif de la FTQ et l'un des participants au voyage.

Ce n'était certes pas la première incursion du président de la FTQ en Europe: il était déjà allé en France échanger avec les syndicalistes des grandes centrales et en Grande-Bretagne, où il fut délégué fraternel aux assises du Trade Union Congress. Il fera un peu plus tard d'autres pérégrinations syndicales en Allemagne, en Autriche, en Suisse, en Italie. Mais c'est en Suède qu'il a été le plus impressionné par les réalisations d'un mouvement syndical fort et responsable, allié à un puissant Parti social-démocrate.

Laberge s'est rendu à Stockholm à la tête d'une imposante délégation de la FTQ composée de onze personnes dont cinq vice-présidents de la centrale[62]. Le groupe a rencontré les dirigeants syndicaux suédois dont le président de la grande centrale ouvrière LO, Gunnar Nilsson. Il a visité divers centres de formation syndicale ainsi que des entreprises, dont une usine du fabricant d'automobiles Volvo.

L'expérience qui séduit le plus Laberge est celle de la Commission nationale de l'emploi («Labor market Board»): «Cet organisme paritaire syndical-patronal est doté d'un budget voté par le Parlement et met en œuvre la politique de plein emploi, entre autres par des mesures de recyclage et de formation professionnelle. Une affaire formidable. Pas surprenant que le taux de chômage suédois soit autour de 4 %...»

Laberge s'informe du projet des «fonds collectifs de salariés», débattu depuis plusieurs années par les syndicats et le Parti social-démocrate. Les syndicalistes suédois réclament des fonds collectifs d'investissement contrôlés par eux et alimentés notamment par des contributions patronales, ce qui provoque une bataille rangée des milieux d'affaires. La loi créant les fonds salariaux ne sera finalement votée qu'en décembre 1983, six mois après celle du Fonds de solidarité de la FTQ.

Fort différents du Fonds de la FTQ, les «fonds salariaux» seront financés par des contributions obligatoires des employeurs versées à même leurs bénéfices et une taxe sur la masse salariale. Ils investiront dans des sociétés cotées en Bourse. Hélas, ils seront démantelés en 1991 par le nouveau gouvernement de droite.

«Les syndicats suédois sont plus forts et plus avancés que chez nous, constate Laberge. Le taux de syndicalisation là-bas dépasse 80 %, le double de celui d'ici. Et le mouvement ouvrier est engagé politiquement depuis longtemps aux côtés du Parti social-démocrate. Les lois ouvrières sont meilleures, la concertation et la démocratie économique fonctionnent mieux. Bien sûr, le modèle suédois ne peut pas être transposé bêtement mais on doit sûrement s'en inspirer, avec nos façons de faire à nous.»

Le «modèle suédois» inspirera d'ailleurs quelques résolutions au congrès suivant de la FTQ, à l'automne 79. Sur le thème «Le Québec des travailleurs», la centrale rafraîchit son projet de société, toujours identifié au socialisme démocratique, et fait du plein emploi son leitmotiv quasi incantatoire. «Une politique intégrée de plein emploi doit être le pivôt central de la politique économique du Québec pour les années à venir», dit-on. On revendique «un contrôle accru de la collectivité sur ses moyens de production et sur la gestion de l'économie» ainsi que la participation des syndicats aux grandes décisions. On reconnaît que le Québec n'a pas en main tous les leviers économiques et qu'il faudra aller en chercher un bon nombre à Ottawa.

Influencé par ce qu'il a vu en Suède, Laberge sent le besoin de mettre les points sur les «i» lors du congrès à l'adresse de certains militants extrémistes: «Nous n'avons jamais été opposés à l'existence de l'entreprise privée.» Mais l'entreprise doit informer les travailleurs sur ses projets et ses résultats financiers, assurer l'accès à ses livres comptables. Elle doit «accepter de partager ou de céder la gestion des épargnes collectives des travailleurs» dans les caisses de retraite et les régimes d'assurances. La FTQ réclame aussi une législation pour réglementer les fermetures d'entreprises et les licenciements collectifs.

Trudeau battu et... réélu

Après avoir contribué à la défaite de Robert Bourassa, Laberge est encore plus heureux d'aider à la déconfiture de Pierre Elliott Trudeau lors des élections fédérales du 22 mai 1979.

«Trudeau est l'homme à battre», a-t-il répété sur toutes les tribunes en faisant campagne pour le NPD, comme à l'accoutumée. «Il a violé sa promesse en imposant le contrôle des salaires. Il nous a donné dix ans de régime anti-ouvrier et, en plus, il s'oppose aux aspirations nationales des Québécois.» Quant au NPD dirigé par Ed Broadbent, Ti-Louis appuie son programme social, «plus complet que celui du PQ», mais trouve sa position sur la question nationale «aussi stupide que celle de Trudeau».

Les libéraux sont battus par les conservateurs de Joe Clark, mais le changement de décor est de courte durée: mis en minorité en Chambre, Clark est défait neuf mois plus tard lors du scrutin du 18 février 1980. Et Trudeau reprend le pouvoir. «On avait bien du mal à s'en débarrasser», soupire Laberge.

* * *

Du côté de Québec, l'année 1979 est marquée par la première ronde de négociations entre le gouvernement du PQ et le Front commun CSN-CEQ-FTQ des employés des services publics.

Le premier ministre Lévesque se permet de féliciter publiquement la FTQ et son président pour leur «comportement responsable»: la centrale a refusé de participer à une grève illégale de quatre jours dans les hôpitaux menée par la CSN.

Cette ronde de négociations, qui prend fin juste avant les Fêtes, permet de gagner le salaire de base de 265 $ par semaine à la fin de la convention, d'une durée de trois ans et demi. Autre acquis qui servira de modèle dans le secteur privé: un congé de maternité entièrement payé de 21 semaines, une première en Amérique du Nord. Les pourparlers, pilotés du côté gouvernemental par le grand argentier Jacques Parizeau et l'avocat Lucien Bouchard, permettent toutefois à Québec de réduire l'écart salarial qui favorise les employés de l'État par rapport au secteur privé[63].

Pour Laberge, c'est presque un miracle que le Front commun ait tenu le coup malgré les divergences idéologiques et politiques opposant alors la FTQ et la CSN.

Le président de la FTQ ne ménage pas ses efforts en 1979 — comme chaque année — dans d'autres conflits d'envergure vécus par des syndicats affiliés. En plein hiver et par un froid de loup, le 1er février, il se rend à Murdochville en Gaspésie soutenir les 1 200 mineurs engagés dans une longue grève. Laberge retourne dans ce haut-lieu de la solidarité ouvrière où il était allé pour la première fois en 1957, lors de la célèbre Marche qu'il avait contribué à organiser. Il rencontre avec émotion les grévistes, membres des Métallos, et leur apporte le soutien de la FTQ comme il l'avait fait vingt ans auparavant.

En plein été, il se retrouve au coude à coude sur la ligne de piquetage avec les techniciens en grève de Bell Canada, membres du Syndicat des communications et de l'électricité (STCC). Lors d'une manifestation à Montréal en juillet 1979, Ti-Louis, grimpé sur une camionnette, harangue des grévistes plutôt effervescents: «C'est un conflit difficile, mais il ne faut pas s'énerver et ne pas commettre d'actes de violence. Il faut résister une minute de plus...» Le leader des techniciens, René Roy, deviendra plus tard vice-président de la FTQ.

Peu après, ce sera au tour des téléphonistes de Bell de débrayer, et Ti-Louis est encore là pour les appuyer. Leur représentante, Marie Pinsonneault, est la première femme élue au bureau de direction de la FTQ lors du congrès de novembre 1979. «Il était grand temps qu'on ait enfin une femme au bureau», se réjouit Laberge qui en a pris l'initiative, pas très fier de la performance de sa centrale à ce sujet jusque-là.

Il soutient aussi les 950 grévistes de la Banque d'Épargne (aujourd'hui la Banque Laurentienne), qui déclenchent le premier arrêt de travail dans une banque au Canada. Ils sont membres du Syndicat des employés professionnels et de bureau, à l'instar des grévistes de plusieurs caisses populaires que Laberge aura l'occasion d'appuyer dans les années qui vont suivre.

«Soutenir des grévistes, des travailleurs qui luttent par toutes sortes de moyens, légaux de préférence, c'est une bonne partie de ma vie syndicale, dit-il. La grève reste le moyen ultime à utiliser, surtout dans les services publics où elle fait plus mal à la population qu'à l'employeur. Mais on n'a encore trouvé rien de mieux pour la remplacer...»

La FTQ-Construction

Au dire de Laberge, la bataille syndicale la plus importante — et la plus ardue — qu'il ait menée au tournant des années 80 a été la création d'une nouvelle organisation ouvrière, entièrement québécoise, la FTQ-Construction.

Cette bataille, il l'a livrée aux côtés de Jean Lavallée, un homme costaud et têtu, un leader intelligent et modéré qui deviendra l'un de ses amis les plus intimes, presque son *alter ego*. Électricien de métier, bon buveur de cognac comme Ti-Louis, «Johnny» est un fervent indépendantiste et un militant du Parti québécois. Syndicaliste depuis 1961, nommé permanent quelques années plus tard, il accède au poste de directeur général de la Fraternité des ouvriers en électricité en 1976. Élu vice-président de la FTQ en 1979, il deviendra l'année suivante le premier président de la nouvelle FTQ-Construction. Il a alors 40 ans.

L'histoire de la FTQ-Construction a commencé par «une chicane fondamentale», raconte Laberge. En 1979, la Fraternité des électriciens et des monteurs de lignes, dirigée par Lavallée, est expulsée du Conseil provincial des métiers de la construction du Québec (FTQ) sous la pression du «Building Trades Department» de l'AFL-CIO américaine. Le prétexte: la Fraternité n'est pas affiliée à son union internationale — avec laquelle elle a pourtant coupé tous ses liens depuis 1972. Deux autres syndicats du bâtiment sont aussi en instance de désaffiliation de leur «internationale»: les charpentiers-menuisiers et les opérateurs de machinerie lourde.

Sous l'impulsion de Laberge, la FTQ décide de prendre parti pour l'autonomie des syndicats québécois plutôt que de défendre le lien international[64]. Plus encore, la centrale décide d'exclure de ses rangs le Conseil des métiers de la construction, relié aux «Building Trades» américains, et met sur pied une nouvelle organisation exclusivement québécoise, la FTQ-Construction. Dix syndicats s'y affilient, de sorte que la FTQ réussit à conserver près de 50 000 de ses 70 000 membres dans le bâtiment. Les autres demeurent dans le giron du Conseil des métiers dirigé par l'ex-plombier Maurice Pouliot, beau-frère de Dédé Desjardins.

«Si Louis n'avait pas embarqué, affirme Lavallée, il n'y aurait pas eu de FTQ-Construction et de syndicats québécois indépendants dans le bâtiment. Nous avons passé des mois ensemble à construire la nouvelle organisation, avec des collègues et amis comme Jean-Paul Rivard des monteurs de lignes, Yves Paré des opérateurs de machinerie lourde, Louis-Marie Cloutier des charpentiers-menuisiers. J'étais en liaison constante avec Louis et on a passé pas mal de temps à son bureau à la FTQ et à son deuxième bureau chez Butch

Bouchard... Paré et moi on est même allés le déranger durant ses vacances de pêche au lac Faillon en Abitibi: notre hydravion a amerri sur le lac en plein orage! Yves était malade comme un chien, et moi je n'en menais pas large... Plus prudent, Louis-Marie Cloutier était monté là-bas en automobile...»

Pour vraiment mettre sur pied la FTQ-Construction, il fallait une loi spéciale de Québec qui reconnaîtrait le nouvel organisme comme partie aux négociations dans le bâtiment. Laberge s'est «démené comme un diable» pour convaincre le gouvernement du PQ d'agir. C'est lors d'une rencontre mémorable au restaurant *Le Continental*, à Québec, qu'il a persuadé René Lévesque. Une rencontre au plus haut niveau pour discuter de plusieurs sujets chauds entre la FTQ, représentée par Laberge, Daoust et Lavallée, et le premier ministre accompagné de ses ministres Pierre Marois (Main-d'œuvre et Sécurité du revenu) et Pierre-Marc Johnson (Travail).

Ce dernier hésitait à faire adopter la loi spéciale réclamée par la FTQ et Laberge l'a vertement enguirlandé:

— Mon cher Pierre-Marc, votre attitude m'horripile. Vous vous traînez les pieds pour reconnaître des syndicats entièrement québécois. C'est pourtant dans l'idéologie du Parti québécois, non? Je suis persuadé que votre père, le regretté Daniel Johnson, aurait fait mieux que ça...

Le ministre Johnson a blêmi devant cette attaque et René Lévesque a dû s'interposer:

— Pierre-Marc, voyez donc à préparer la loi pour régler cette question. Je ne veux plus en entendre parler.

C'est finalement Pierre Marois qui fera adopter la loi en décembre 1979. Le congrès de fondation officielle de la FTQ-Construction aura lieu en avril 1980. Lors du scrutin de représentation syndicale dans le bâtiment l'année suivante, la FTQ va recueillir 45 % des voix, conservant ainsi sa première position. Aujourd'hui, la FTQ-Construction déclare au-delà de 50 000 membres.

«Louis et moi nous sommes devenus des amis inséparables, conclut Jean Lavallée. Il n'y a pas deux personnes qui ont été aussi près l'une de l'autre à la FTQ dans les années 80.»

* * *

À la même époque, Laberge contribue de façon discrète à effacer les dernières séquelles du saccage de la Baie James en 1974. Il aide en effet au règlement hors Cour de la poursuite civile en dommages-intérêts, de l'ordre de 30 millions de dollars, intentée par la Société d'énergie de la Baie James contre la section locale 791 de l'Union des opérateurs de machinerie lourde. L'affaire se règle en fin de compte pour quelque 200 000 $.

«René Lévesque a fait sa part là-dedans, révèle Laberge. Nous avons tous deux fait des démarches pour que les avocats de la SEBJ et ceux du syndicat entrent en contact afin de régler l'affaire hors Cour. Je n'ai pas participé aux négociations mais j'ai entrouvert des portes. J'ai toujours cru que le pire des règlements vaut souvent mieux que le meilleur des procès...»

L'opposition libérale à Québec, dirigée par son nouveau chef Claude Ryan, accuse la FTQ et le PQ de collusion pour régler cette affaire juste avant le référendum de mai 1980. «On peut appeler ça comme on voudra, rétorque Laberge, c'était ma job syndicale d'essayer que ça se règle le mieux possible.»

Chapitre 18

La FTQ dit oui, le Québec dit non

Le référendum du 20 mai 1980

«Ce fut ma plus amère déception politique, ça m'a crevé le cœur...»

Louis Laberge n'est pas près d'oublier la consternation et la tristesse qui l'ont saisi à la gorge et lui ont fait picoter les yeux, le soir du 20 mai 1980, à l'issue du référendum sur la souveraineté du Québec.

Deux mois auparavant, lorsqu'il s'était marié avec Lucille, son grand amour, il était au comble du bonheur. Maintenant, il avait l'impression de vivre un grand malheur.

Encore aujourd'hui, Laberge se dit qu'il n'a pas travaillé assez fort pour faire gagner le OUI. Il s'était pourtant dépensé sans compter lors de la campagne du référendum. Il avait viré la FTQ sens dessus dessous pour que la centrale se prononce pour le OUI et fasse campagne en faveur de la *négociation* de la souveraineté-association. «La question nous demandait de donner au gouvernement le mandat de ***négocier*** une nouvelle entente basée sur la souveraineté du Québec et son association avec le Canada», rappelle Ti-Louis, qui n'était pas encore vraiment souverainiste en 1980. «C'était comme un vote de grève pour négocier un nouveau contrat.»

Cette image évoquant une négociation syndicale, Laberge l'a astucieusement utilisée à l'époque pour convaincre son monde de voter OUI: «Le Québec veut négocier une nouvelle convention collective avec Ottawa et le reste du Canada, disait-il. Nous avons déjà un syndicat dûment accrédité et un comité de négociations élu: le gouvernement actuel du Québec. Il s'agit maintenant de lui donner, le 20 mai, un mandat clair de négocier un nouveau contrat. Ce n'est pas parce que nous voterons ce projet qu'il s'appliquera automatiquement, il faut d'abord le négocier.

«Et comme tout bon comité de négociations, le gouvernement reviendra devant les membres, tous les Québécois, pour rendre compte du résultat des pourparlers. Ce sera alors le temps d'accepter l'entente de principe s'il y en a une, ou de mandater à nouveau notre comité de négociations, ou bien de voter la grève, c'est-à-dire la souveraineté totale. Les partisans du NON, eux, ont déjà fait savoir à l'employeur qu'ils sont prêts à régler pour presque rien et que, de toute façon, ils ne feront jamais la grève!»

Pour Laberge comme pour tous les vrais syndicalistes, il n'y a pas de bonnes négociations sans un bon rapport de forces.

Au printemps 1980, une fois la date du référendum annoncée par le premier ministre Lévesque, Laberge entreprend avec son vieux complice Fernand Daoust une tournée des syndicats de la FTQ, partout au Québec, pour prendre le pouls de son monde. «Nous avons bien dû rencontrer au-delà de 3 000 personnes. Les militants étaient presque tous pour le OUI, mais les syndiqués de la base étaient plus réticents. Nous nous sommes aperçus, Fernand et moi, que nous étions peut-être un peu en avance sur nos membres. Mais nous avons décidé de foncer et d'essayer de créer un effet d'entraînement.»

Après que le conseil général de la FTQ, l'instance

suprême entre les congrès, eut recommandé massivement le OUI, la centrale convoque un congrès extraordinaire le 19 avril à Québec — un mois avant le référendum — afin de faire entériner la proposition par les délégués des syndicats de la base. «J'ai recommandé la tenue d'un .congrès spécial, explique Laberge, pour que les délégués y soient plus nombreux. Et avec leur consentement, on a limité les interventions de chacun à trois minutes pour que le plus de monde possible puisse s'exprimer.»

Devant au-delà de 2 200 délégués débordants d'enthousiasme, Laberge se livre à un plaidoyer passionné en faveur du OUI. Il rappelle que la FTQ défend depuis vingt ans le droit du Québec à l'autodétermination. Et que même si elle a rejeté «l'option séparatiste», elle a aussi cloué au pilori le fédéralisme existant, revendiqué de multiples rapatriements de pouvoirs d'Ottawa à Québec et lutté pour un Québec français. Le référendum, dit-il, met en présence deux camps clairement identifiés: le Comité du NON qui représente surtout «les forces de la réaction» et «le club des exploiteurs», et le Comité du OUI qui représente surtout «les forces du changement et du progrès». Notant qu'il n'y a pas un seul représentant des grands syndicats au Comité du NON, Laberge laisse entendre que le OUI est quasiment un vote ouvrier, un vote de classe.

Mais «ce n'est pas un OUI au Parti québécois», prend-il soin de préciser, car l'enjeu dépasse les partis. «C'est un OUI à la négociation d'un changement politique majeur et pour une redéfinition des liens entre le Québec et le Canada.» Et même si le NON devait l'emporter, «cela ne pourra pas faire taire notre désir de changement». Et la lutte de la FTQ pour son projet de société, la social-démocratie, continuera de plus belle.

Pour achever de convaincre les délégués, Laberge note qu'une forme de souveraineté-association existe déjà au sein de plusieurs syndicats canadiens et nord-américains affiliés à la FTQ, ainsi qu'entre la FTQ et le Congrès du travail du Canada. Et que l'on continuera de maintenir des liens privilégiés de solidarité avec les travailleurs syndiqués du Canada anglais, des États-Unis ou de toute autre partie du monde.

La résolution soumise aux délégués condamne le fédéralisme existant, sans faire aucune mention de la souveraineté ni de l'association. Mais elle recommande de voter OUI pour négocier un changement politique profond. En fait, «la FTQ s'engage dans le camp du OUI davantage pour provoquer un déblocage constitutionnel que pour promouvoir l'indépendance du Québec», note l'historien Jacques Rouillard[65]. Mais selon Jean Gérin-Lajoie, tout aussi empreint de pragmatisme que Laberge, «peu importe la formulation de notre résolution au congrès, l'important, c'était de répondre OUI...»

À plus de 90 %, les délégués optent résolument pour le OUI. On compile une quarantaine de voix contre et une centaine d'abstentions, surtout chez les syndicats qui comptent un bon nombre d'anglophones et d'allophones (vêtement, machinistes, services).

Malgré l'engagement de la FTQ — et ensuite de la CSN — dans la bataille, malgré la création de milliers de «comités de travailleurs pour le OUI» dans les entreprises et les institutions, malgré la signature de milliers de pétitions et la tenue de centaines d'assemblées pour le OUI, la campagne référendaire va tourner à l'avantage du camp du NON. Un camp dirigé officiellement par le chef du Parti libéral du Québec, Claude Ryan, mais dominé en réalité par le premier ministre du Canada, Pierre Elliott Trudeau. «Maudit Trudeau! dit aujourd'hui Laberge encore sous le coup de la colère. Il a fait des promesses qu'il n'a pas tenues en disant qu'il allait renouveler le Canada et qu'il mettait son siège en jeu là-dessus...»

Laberge dénonce la campagne de peur et de chantage menée par les partisans du NON et, singulièrement, par les employeurs. Il se permet d'ailleurs une algarade publique avec le futur chef du Parti Conservateur et premier ministre du Canada, Brian Mulroney, alors président de la grande compagnie minière Iron Ore et l'une des figures de proue du camp du NON. Accusé par Ti-Louis d'être membre du «club des exploiteurs pour le NON», lui qui s'apprête de surcroît à fermer la mine de fer et la ville de Schefferville dans l'Ungava, Mulroney riposte vivement en faisant allusion au rapport de la commission Cliche: «Compte tenu du dossier de M. Laberge, la simple prudence exige qu'on examine attentivement ses lettres de créance.» Et de conclure sur une note d'humour: «M. Laberge n'aime pas les politiciens, sauf ceux qui sont au pouvoir, bien sûr. Mais il aime bien faire de la politique...»[66]

Ti-Louis, qui est parti en guerre, n'a cure de ces petits coups de pique. Et après Trudeau et Mulroney, il s'en prend au NPD et à son chef, Ed Broadbent, qui s'est enrôlé dans le camp du NON. Selon le conseiller de la FTQ Jean-Guy Frenette, «c'est à ce moment-là que remonte la rupture morale profonde de Louis avec le NPD sur la question nationale».

Une défaite et... une victoire

Le soir du 20 mai, hélas, les partisans du OUI subissent une défaite amère.

Ils recueillent 40,4 % des voix, tout près de 50 % chez les francophones. Laberge a le goût de pleurer, mais il sent plutôt une colère froide l'envahir. «L'image qui m'est restée de cette soirée, c'est celle de ce jeune couple, au Centre Paul-Sauvé, où l'on voit le père en larmes avec son enfant dans les bras...» Il ajoute: «Et j'ai pensé à René Lévesque qui y avait tant travaillé. C'est une défaite qui a détruit René, il ne s'en est jamais remis.»

Cette soirée-là, Laberge la passe au poste de télévision anglophone CFCF à Montréal, le canal 12, où il a été invité à commenter les résultats du référendum en compagnie de... Brian Mulroney. Il insiste pour qu'on divulgue le score réalisé dans le comté de Duplessis sur la Côte-Nord, où se trouve la compagnie Iron Ore dirigée par Mulroney. Il fait même avec son ami Brian une petite gageure qu'il va gagner: le OUI a raflé la majorité des voix dans le coin, en particulier à Sept-

Iles et à Schefferville, grâce notamment aux membres du Syndicat des Métallos.

Ti-Louis se console donc: «Dans les endroits fortement syndiqués, particulièrement avec la FTQ, le OUI a été fort: sur la Côte-Nord, au Saguenay—Lac Saint-Jean, en Abitibi, dans l'Est de Montréal. Les syndiqués ont eu moins peur que les non-syndiqués. J'estime que près des deux tiers des membres de la FTQ ont voté OUI.»

En quittant le poste CFCF, Laberge se souvient que des techniciens, affiliés à sa centrale, lui ont simplement dit: «Lâche pas, Ti-Oui.» «Je n'avais aucune envie de lâcher, assure-t-il. Nous avions perdu une bataille mais pas la guerre. René n'avait-il pas dit: à la prochaine fois?»

Dès le lendemain , Laberge déclare officiellement au nom de la FTQ: «Le fait que plus de 40 % des Québécois ont opté pour le OUI indique une tendance irréversible. Dans ce sens, le référendum n'a rien réglé, et la question nationale se pose toujours avec acuité.» La suite des événements allait lui donner raison.

Louis Laberge venait de frapper un gros nœud, mais il allait continuer de bûcher.

* * *

Moins d'un an après avoir perdu la bataille du référendum, le Parti québécois gagne néanmoins ses élections, et Laberge lui aussi. Lors du scrutin du 13 avril 1981, le PQ est reporté triomphalement au pouvoir avec 49 % des voix et 80 députés à l'Assemblée nationale.

Comme en 1976, la FTQ a officiellement donné son «appui critique» au parti de René Lévesque. «On ne change pas une combinaison gagnante», dit Ti-Louis en rappelant que le PQ a fait «une job splendide» durant son premier mandat et que son bilan législatif est largement positif. Il n'a qu'à mentionner certaines lois ouvrières et sociales qui situent le Québec à l'avant-garde en Amérique du Nord.

Parmi les nouveaux députés péquistes élus en 81, Laberge

peut compter sur un des vice-présidents de la FTQ, Robert Dean des TUA. «Bob» Dean servira en quelque sorte d'agent de liaison avec le gouvernement; il sera nommé plus tard par Lévesque ministre délégué à l'Emploi et à la Concertation.

«Louis m'a dit après ces élections: "Nous sommes vraiment au pouvoir"», se rappelle Pierre Richard, ex-journaliste au quotidien *Le Devoir* qui fut douze ans directeur des communications à la FTQ. «Il a pu effectivement obtenir bien des choses. Mais durant le deuxième mandat du PQ, il a cru parfois qu'il pouvait tout régler par son influence personnelle, par ses contacts avec Lévesque et certains ministres. Comme si le pouvoir était au bout du téléphone!»

Alors que Laberge continue de soutenir le Parti québécois, ses anciens compagnons de prison, Marcel Pepin et Yvon Charbonneau, fondent à l'automne 1981 le Mouvement socialiste, une petite formation de gauche indépendantiste. Présidé par Pepin et surtout influent au sein de la CSN, le mouvement, mué en parti, n'arrivera pas à décoller; miné par les dissensions et réduit à l'état de groupuscule, il finira par se saborder. Pour Laberge, c'est là une autre preuve que sa position d'appui tactique, sinon stratégique, au PQ social-démocrate était la meilleure dans les circonstances.

Mais les temps allaient bientôt être très durs à cause de la crise économique. Quelques mois après les élections, la social-démocratie du PQ allait battre de l'aile.

La pire crise depuis la Grande Dépression

Comme le reste de l'Amérique du Nord, à l'été 1981, le Québec va s'enfoncer dans la pire crise économique depuis la Grande Dépression des années 30.

Pudiquement appelée récession, la crise allait débuter officiellement en juillet et durer dix-huit longs mois, avec son noir cortège de chômage, de pauvreté et de misère.

Un chômage dévastateur, une hémorragie d'emplois qui allait frapper presque 14 % de la main-d'œuvre en moyenne en 1982, avec une pointe à 15,5 %. D'implacables tragédies humaines. Plusieurs familles qui ont perdu leur gagne-pain «tombent» de l'assurance-chômage à l'aide sociale. Chez les jeunes de moins de vingt-cinq ans, près du quart sont sans emploi.

La crise, rappelle Laberge, est encore plus grave à cause de la politique anti-inflationniste impitoyable du gouvernement Trudeau, qui a catapulté les taux d'intérêt jusqu'à un sommet démentiel de 21 % en août 81. Résultat: une vague déferlante de mises à pied, de licenciements, de fermetures d'entreprises, de faillites, de réductions de salaires, de concessions sur les conditions de travail et sur tous les acquis syndicaux. Les entreprises et leurs travailleurs se font manger la laine sur le dos. Le Québec est économiquement sinistré.

Déjà, en février 81, la FTQ avait tenu un colloque spécial sur les licenciements et les fermetures d'entreprises, réclamant à nouveau une loi pour civiliser le capitalisme sauvage des employeurs, comme en Suède et dans d'autres pays d'Europe. «Nous en sommes réduits à nous battre pour l'essentiel: les jobs», constate Laberge.

Il revient à la charge lors du congrès de la FTQ à l'automne 81: «Toutes les sociétés capitalistes sont secouées par la crise mais très peu de gouvernements ont le courage et l'imagination d'y faire face.» Il propose une relance de la construction grâce à une baisse des taux d'intérêt, des programmes de financement des petites et moyennes entreprises ainsi que la nationalisation des épargnes collectives et leur canalisation vers des institutions comme la Caisse de dépôt en vue de réaliser des investissements productifs et créateurs d'emplois. Corvée-Habitation et le Fonds de solidarité sont déjà en germe.

Signe que la FTQ ne perçoit pas encore toute l'ampleur de la crise, le thème principal du congrès porte, à contre-courant, sur l'accès à la syndicalisation. «C'est la grande bataille que nous devons engager et qui devra drainer le gros de nos énergies au cours des prochains mois», affirme Laberge, qui devra très bientôt changer l'ordre de ses priorités à cause des ravages de la récession. Il n'en réclame pas moins à nouveau une loi sur l'extension de la syndicalisation par l'accréditation multipatronale, une promesse inscrite au programme du PQ.

Québec, qui a alors d'autres chats à fouetter, va répondre à cette demande par la création d'une commission d'enquête pour revoir la législation du travail dans le secteur privé. Le rapport de cette commission présidée par le juge René Beaudry — «l'un des rares juges pro-ouvriers», dit Laberge — sera mis sur les tablettes par le futur gouvernement libéral.

L'homme qui représente les syndicats à la commission Beaudry est l'homme de la FTQ, Jean Gérin-Lajoie. Celui-ci vient de quitter la direction des Métallos et la vice-présidence de la centrale pour se consacrer à l'enseignement à l'École des HÉC. Élu à l'exécutif de la FTQ en 1959 — trois ans avant Laberge — Gérin-Lajoie y aura siégé 22 ans, marquant profondément l'évolution du mouvement dans la voie social-démocrate et souverainiste. «Jean a été un des grands bâtisseurs de la FTQ, dit Laberge. On s'est engueulés souvent, c'était un intellectuel et on était loin d'être d'accord sur tout. Mais après coup, on s'aperçoit qu'il avait raison sur bien des points... même s'il voyait parfois des gauchistes jusqu'en dessous de son lit...»

Le successeur de Gérin-Lajoie au bureau de direction de la FTQ, élu lors du congrès de novembre 1981, est le nouveau directeur des Métallos, Clément Godbout. Ce syndicaliste populiste, ancien mineur de Normétal en Abitibi, fera si bien son chemin qu'il deviendra en quelque sorte le dauphin de Laberge.

Trois autres nouveaux venus accèdent à l'exécutif en même temps que Godbout: Claude Morrisseau, l'austère directeur du Syndicat canadien de la fonction publique (désormais le plus grand syndicat de la FTQ), Claude Ducharme, le rondouillet directeur des Travailleurs de l'automobile et de l'aérospatiale et Fernand Boudreau, le président impétueux du Conseil du travail de Montréal et l'un des leaders du Syndicat des débardeurs. Les dirigeants réélus, outre le vieux couple Laberge-Daoust, sont Marie Pinsonneault (Communications), Jean Lavallée (Construction), Richard Mercier (Commerce), Edmond Gallant (Papier) et Giovanni Alleruzzo (Vêtement).

Autre changement majeur dans l'entourage de Laberge: l'arrivée de sa nouvelle secrétaire Marie-Claude Deschênes, venue du Syndicat du papier. Elle prend la relève de la fidèle Gisèle Roth, «Madame FTQ», qui prend sa retraite après avoir œuvré 23 ans à la centrale. La nouvelle adjointe du président lui sera aussi précieuse que l'ancienne.

* * *

Le lendemain du congrès de la FTQ, Laberge est parmi les leaders d'une manifestation sans précédent par son ampleur: en ce samedi glacial du 21 novembre 1981, au-delà de 100 000 personnes — dont près de 50 000 Québécois — marchent sur le Parlement d'Ottawa. Le rassemblement, organisé par l'ensemble du mouvement syndical canadien, vise à protester contre les politiques du gouvernement Trudeau, créatrices de chômage plutôt que d'emplois.

Juché sur une estrade, la tuque enfoncée sur les oreilles, Ti-Louis harangue la foule avec sa verve habituelle: «C'est le point de départ d'une immense mobilisation en vue d'obliger les gouvernements à se donner une politique de plein emploi», promet-il. Dix ans plus tard, il y travaillera encore avec ardeur.

Laberge garde un vif souvenir de cette manifestation, et pour cause. Le rendez-vous des manifestants québécois était fixé à Hull, d'où ils devaient traverser à pied le pont interprovincial jusqu'à Ottawa. Laberge prend la tête du long cortège qui s'engage bruyamment sur le pont. Au milieu de la traversée, on marque un temps d'arrêt pour attendre les retardataires, mais les milliers de manifestants, qui commencent à avoir les pieds gelés, se mettent à se dandiner d'une jambe sur l'autre pour se réchauffer. À cause des vibrations, le pont se met à osciller et à craquer dangereusement! Un vent de panique se répand à travers la foule, on entend des cris, certains veulent courir. Vif comme l'éclair, Laberge se tourne vers les manifestants et s'égosille: «Calmez-vous, on continue à marcher! » Et la traversée s'est terminée sans encombre... mais d'un bon pas! «Louis n'a pas paniqué, dit Fernand Daoust, il sait garder son sang-froid dans ces circonstances.» Ti-Louis commente simplement: «On a eu une maudite frousse.»

Le gouvernement Trudeau est doublement la cible de Laberge à cette époque: à cause de sa mauvaise gestion économique, certes, mais aussi à cause de son coup de force constitutionnel encore fumant contre le Québec. Lors d'une sombre «Nuit des longs couteaux» à Ottawa le 5 novembre 81, le fédéral et les provinces ont trafiqué un accord dans le dos du Québec. Un accord que le gouvernement de René Lévesque refuse de signer, appuyé en cela par l'opposition libérale à l'Assemblée nationale. Laberge, qui n'a pas de mots assez durs pour dénoncer le «Canada Bill» de Trudeau, fait un pas de plus dans la voie de la souveraineté du Québec.

Coup de massue dans le secteur public

Le 5 avril 1982. En pleine récession, le premier ministre Lévesque ouvre le Sommet qu'il a convoqué d'urgence, à Québec, pour trouver des solutions à la crise économique qui commence à faire très mal. L'heure est à la concertation. Pour la première fois publiquement, Laberge va parler de son projet d'un fonds d'investissement pour créer des emplois[67].

Le gouvernement est acculé à une impasse budgétaire de 700 millions, déclare dramatiquement Lévesque. Il faut que tout le monde fasse preuve de solidarité et accepte des sacrifices, dit-il. Dans le secteur privé où les emplois disparaissent, les syndicats font des concessions. Pourquoi pas ceux du secteur public avec leurs «emplois à vie»? Pourquoi ne pas mettre à contribution les employés des services publics dont la rémunération gruge 53 % du budget de l'État?

«Nous sommes bien conscients que les problèmes sont sérieux», rétorque Laberge au nom de la plus importante centrale qui compte quelque 400 000 membres, dont les deux tiers dans le secteur privé. «Nous sommes donc prêts à faire notre part en autant que tout le monde fasse sa part.» Il provoque une vive surprise en faisant la proposition suivante: «Je suis prêt, dit-il en pesant bien ses mots, à recommander à nos membres de contribuer à un fonds d'investisement d'urgence pour sauver et créer des emplois. J'aimerais que tout le monde ici fasse de même, les patrons et le gouvernement.» La priorité de ce fonds serait de relancer l'industrie du bâtiment, mais il pourrait aussi stimuler l'emploi dans le secteur manufacturier.

Laberge se rappelle: «Je pensais à une sorte de fonds de solidarité, avec la participation des syndicats, des employeurs et de l'État.» Alors que la CSN répète comme une incantation qu'il faut «faire payer les riches», la FTQ fait preuve de réalisme et de solidarité.

Finalement, le Sommet retient l'idée de mettre sur pied un fonds pour relancer la construction domiciliaire. Laberge défend la proposition avec l'appui du président du Mouvement Desjardins, Raymond Blais, et du ministre des Finances, Jacques Parizeau. Le projet sera connu sous le nom de Corvée-Habitation. Le gouvernement, les institutions financières, les employeurs et les syndiqués de la construction vont y contribuer. Le président de la FTQ-Construction, Jean Lavallée, jouera un rôle clé du côté syndical. La contribution des travailleurs se fera à même leurs cotisations au régime de retraite.

Lancé en juin 82, le fonds Corvée-Habitation offrira aux acheteurs de maisons neuves des taux hypothécaires plus bas que ceux du marché et sera un franc succès: en trois ans, la reprise économique aidant, il aidera à créer 57 000 emplois directs dans le bâtiment et le double dans les industries connexes. Le nom de Laberge et celui de la FTQ restent associés à cette expérience avant-gardiste de concertation pour l'emploi. «Une idée phénoménale», estime Parizeau. «Une répétition générale avant le Fonds de solidarité», dit Laberge[68].

* * *

Peu après le Sommet de Québec, le gouvernement Lévesque décide malgré tout de lancer une offensive tous azimuts contre les employés du secteur public. Le président du Conseil du Trésor, Yves Bérubé, annonce son intention de rouvrir les conventions collectives en vue de geler les salaires des 320 000 employés de l'État, soit 12 % des salariés québécois. En fait, il exige des syndicats qu'ils renoncent aux hausses prévues pour les six derniers mois du contrat, une coupe sombre de 521 millions de dollars.

La réponse ne tarde pas à venir: c'est non! Laberge fait cette déclaration comminatoire: «Si le gouvernement va trop loin, ce sera la guerre totale dans le secteur public. L'année 1982 sera pire que l'année 1972!»[69]

Le ministre Bérubé doit reculer et s'engager à respecter la convention jusqu'à son échéance, le 31 décembre 1982. Mais le pire est à venir: le gouvernement annonce qu'il va récupérer le plus clair de ces augmentations de salaires en trois mois, entre janvier et avril 1983, par des «coupures» pouvant aller jusqu'à 20 % chez les plus hauts salariés. Et il adopte une loi spéciale draconienne à cet effet[70].

La guerre est donc déclarée entre Québec et le Front commun CSN-CEQ-FTQ des employés de l'État. «La stratégie du PQ est digne des pires années du duplessisme», fulmine Laberge, qui exige la démission du ministre Bérubé, en charge de la «sale job». «Tarzan Bérubé», comme il l'appelle ironiquement. «Nous étions prêts à faire notre part et à négocier même un gel des salaires et des conditions de travail dans la prochaine convention collective, mais pas des coupures rétroactives! Je l'ai expliqué longuement au coordonnateur des négociations du côté patronal, Lucien Bouchard. Je l'ai dit aussi aux ministres concernés et au "premier". Mais ils n'ont rien voulu entendre...»

Ti-Louis a eu un tête-à-tête avec René Lévesque pour essayer d'éviter le pire: «J'ai dit à René que la FTQ était prête à examiner tout projet qui permettrait que l'argent des coupures soit réinvesti dans des initiatives de création d'emplois, dans un grand fonds d'investissement collectif par exemple.»

Malgré les efforts de ministres comme Pierre Marois et Pauline Marois, le projet n'aura pas de suites. «Ils ont raté une belle occasion, je l'ai dit à René...»

La date fatidique approchant, le Front commun déclenche des moyens de pression à l'automne 82. Après un débrayage illégal de 24 heures le 10 novembre, Québec consent à une récupération modulée des salaires, épargnant ainsi la catégorie des plus bas salariés, où la FTQ compte la grande majorité de ses 45 000 syndiqués dans le secteur public. Une demi-victoire.

Le 1er janvier, les réductions entrent en vigueur. Par une loi spéciale, Québec décrète aussi la convention collective en vigueur pour les trois prochaines années, avec un gel des salaires en 1983 et de légères hausses par la suite. L'objectif du gouvernement est atteint: réduire à zéro l'écart salarial entre les travailleurs du public et du privé.

Les «coupures» feront très mal. Ce sera la première grande défaite du mouvement syndical, en vingt ans, dans le secteur public. Dernier bastion de la résistance, les enseignants seront forcés de retourner au travail, en février 1983, par une loi d'exception si terrifiante que les juristes l'avaient surnommée la «bombe atomique». «Une loi ignominieuse», dit Laberge.

Pour le président de la FTQ, qui avait une position d'«appui critique» au PQ, l'appui cède le pas à la critique. Mais le pire pour les syndicats, c'est que, selon tous les sondages, l'opinion publique soutient le gouvernement, et Laberge en est bien conscient. Les employés du secteur public, eux, se souviendront du PQ lors des élections suivantes.

«Le gouvernement a été pris de panique, estime Laberge. Tu ne pouvais presque plus parler à personne, les ministres étaient comme des chiens fous à cause de la crise. Ce fut la période la plus noire du PQ. Les plaies ont mis du temps à se cicatriser chez nous.» Il disait à l'époque: «Le gouvernement agit comme quelqu'un qui a perdu sa boussole: il cherche le nord.»

Il dit aujourd'hui: «Ce fut le début de la fin pour le

gouvernement Lévesque, malgré tous ses bons coups. Ils ont perdu de bons ministres comme Pierre Marois, un gars solide. Ils se sont chicanés de plus en plus entre eux, Parizeau et plusieurs autres ont fini par partir. Même notre bon ami Robert Dean a très sérieusement songé à quitter le gouvernement. Une maison divisée ne peut pas gouverner...»

Chapitre 19

Le Fonds de solidarité

Malgré le climat morose de la crise et les tensions avec le gouvernement du PQ, Laberge va réussir en 1983 un coup qui sera l'un des meilleurs de toute sa vie syndicale: la mise sur pied du Fonds de solidarité des travailleurs du Québec (FTQ).

«Je crois bien que le Fonds de solidarité a été le plus beau coup de la FTQ», dit-il aujourd'hui en parlant de son «bébé», un fonds d'investissement créateur d'emplois qui fut le premier du genre en Amérique du Nord. Et qui est l'un des rares dans le monde*.

«Voyons, Ti-Oui, t'es capoté!...»

Depuis le début de la crise économique, Laberge est atterré par les drames humains dus au chômage. Il cherche désespérément un moyen qui permettrait au mouvement

---

* L'auteur de ce livre a œuvré depuis les débuts — et durant sept ans — au Fonds de solidarité dont il a été vice-président aux Communications. Il a écrit à ce sujet un ouvrage, *SOLIDARITÉ INC.*, paru aux Éditions Québec/Amérique en 1991.

syndical de contribuer à maintenir et créer des emplois au Québec. Plusieurs fermetures d'entreprises lui font mal au cœur et il se dit souvent: «À quoi ça sert d'avoir le meilleur syndicat au monde, la meilleure convention collective, si tu n'as plus de job? Si ton entreprise ferme?»

D'où ce projet de fonds collectif dont il a parlé au Sommet de Québec, au printemps 82, et qui lui trotte dans la tête depuis longtemps. Il a demandé une étude préliminaire là-dessus au conseiller économique de la FTQ, Jean-Guy Frenette, qui sera l'un des pères fondateurs du Fonds de solidarité.

«Si personne ne veut se mouiller, pourquoi ne pas lancer nous-mêmes un fonds contrôlé par la FTQ?», demande-t-il aux délégués au conseil général de la centrale, l'instance suprême entre les congrès, réunis à Jonquière en novembre 1982. Le taux de chômage est alors juché à 15 %. Laberge parle d'un fonds qui serait alimenté par des contributions volontaires des travailleurs, perçues à la source et déductibles d'impôt. Il lui a trouvé un nom, un beau nom: le «Fonds de solidarité». La solidarité des gens qui ont un emploi et qui veulent aider ceux et celles qui n'en ont pas ou qui risquent de le perdre.

Le fonds serait d'abord un outil d'investissement pour maintenir et créer des emplois dans des entreprises québécoises. Mais il aiderait aussi à favoriser la formation économique des travailleurs et à accroître leur influence dans les entreprises et l'économie. D'ailleurs, «personne ne sait mieux que les gens qui y travaillent ce qui va bien ou mal dans leur entreprise». De surcroît, le Fonds serait éventuellement un partenaire pour aider à mettre en œuvre une stratégie de développement industriel et à consolider les centres de décision économiques au Québec.

Laberge se souviendra longtemps du scepticisme, voire de l'opposition qu'il a dû affronter dans les milieux d'affaires et dans les syndicats. Et d'abord au sein même de la FTQ: «Plusieurs me disaient carrément: "Voyons donc, Ti-Oui, t'es capoté!" Mais je n'ai jamais perdu confiance.» Grâce à sa force de persuasion, il a d'abord gagné l'appui de son coéquipier Fernand Daoust et du bureau de direction de la FTQ. Puis le conseil général a accepté le principe de ce «Fonds de solidarité» qui symbolise toute une révolution dans les mentalités syndicales.

Cette première étape franchie, l'affaire va débouler à vive allure, Laberge bulldozant tout le monde pour faire démarrer «son» fonds. Il pète le feu, comme on dit. Le 3 mars 1983, il annonce publiquement le projet. Avec le soutien du gouvernement du PQ, nommément de Jacques Parizeau, Pierre Marois et Robert Dean, la loi créant le Fonds de solidarité est adoptée tambour battant le 23 juin. On forme un conseil d'administration présidé par Laberge et contrôlé par la FTQ; on engage un P.-D. G., Claude Blanchet, lui aussi un fonceur, et le congrès de la FTQ approuve le lancement du projet. Le Fonds va démarrer ses activités le 3 février 1984 — quinze jours avant que Laberge, qu'on commence à appeler le Vieux Lion, fête ses 60 ans.

Le Fonds de solidarité va recueillir l'épargne non seulement des membres de la FTQ mais aussi du grand public,en offrant des économies d'impôt et un régime d'épargne-retraite (REER). Il deviendra, en peu de temps, un fascinant *success story* syndical et économique. Grâce à ses investissements en capital de risque, il aidera à créer et maintenir des milliers d'emplois dans des entreprises québécoises, surtout dans les PME. Il jouera également un rôle dans l'essor de la concertation syndicale-patronale.

Au début de 1992, après huit ans d'existence, le Fonds de solidarité des travailleurs du Québec (FTQ) comptait au-delà de 140 000 actionnaires et un actif net de plus d'un demi-milliard de dollars. Un des beaux fleurons du «Québec inc.»[71]

* * *

Pour assurer la réussite du Fonds, Laberge a pu compter sur un réseau extraordinaire de solidarité et de bénévolat au sein des syndicats de la FTQ. Si les Métallos ont été «la bougie d'allumage», selon Clément Godbout, tous les syndicats ont fait leur part, autant ceux du public que du privé. Selon le directeur du Syndicat du papier, Edmond Gallant, «la FTQ est passée à l'action et a gagné ses épaulettes avec un projet comme celui-là». Fernand Boudreau, alors président du Conseil du travail de Montréal et l'un des plus fervents partisans du Fonds, dit que «seule une petite minorité soi-disant de gauche s'opposait au projet, mais elle a changé d'idée avec les années».

Pour Jean Martin, premier vice-président du Fonds de solidarité, «Laberge a mis sur pied le meilleur outil que s'est donné le mouvement syndical pour se faire respecter dans tous les milieux». Ancien représentant national du Syndicat du papier en Mauricie, Martin est arrivé au Fonds en 1989, «à la demande expresse de Louis», pour prendre la relève du pionnier Normand Caron, venu lui aussi de la FTQ. Ardent militant du PQ, homme de confiance de Laberge, il est devenu récemment un de ses grands amis. D'une loyauté indéfectible, il dit: «Laberge un jour, Laberge toujours...»

Ti-Louis a pu s'appuyer aussi sur une équipe de gestionnaires progressistes qui ont su faire marcher cette bizarre institution financière syndicale. Le P.-D.G. du Fonds, Claude Blanchet, est un «businessman de gauche» en qui Laberge a mis sa confiance. Directeur général de la Société de développement des coopératives et copain de Jean-Guy Frenette, Blanchet avait donné un bon coup de main à la FTQ pour la mise en route du Fonds, aidé de son bras droit Denis Dionne et de son équipe. C'est un social-démocrate pragmatique et un fervent souverainiste, époux de la ministre péquiste Pauline Marois.

«S'il n'avait pas été syndicaliste, dit-il, Louis aurait pu faire un très bon entrepreneur. Mais avec le Fonds, il est devenu un peu les deux... Il a un sens naturel de l'entrepreneuriat et le goût du risque. Nous nous sommes donc bien entendus. Il a le pied sur l'accélérateur plus que sur le frein, et c'est un élément déterminant pour le développement du Fonds. Louis a du leadership, mais il préfère rallier tout le monde et bâtir des consensus: on vote très rarement au conseil d'administration. Il dit clairement ce qu'il pense mais sait écouter tes arguments. Il peut faire des accommodements et mettre de l'eau dans son... Mouton Cadet! »

Blanchet conclut: «Louis est engagé corps et âme dans le Fonds de solidarité. Quand je lui ai dit qu'on atteindrait le demi-milliard d'actif avant la fin de notre exercice le 31 octobre 1992, il a eu un large sourire de satisfaction et m'a demandé: et le milliard? Il ne peut pas s'arrêter tant qu'on n'aura pas atteint le plein emploi!» Il a du pain sur la planche.

Selon tous les amis de Laberge, le Fonds de solidarité est vraiment le projet qui lui tenait le plus à cœur durant les dernières années de sa présidence. «C'est tout un beau bébé pour lui, dit son vieux compagnon de la caisse d'économie de Canadair, Robert Soupras. C'est la consécration de toutes ses années de travail pour la libération économique des travailleurs.» Pour Yvon Charbonneau, l'un des premiers à appuyer le Fonds alors qu'il était président de la CEQ, «Louis a pris de l'avance sur le reste du mouvement syndical avec ce projet-là. Il a compris plus vite que le syndicalisme devait changer.»

Ce n'était pas l'avis en ce temps-là du président de la CSN, l'ex-théologien et travailleur social Gérald Larose, qui a attaqué publiquement et avec virulence le Fonds. Mais «il s'est calmé et a fini par changer d'idée», dit Laberge en parlant de son «ami» Larose.

Pour Jacques Parizeau, «le Fonds de solidarité, c'est la grande idée de Laberge. Il m'avait dit avant de le lancer: "C'est le geste le plus profondément révolutionnaire que j'aurai à poser dans ma vie..." C'est aussi un geste qui illustre bien sa façon de travailler: il l'a mis sur pied avec l'appui du gouvernement du PQ alors qu'on venait de s'affronter dans le secteur public. Il s'est dit: même si on ne s'entend pas sur une convention collective, on peut s'entendre sur d'autres projets pour sortir de la crise et créer de l'emploi au Québec. Il y avait assez de confiance entre nous pour qu'on puisse travailler ensemble.»

Selon le premier ministre Bourassa, «le Fonds de solidarité va demeurer comme sa plus grande réalisation. C'est un événement syndical qui nous a fait prendre de l'avance sur d'autres sociétés.» Il qualifie Laberge d'«artisan très efficace de la démocratie économique» et ajoute avec quelque malice: «C'est l'un des pionniers du capitalisme social chez nous.»

De son côté, le premier ministre Mulroney loue avec humour les qualités de négociateur de Laberge: «Celui qui peut arracher des avantages fiscaux à René Lévesque et à Brian Mulroney pour un fonds d'investissement syndical, cet homme-là doit être un bon négociateur!» Il ajoute: «Le Fonds est une institution originale, fruit de la vision et de la ténacité de Louis. Il aura sans doute, un jour, sa Caisse de dépôt et placement...»

Ti-Louis dans le monde des affaires

Président du conseil d'administration du Fonds de solidarité, Laberge va gagner son laissez-passer dans les ligues majeures de l'économie et de la finance.

Mais le Vieux Lion a déjà ses entrées dans le monde des affaires depuis belle lurette. Quand le Fonds de solidarité démarre en 1983, Ti-Louis participe déjà depuis une bonne douzaine d'années au conseil d'administration de la Caisse de dépôt et placement. Il y a appris qu'on peut investir son bas de laine pour développer l'économie du Québec au profit des Québécois. Et des travailleurs québécois.

À la Caisse, Laberge s'est fait un bon ami, le président Jean Campeau, qui a dirigé l'organisme multimilliardaire pendant dix ans jusqu'en 1990. Né dans le quartier Villeray à Montréal et issu d'un milieu ouvrier, Campeau l'a vite conquis par sa simplicité, sa grande compétence et sa vision audacieuse de l'avenir économique du Québec. De son côté, Campeau a été séduit par la droiture, la fierté québécoise, le caractère batailleur de Laberge. Et par sa préoccupation pour l'emploi.

Il raconte: «Laberge a aimé le tournant qu'a pris la Caisse, vers 1982, du côté des participations en capital de risque dans les entreprises. Et quand on épluchait un nouveau projet, il demandait tout le temps: combien de jobs? Le côté social, l'emploi, les travailleurs, c'est toujours présent chez lui. À travers les chiffres, il voit les personnes.»

Et le Fonds de solidarité? Campeau répond franchement: «Quand il m'en a parlé pour la première fois, j'ai pensé: il est fou le bonhomme! Ça ne m'honore pas d'avoir pensé ça... On en a jasé à nouveau et je n'ai pu faire autrement que d'épouser son objectif, l'emploi, mais en lui parlant de la nécessité des profits. Le Fonds a été son grand coup d'éclat. Il a eu du pif et a été tenace. Il fallait qu'il soit entêté car, au début, il n'était supporté que dans son milieu syndical, il n'avait pas l'appui des milieux d'affaires. Mais c'est dans son tempérament: il est persistant, il n'abandonne pas facilement.»

Après son départ de la Caisse pour la direction de la papetière Domtar, en 1990, Campeau va accepter de siéger au conseil d'administration du Fonds de solidarité: «J'attendais que Laberge m'appelle pour y aller... Il m'a payé deux O'Keefe puis m'a dit qu'il était fier de m'avoir convaincu. Or j'étais convaincu avant même qu'il m'en parle! Je l'ai bien eu...» Il ajoute: «Il m'avait assez picossé au conseil de la Caisse, c'était à mon tour! À la Caisse, il participait rondement aux débats et prenait de la place.»

Au conseil de la Caisse de dépôt, Laberge a côtoyé des gens d'affaires et des «amis» comme Alfred Rouleau, Raymond Blais et Claude Béland, qui s'y sont succédé au nom du Mouvement Desjardins. Et aussi Michel Bélanger de la Banque Nationale, Claude Castonguay de la Laurentienne, Pierre Péladeau de Québecor, Claude Legault de la Régie des rentes, Fernand Paré de la compagnie d'assurances La Solidarité, Gazston Pelletier du Crédit foncier. En 1992, Laberge siégeait depuis 22 ans à la Caisse. Parizeau constate: «On a changé plusieurs fois la composition du conseil d'administration mais on n'a jamais touché à Laberge...»

Dans d'autres cercles d'affaires, Ti-Louis a cultivé de bonnes relations avec des gens comme Laurent Beaudoin de Bombardier-Canadair, les frères Lemaire de Cascades,

Bernard Lamarre de Lavalin, Michel Gaucher de SOFATI et plusieurs autres chefs d'entreprises. «Je crois qu'ils se sentent en confiance avec moi et la FTQ. On peut et on doit les affronter comme employeurs, mais on peut aussi faire des projets ensemble.»

Selon le président du Conseil du patronat, Ghislain Dufour, Laberge a acquis une grande crédibilité par suite de ses positions constructives lors de la crise économique de 81-82 et grâce au succès du Fonds de solidarité: «La FTQ, qui est une centrale du secteur privé, a pris le virage vers l'économie. Et la sagesse de Louis a fini par avoir de l'influence à la CSN et à la CEQ. C'est le seul dirigeant syndical que j'ai invité à rencontrer tout mon conseil d'administration pour qu'il explique ses points de vue. Je me souviens de ses déclarations sur la notion de profit: faites-en des profits, nous disait-il, les travailleurs pourront aller vous chercher plus d'argent! Je lui ai rétorqué que l'inverse aussi était vrai...»

Laberge s'est expliqué publiquement là-dessus dans un discours-choc prononcé devant la Chambre de commerce de Montréal, en février 1986. C'était la première fois qu'un leader syndical prenait la parole devant cet aréopage de gens d'affaires. «Pour nous à la FTQ, a-t-il dit, le profit n'est pas un mot sale, un mot tabou. Les gens qui investissent leur argent et qui font des efforts ont le droit d'espérer un profit, pourvu qu'ils n'exploitent personne. Nous n'avons jamais été contre le profit mais contre le profit *maximum*, contre les patrons qui ne cherchent qu'à maximiser leurs profits sur le dos des travailleurs. C'est évident qu'on aime bien mieux négocier avec un employeur qui fait des profits qu'avec une entreprise qui branle dans le manche. Car les problèmes des patrons deviennent rapidement les problèmes des employés.»

Un homme d'affaires interroge alors Laberge:

— Si le Fonds de solidarité investit dans ma compagnie, allez-vous me forcer à accepter un syndicat de la FTQ?

— Je vais vous répondre par une petite histoire, dit Ti-Louis. Disons que vous devez traverser le désert du Sahara... Et tout ce que vous avez comme monture, c'est un vieux chameau. De peine et de misère, vous traversez le désert et vous arrivez à destination, dans une belle oasis où coule une source d'eau claire et rafraîchissante. Allez-vous demander à votre vieux chameau s'il a envie de boire?...»

* * *

En plus de fréquenter des dirigeants de grandes entreprises, Laberge fraie aussi dans les milieux de la petite et moyenne entreprise, ces PME où le Fonds de solidarité investit en priorité car ce sont les plus créatrices d'emplois.

Il a d'ailleurs beaucoup discuté de son projet de Fonds avec deux dirigeants de PME qui sont parmi ses meilleurs amis: Marcel Melançon, président de la compagnie de tapis, prélarts et tuiles Tapico, et l'ingénieur Antonio Accurso, président de la compagnie de construction Louisbourg. «J'ai connu Marcel et Antonio vers 1980 et nous sommes vraiment devenus de très bons amis. Marcel est comme un fils pour moi et je lui ai d'ailleurs servi de père lors de son deuxième mariage. Quant à Tony, il venait de perdre son père quand je l'ai connu... C'est un homme chaleureux, comme la plupart des Italiens que je fréquente.»

Melançon a connu Laberge lors de la campagne du référendum en 1980: «Je travaillais pour Parizeau et j'étais à l'une de ses assemblées un soir à Repentigny, dans son comté de L'Assomption. C'est aussi le comté où habite Louis et il participait au meeting avec son ami Jacques. En fin de soirée, Laberge me demande un taxi pour rentrer chez lui. Je le vois encore avec sa petite casquette sur la tête...»

Melançon lui dit:

— T'as pas de chauffeur?

— Ma femme Lucille est allée jouer au bingo ce soir...

«Je l'ai reconduit chez lui, il m'a invité à piquer une jasette et ça a cliqué entre nous.»

Il poursuit: «On s'est revus pour "luncher" puis on s'est invités à la maison. Louis me demandait ma perception d'homme d'affaires sur différents sujets. Je suis un patron qui a des idées sociales et je suis assez marginal: j'ai été membre du Rassemblement pour l'indépendance nationale dans les années 60... Louis m'a séduit parce que c'est un bâtisseur, un bûcheur de *trail*: il ouvre des chemins et l'a prouvé avec le Fonds de solidarité, une idée géniale. Il a une mentalité de gagnant. Il travaille au contrôle québécois de l'économie et au rapprochement entre patrons et syndicats, des deux côtés de la clôture. Il fait des *mix* presque impossibles: il aurait pu diriger une bonne agence de rencontres!»

Quand l'homme d'affaires a présenté son ami d'enfance Antonio Accurso à Laberge, le courant a passé rapidement. D'autant plus que «Tony» est un joueur de poker et de blackjack comme Ti-Louis les aime...

«Je n'étais pas sûr que je voulais frayer avec un chef syndical, avoue l'ingénieur. Mais Marcel nous a emmenés dîner et Louis m'a expliqué sa philosophie des affaires. Il m'a dit: "Nous autres, Tony, on aime ça quand les entreprises marchent, font des profits et créent des emplois, de telle sorte que les syndicats peuvent négocier de bonnes conditions de travail et de salaires. Les *business* qui ne font pas d'argent, j'aime mieux les laisser à la CSN!" Plus sérieusement, il m'a dit que si les patrons ouvraient leurs livres en tout temps, les syndicats seraient plus coopératifs. Et que lorsqu'il y a un problème de relations de travail ou de climat de travail, on doit d'abord essayer de le régler par la collaboration.»

Accurso n'en revient pas encore: «Je ne m'attendais pas du tout à ça de la part d'un chef syndical. Mais il a raison: les compagnies doivent jouer cartes sur table. Et il m'a dit ça avant de lancer le Fonds de solidarité... Quand il m'a consulté à propos du Fonds, ma réaction a été très positive. Je lui ai dit: "Pour la FTQ et pour les syndicats, ce sera comme jouer avec les 52 cartes du paquet!" Et puis comme dit Louis: ça prend des entrepreneurs et des syndicats pour faire un monde, ensemble.» Il conclut: «Avant de connaître Laberge, je n'avais pas une bien haute opinion des syndicats. C'est lui qui m'a fait changer d'idée. De la même façon qu'il a convaincu beaucoup de gens d'affaires.» Et quand l'ingénieur a eu des ennuis avec sa compagnie de construction, Laberge lui a donné un coup de main.

Marcel Melançon raconte cette anecdote à propos d'un manufacturier de Montréal que Laberge a aidé à régler un délicat problème syndical: «L'homme d'affaires, un de mes amis, était tellement content que, de bonne foi, il voulait récompenser Louis avec un montant d'argent substantiel. Il me parlait d'un chèque de plusieurs milliers de dollars... Je lui ai dit: "Fais jamais ça, Louis va te donner une saprée claque sur la gueule! On va plutôt aller dîner avec lui et tu lui diras merci."» Lors de ce dîner, Melançon regarde son copain puis se tourne vers Laberge:

— Je dois te dire que mon ami voulait te donner un chèque en cadeau...

— Et qu'est-ce que tu lui as dit?

— Que tu allais lui donner une claque sur la gueule.

— Tu avais parfaitement raison! Et il est chanceux d'être ton «chum» parce que je lui en aurais maudit une tout de suite...

Faire le plein d'emplois

Pour Louis Laberge, le congrès de la FTQ qui a appuyé le lancement du Fonds de solidarité, en décembre 1983 à Montréal, a marqué un tournant historique non seulement pour la centrale mais pour tout le mouvement syndical au Québec et au Canada.

Lors de ce congrès tenu sous le thème «Faire le plein d'emplois», Laberge a pris le taureau par les cornes. «Nous avons un beau projet de société, a-t-il rappelé aux délégués, mais c'est un beau programme que nous n'avons pas encore réalisé et le temps passe. À cause de la crise, de plus en plus de travailleurs se voient dans une situation désespérée: ils ont perdu leur emploi, leur maison et, malheureusement dans certains cas, leur famille. Allons-nous continuer à revendiquer sans trop de lendemain? Je crois très sincèrement qu'il est temps de passer à autre chose. Et les solutions que nous avions envisagées en temps normal ne sont plus suffisantes dans l'état actuel de la situation. Il va falloir apprendre à se battre autrement.»

Il souligne qu'il y a deux sortes de délégués aux congrès de la FTQ: d'un côté, les «faiseux de discours» et ceux qui adoptent de belles résolutions; de l'autre, ceux qui font des discours et adoptent des résolutions mais qui veulent aussi de l'action. Or, pour les délégués qui veulent passer à l'action, le Fonds de solidarité est un projet concret. C'est un outil nouveau et moderne dans le coffre à outils de la FTQ. Laberge reprend tous les arguments en faveur du Fonds, s'attardant sur l'un d'entre eux, tout simple: en préservant et en créant des emplois dans le secteur privé, on en protège et on en crée dans le secteur public. Parce que plus il y a de monde à l'ouvrage, plus il y a d'impôts versés et donc de services fournis par l'État à la population. Et, forcément, moins d'assurance-chômage et d'aide sociale à payer, moins de maux sociaux de toutes sortes à soigner.

Finalement, au-delà de 80 % des délégués au congrès vont appuyer le lancement du Fonds de solidarité. Et ce, malgré les objections de la vieille gauche traditionaliste qui craint que la FTQ perde son âme dans le système capitaliste.

Le Fonds, dit Laberge, est un outil additionnel dans la lutte que mène depuis longtemps la FTQ pour le plein emploi, c'est-à-dire pour une société où le taux de chômage serait d'environ 4 % ou 5 % au lieu de 13,9 % comme il l'a été en moyenne en 1983. Le plein emploi, c'est «le seul objectif acceptable dans une société qui aspire à la social-démocratie». Comme en Suède et dans les pays scandinaves, comme en Autriche et en Allemagne. Si d'autres pays moins riches que le Québec ont réussi à le faire, pourquoi pas nous qui sommes riches collectivement?

Pour y arriver, dit-il, «n'ayons pas peur du mot concertation». Les syndicats doivent dépasser leurs revendications traditionnelles et participer à des structures permanentes de développement de l'emploi avec le patronat et l'État. Le congrès approuve une déclaration de politique claire et nette dans ce sens. Pour Laberge et la FTQ, c'est le gouvernement du Québec qui doit être le maître d'œuvre d'une telle politique de plein emploi et disposer de tous les pouvoirs à cette fin.

Le congrès réclame aussi une politique de réduction du temps de travail, «sans quoi nous n'aurons pas le plein emploi», dit Laberge.

Cela dit, après l'affrontement encore chaud survenu dans le secteur public, Ti-Louis décoche une petite flèche acérée en direction du PQ: «Au Québec, nous n'avons pas encore un gouvernement social-démocrate, bien qu'il y ait certains ministres qui prétendent l'être»... L'alliance avec le PQ a du plomb dans l'aile[72].

* * *

En période de crise économique, comme c'est toujours le cas historiquement, le chômage élevé a pour effet d'affaiblir le rapport de forces des syndicats lors des négociations. Dans bien des cas, les travailleurs doivent faire des concessions et les hausses salariales se situent en deçà du niveau de l'inflation. Laberge sait bien que seule la restructuration de l'économie et la relance de l'emploi permettront aux syndicats de faire de nouveaux gains. Et aussi d'améliorer les programmes sociaux.

La crise fait également chuter les effectifs syndicaux. Malgré tout, contrairement à d'autres pays occidentaux comme les États-Unis, le Québec conserve un taux de présence syndicale qui se situe autour de 40 % dans les années 80, l'un des plus hauts en Amérique du Nord.

Obsédé par la question de l'emploi, Laberge va participer en 1984 à un coup médiatique spectaculaire: des chômeurs membres de la FTQ vont travailler, bénévolement, pour une bonne cause... L'événement se produit à l'occasion de la visite du pape Jean-Paul II à Montréal. Ti-Louis et son ami Jean Lavallée, président de la FTQ-Construction, vont organiser à pied levé une opération fort réussie, la «Corvée papale».

Le maire de Montréal, Jean Drapeau — un vieil adversaire de Laberge — l'a appelé pour lui demander une faveur:

— Le pape va célébrer une messe en plein air pour des milliers de fidèles, au parc Jarry, et il faut construire d'urgence un autel et toutes les installations techniques pour l'événement. Est-ce que vous ne pourriez pas m'aider par une action bénévole de vos syndiqués?

— Je vais voir ce que je peux faire, monsieur le maire, répond Laberge.

Il se souvient encore des engueulades qu'il a eues avec Drapeau lors des grèves sur le chantier des Jeux olympiques en 1976, mais aussi de plusieurs bonnes conventions collectives négociées à la Ville de Montréal avec un coup de pouce du maire.

Il téléphone à Jean Lavallée et la Corvée papale s'organise. «Nous avions plein de monde en chômage, se souvient Lavallée, et il fallait plusieurs dizaines d'ouvriers pour construire rapidement les installations. Mon adjoint Claude Proteau a pris l'affaire en main et tout a été exécuté dans les délais. Heureusement qu'on avait pensé à assurer nos gens en cas d'accident de travail parce que Claude lui-même s'est cassé un poignet à l'ouvrage...»

Laberge conclut: «On n'a pas fait la Corvée papale pour le maire Drapeau, même si ça pouvait toujours nous servir un de ces jours, mais parce que c'était un événement extraordinaire et une belle occasion de montrer la solidarité et la générosité des travailleurs syndiqués. Je crois bien que les gens ont apprécié notre geste. Et le pape nous a sans doute donné quelques indulgences plénières...»

Chapitre 20

Mulroney, Bourassa... et encore les jobs

«Mon ami Brian Mulroney»

«C'est un gars plaisant et parlable, même s'il est dans le mauvais parti...»

Laberge parle ainsi à l'époque du nouveau premier ministre du Canada, Brian Mulroney. Le «p'tit gars de Baie-Comeau» vient de prendre le pouvoir, avec son Parti conservateur, lors des élections fédérales de septembre 1984.

Comme à l'accoutumée, la FTQ a appuyé officiellement le NPD. Mais Laberge a insisté pour que soient battus les libéraux — maintenant dirigés par John Turner — «parce que les Trudeau, Chrétien, Lalonde, Ouellet et compagnie nous avaient menti effrontément en plusieurs occasions, surtout lors du référendum».

«J'ai voté NPD comme je l'ai fait depuis 1962, mais sans illusion. T'as beau fouetter une vieille picouille, ça n'avance pas vite! Et avec le rôle joué par son chef Ed Broadbent dans le camp du NON lors du référendum, le parti n'avait pas aidé sa cause chez nous. Pour aggraver son cas, Ed avait appuyé le coup de force constitutionnel de Trudeau contre le Québec, le Canada Bill.» Le NPD va recueillir à peine 9 % des voix au Québec.

Quant à Brian Mulroney, avocat patronal et ex-président de la minière Iron Ore, c'est une vieille connaissance de négociations du président de la FTQ; ils ont aussi croisé le fer lors de la commission Cliche et au moment du référendum. Pendant sa campagne électorale, Mulroney s'est montré très ouvert aux revendications nationalistes du Québec, en particulier lors de son historique discours de Sept-Îles rédigé par son ami Lucien Bouchard. Même René Lévesque et le PQ n'ont pas été insensibles à ce chant des sirènes, acceptant par la suite le «beau risque» du renouvellement du fédéralisme canadien.

«N'importe qui plutôt que les libéraux, grommelle Laberge. On savait bien que ce ne serait pas le NPD, alors c'étaient les conservateurs. Les relations ont quand même été plus chaleureuses avec mon ami Brian qu'avec Trudeau, au début en tout cas. Bien des gens ont été impressionnés quand le "PM" a fait l'une de ses premières visites officielles au Québec au siège de la FTQ, rue Papineau...»

C'est en janvier 1985 que Mulroney a rencontré Ti-Louis et tout son exécutif. «Nous l'avons bien reçu. À la FTQ, fidèle à notre statégie, nous sommes toujours prêts à faire le bout de chemin qu'on peut avec les gouvernements qu'on a». Le lendemain de cette rencontre, *La Presse* titre en grande: «Laberge donne sa faveur à Mulroney». «Il est plus ouvert face au Québec que les libéraux et le NPD», explique le président de la FTQ, qui se définit encore comme «un nationaliste convaincu mais pas un indépendantiste»[73].

En mai 85, Brian Mulroney annoncera personnellement que son gouvernement octroie une subvention de 10 millions de dollars au Fonds de solidarité de la FTQ, ainsi que des avantages fiscaux aux actionnaires du Fonds, à l'exemple de ce qu'a déjà fait le gouvernement du PQ. L'année suivante, Laberge dira aux journalistes: «Mulroney est mon ami mais doux Jésus, j'espérais qu'il ferait du meilleur travail...»[74]

* * *

Du côté de Québec, Laberge réussit à convaincre René Lévesque, à la fin de 1984, d'acquiescer à une revendication centrale de la FTQ: la création d'une Table nationale de l'emploi et, dans la foulée, la nomination d'un ministre délégué à l'Emploi et à la Concertation. Ce ministre est nul autre que Robert Dean, un ancien vice-président de la FTQ.

La Table nationale, qui doit jeter les bases d'une politique de plein emploi, regroupe des représentants des syndicats, du patronat, du mouvement coopératif Desjardins et du gouvernement du PQ. C'est un organisme consultatif, mais dans l'esprit de Dean et de Laberge, ce peut être l'embryon d'une future Commission nationale de l'emploi comme il en existe en Allemagne, en Autriche et en Suède. On lui greffe quelques tables sectorielles de concertation, entre autres sur l'industrie de l'automobile et celle du vêtement. Pour Laberge, cette Table nationale — qui sera, hélas, démantelée un an plus tard par le nouveau gouvernement libéral — a été le point culminant des pratiques de concertation pour l'emploi au Québec.

Avec un taux de chômage qui tourne encore autour de 12 % malgré la reprise, la question de l'emploi reste implacablement en tête de l'ordre du jour. C'est ce que souligne Laberge lors de la première assemblée annuelle des actionnaires du Fonds de solidarité, en février 85. Il déclare dans son rapport de président du conseil: «J'aurais souhaité que dès la première année nous ayons plusieurs milliers d'actionnaires mais nous en avons déjà quelques milliers. C'est un début. Ensemble, nous allons réussir à faire du Fonds l'outil le plus efficace auquel n'a jamais osé penser auparavant le mouvement syndical.»

Peu après, le Fonds de solidarité réalise ses premiers investissements majeurs et se voit décerner un Prix PME 85 pour sa «contribution exceptionnelle à l'essor de la PME au Québec». C'est l'amorce d'une série de succès qui iront grandissant.

Lévesque s'en va, Bourassa revient

«René Lévesque n'a jamais fait les choses à moitié, pas plus les gaffes que les gestes positifs. Mais il a surtout fait des bons coups...»

Avec sa gouaille coutumière mais aussi un pincement au cœur, Laberge salue le départ de son «ami René» qui annonce sa démission, le 20 juin 1985, comme premier ministre et chef du PQ. Lévesque a finalement décidé de tirer sa révérence, tourmenté et miné par les déchirements qui ont secoué son parti depuis quelque temps et par la démission de plusieurs de ses vieux compagnons d'armes comme Jacques Parizeau. Il mourra à peine deux ans plus tard, le 1er novembre 1987, sans avoir vu la naissance du pays pour lequel il avait tant travaillé.

Au moment de sa démission, Laberge lui rend un hommage bien senti. Il dit carrément: «Le Québec a connu ses plus grandes réformes grâce à René Lévesque et à son gouvernement du Parti québécois.» C'est notamment le cas en matière de lois du travail et de concertation pour l'emploi[75].

Ce bilan «généralement positif» du PQ, Laberge le dresse à nouveau à l'automne lors du congrès spécial de la FTQ convoqué pour prendre position avant les élections générales au Québec. Le scrutin aura lieu le 2 décembre 1985. Le successeur de Lévesque, Pierre-Marc Johnson, affronte l'ancien premier ministre Robert Bourassa, qui tente un retour en politique. Ti-Louis n'a pas beaucoup d'atomes crochus avec Johnson, qu'il considère plutôt comme un homme de droite et qu'il a déjà enguirlandé, mais il en a encore moins avec Bourassa qu'il a déjà combattu pendant six ans.

De toute façon, c'est le Parti québécois, et non pas Johnson, que le président de la FTQ veut continuer d'appuyer, comme lors des élections de 1976 et 1981. Mais l'affaire est loin d'être dans le sac à la veille du congrès spécial. En effet, chez les syndicats du secteur public et quelques autres, on n'a pas oublié la «job de bras» faite par le PQ avec ses réductions de salaires et ses décrets, ni le virage à droite qu'il a amorcé au cours de son deuxième mandat.

Pour une très rare fois, le bureau de direction de la FTQ n'a pas fait l'unanimité: la recommandation en faveur du PQ a été adoptée avec une dissidence, celle de Claude Morrisseau, directeur du Syndicat canadien de la fonction publique. Ce dernier explique: «J'ai toujours voté pour le PQ, et mon syndicat a été l'un des premiers à l'appuyer. Mais il était hors de question que le SCFP soutienne le PQ en 1985, même si on ne voulait rien savoir de Bourassa. J'ai enregistré ma dissidence en vertu d'un mandat de mon syndicat: nos gens trouvaient indécent que la FTQ appuie un gouvernement qui venait de nous botter le cul...»

Quand Laberge présente la recommandation d'appui au PQ lors du conseil général de la FTQ, il subit un choc: le vote est *ex-æquo*. «Pour la première fois depuis mon élection à la présidence en 1964, et la seule, j'ai dû me servir de mon vote prépondérant. Je n'avais pas le choix, c'était kif kif et j'ai dû trancher. Je savais dès lors qu'on aurait de la misère lors du congrès...»

La résolution d'appui au PQ est donc soumise au congrès spécial, le 2 novembre. Laberge et la direction de la FTQ proposent aux délégués «une évaluation critique mais somme toute positive» du gouvernement sortant: «Malgré la terrible crise économique, le Québec a su faire aussi bien sinon mieux qu'ailleurs. Le gouvernement a su insuffler un dynamisme certain à l'économie et déployer un effort soutenu de développement avec tous les partenaires.» Il a appuyé des initiatives de la FTQ comme Corvée-Habitation, le Fonds de solidarité, la Table nationale de l'emploi. Après avoir rappelé que «le problème de l'emploi demeure notre grande priorité», Laberge indique qu'il faut éviter à tout prix «un retour en arrière au régime Bourassa, contrôlé par la classe possédante». Il souligne cependant avec force que dans le secteur public, la politique de relations du travail du PQ a été un échec et a créé le «chaos».

À ce congrès, se rappelle Laberge, «les syndicats du secteur public comme le SCFP étaient représentés en bloc. Ceux du secteur privé comme les Métallos n'y étaient pas en force.

Plusieurs délégués, exaspérés par le PQ, nous ont payé la traite et le débat a été très émotif. Je me rappellerai toujours l'intervention d'une péquiste de la première heure, Monique Cloutier, une permanente du SCFP qui avait même été candidate du parti à Québec. Elle s'est écriée: "Ce n'est plus notre PQ, ils nous l'ont volé!"»

Au moment du vote, malgré les appels de Laberge, de Daoust et des ténors de la centrale, la majorité des congressistes fait la sourde oreille et bat la proposition par un score serré de 58 %. La FTQ devra rester neutre lors des élections.

Ti-Louis ne voit pas l'affaire comme une rebuffade: «J'ai surtout manqué de votes...», observe-t-il. Claude Morrisseau confirme malicieusement: «L'appui au PQ l'aurait probablement emporté si les autres syndicats, et surtout les Métallos de Clément Godbout, s'étaient organisés aussi bien que le SCFP...»

«Laberge est battu», titrent les journaux, dont certains évoquent même son départ. Ti-Louis prend la mouche: «En quoi un vote démocratique lors d'un congrès est-il un désaveu du président et de la direction de la FTQ? C'est du charriage journalistique! Et je n'ai pas du tout le goût de partir encore.» Il déclare poétiquement: «Quand un oiseau cesse-t-il de voler? Quand un poisson cesse-t-il de nager?» Même à sa retraite, il s'intéressera encore au développement de la FTQ et acceptera de «travailler à des tâches obscures»...[76]

Le 2 décembre 1985, les libéraux de Bourassa sont élus. C'est la fin d'une alliance informelle de presque dix ans entre la FTQ et le gouvernement du PQ. Laberge prévient: «Je suis prêt à oublier, entre guillemets, que Robert Bourassa m'a envoyé en prison en 1972. Mais s'il veut toucher à nos acquis syndicaux, gare à lui!» Il déplore la défaite de certains ministres sociaux-démocrates du PQ et mentionne son ami Robert Dean, l'ex-vice-présidente de la CSN, Francine Lalonde, ainsi que Pauline Marois.

* * *

Peu après les élections, le premier ministre Bourassa reçoit Laberge, qui est accompagné de Daoust et des vice-présidents «séniors» Lavallée, Godbout et Morrisseau. «La rencontre n'a pas été très chaleureuse mais, à ma grande surprise, très ouverte. Bourassa nous a dit: "Je suis revenu au pouvoir par mes propres moyens, je ne dois rien à l'*establishement* libéral ni à la rue Saint-Jacques ni à personne... S'il y a des choses à faire avec la FTQ, vous allez me trouver disponible et ouvert."»

Et il l'a été: «Les relations avec le "premier" n'ont pas été chaudes mais correctes. Aucune comparaison avec nos chicanes des années 70. Il était plus expérimenté, facile d'approche, et on a pu régler un paquet d'affaires. Il retournait mes appels très vite, lui ou son chef de cabinet Mario Bertrand qui nous a rendu de fiers services. Il y avait entre nous une confiance mutuelle qui facilitait nos rapports.»

Un des premiers reproches majeurs qu'il adresse à «Boubou» à l'époque, c'est d'avoir aboli dès son arrivée au pouvoir la Table nationale de concertation sur l'emploi, avec la bénédiction du Conseil du patronat. Les libéraux ont également fourré sur les tablettes le rapport progressiste de la commission Beaudry sur la législation du travail dans le secteur privé. Pour le reste, «l'offensive en règle que nous anticipions pour démolir nos acquis n'a pas eu lieu», constatera le président de la FTQ deux ans plus tard, dans son rapport au congrès de 87. «On n'a pas sabré dans nos droits comme le rêvaient le Conseil du patronat et les Chambres de commerce. Et ce, grâce à la vigilance syndicale.» Laberge n'en dénonce pas moins «le programme conservateur, sinon réactionnaire» du Parti libéral.

Le président de la FTQ avait craint comme la peste le retour au pouvoir des libéraux, qui n'augurait rien de bon pour le mouvement syndical. «Mais les temps commençaient à changer, dit-il, Bourassa avait changé et l'antisyndicalisme des années 70 n'était plus de mise. D'autant plus que le mouvement syndical était lui-même en train de changer avec des initiatives comme le Fonds de solidarité.»

* * *

La FTQ vit une autre mutation hautement symbolique, à son congrès de l'automne 1985, lorsqu'elle modifie son nom pour s'appeler désormais la Fédération des travailleurs *et travailleuses* du Québec. Cette féminisation du nom de la centrale avait été ratée de justesse au congrès de 1983; il s'agit d'un amendement aux statuts et les deux tiers des voix n'avaient pu être recueillis. C'est maintenant chose faite et Laberge, naguère réticent à ce changement, l'accepte comme une évolution normale.

Il se rappelle: «Nous avons aussi adopté une déclaration de politique sur la place des femmes au sein du mouvement syndical. Je leur disais toujours: prenez votre place, faites-vous élire, mais ce n'était pas aussi simple que ça. Il n'y avait encore qu'une seule femme à l'exécutif de la FTQ, tout simplement parce qu'il n'y en avait pas plus à la direction de nos syndicats affiliés. Au congrès suivant en 1987, nous avons amendé nos statuts pour réserver au moins trois vice-présidences aux femmes à notre bureau de direction élargi.» Une des premières à occuper l'un de ces postes sera Diane Bissonnette de la Loge 712 des Machinistes à Canadair, l'ancien syndicat «mâle» de Louis Laberge. Un juste retour des choses.

Les femmes forment en 1985 au moins le tiers des membres de la centrale. La FTQ annonce par ailleurs des effectifs en hausse qui atteignent 425 000 membres. Avec le CTC, elle représente 44 % des syndiqués québécois. La CSN et les syndicats indépendants en représentent chacun environ 20 %, la CEQ 10 % et la CSD 5 %.

Canadair, GM, Tembec: d'abord des emplois

Durant les années 80, alors que le taux de chômage commence à s'incruster autour de 10 %, Laberge consacre ses batailles les plus importantes à sauver et à créer des emplois. De bons emplois, de préférence syndiqués et de préférence avec la FTQ.

Il s'engage en 1986 dans une lutte stratégique, où il met tout son cœur, pour protéger les emplois de plusieurs milliers de membres de son ancien syndicat, la Loge 712 des machinistes de Canadair. Le syndicat a formé un «comité de survie» afin d'empêcher que la grande avionnerie de Saint-Laurent ne soit démantelée à l'occasion de sa privatisation par le gouvernement fédéral.

«Sans l'aide de Louis, nous n'aurions jamais gagné cette bataille», témoigne Normand Cherry, alors représentant de la Loge 712. Ce petit homme rondouillet et jovial, ancien vice-président de la FTQ, deviendra plus tard ministre du Travail dans le gouvernement Bourassa. «Louis a remué mer et monde pour assurer non seulement la survie mais la relance de Canadair. Il n'y a pas un politicien d'importance qu'il n'ait contacté à Ottawa et à Québec, à commencer par les premiers ministres.» Cherry se souvient d'être allé avec Laberge au Parlement fédéral afin d'assister à un débat en Chambre sur l'avenir de Canadair: «Louis m'a dit en regardant les députés et les ministres s'agiter: "Écoute, «Norm», il me semble que tu serais bon là-dedans..."»

Finalement, l'avionnerie sera reprise en main par le géant québécois Bombardier, qui va la relancer sur la voie du succès. Grâce notamment aux pressions de Laberge, l'entreprise décroche du gouvernement fédéral un contrat majeur, l'entretien des chasseurs F-18 des Forces armées canadiennes. Canadair va demeurer le plus beau fleuron de l'industrie aéronautique québécoise, une industrie porteuse qui a des retombées bénéfiques et qui génère des milliers d'emplois dans des PME.

Dans la même veine, Laberge travaille d'arrache-pied pour écarter la menace de fermeture de la General Motors à Boisbriand, la première usine de montage d'automobiles au Québec, qui donne du travail à des milliers de membres du Syndicat de l'auto.

En compagnie du directeur québécois du Syndicat, «le gros Claude» Ducharme, et du président canadien, Bob White, il rencontre les syndiqués lors d'une assemblée générale extraordinaire à laquelle participent aussi les conjointes. Il exhorte les membres à améliorer leur productivité et la qualité de leur travail, et à faire les ajustements requis pour mettre en place une nouvelle organisation du travail plus flexible. Un langage qu'on n'entendait pas souvent naguère dans la bouche d'un chef syndical mais qui ne tombe pas dans l'oreille de sourds. L'usine de GM va rester ouvèrte.

Laberge se souvient fort bien de cette assemblée: «J'ai d'abord dit aux conjointes: "Vos maris vous ont-ils avisées qu'ils risquent vraiment de perdre leurs jobs? S'ils ne vous l'ont pas dit, moi, je vais vous le dire! La compagnie ne bluffe pas, les emplois sont réellement menacés." Puis j'ai dit aux syndiqués: "Il serait temps que vous vous enleviez les doigts de dans le nez! Grâce à votre syndicat, vous avez gagné de bonnes conditions de travail et de salaire. En retour, vous devez fournir une bonne journée d'ouvrage et faire en sorte que votre entreprise soit compétitive. En contrepartie, si vous voyez des choses qui clochent et qui sont de la responsabilité de la direction, dites-nous-le: la compagnie s'est engagée à faire les changements qui s'imposent et nous allons nous en assurer."»

«Le message de Louis a très bien passé, se rappelle Claude Ducharme. Il a parlé avec son cœur et ses tripes, et c'était la voix de la raison. Il a dit à nos membres: "Vous devez prendre les moyens pour être les meilleurs, pour fabriquer un produit de qualité qui va se vendre. Votre sécurité d'emploi en dépend. Vous êtes mieux traités que les travailleurs japonais payés trois bols de riz par jour, alors soyez aussi productifs qu'au Japon!"»

Dans le dossier de GM, Laberge a également fait des démarches auprès des gouvernements, à Québec et à Ottawa, afin que la compagnie obtienne de l'aide pour moderniser ses installations et améliorer sa compétitivité.

Ti-Louis ira également rencontrer l'assemblée générale des syndiqués de Catelli, dans l'Est de Montréal, à qui le patron demande des concessions sérieuses pour garder l'usine ouverte. Selon le directeur du Syndicat de la boulangerie, son ami Alphonse De Césaré, «Louis a parlé avec passion aux membres de la rareté des emplois partout, mais surtout dans l'Est de la ville. Il leur a dit l'importance de conserver leurs jobs et leur solidarité syndicale. Il leur a rappelé que c'était à eux seuls de prendre la décision.» Finalement, les syndiqués ont accepté les concessions par un vote serré. «Ti-Phonse» ajoute: «Non seulement l'usine a été sauvée mais la compagnie a réalisé ensuite des projets d'expansion.»

Par ailleurs, Laberge met la main à la pâte pour amener le Fonds de solidarité à investir dans la compagnie Tembec, un joyau de l'industie papetière et un haut lieu de la solidarité ouvrière. Depuis sa relance avec l'aide de ses syndiqués en 1973, Tembec est devenue un exemple de gestion participative et donne du travail à près de 2 000 personnes dans ses usines et scieries du Nord-Ouest québécois. Le 1er mai 1987, Fête des travailleurs, Laberge se rend à Témiscaming en compagnie notamment du directeur du Syndicat du papier, Edmond Gallant, annoncer le plus important investissement du Fonds de solidarité à ce jour: près de 5 millions de dollars. Cette somme va servir à racheter la participation financière des syndiqués dans Tembec, le Fonds prenant la relève[77].

«Le cœur me débat, tellement je suis ému», dit-il en s'adressant aux travailleurs. «Vous êtes des pionniers: vous avez accompli avec plusieurs années d'avance ce que le Fonds peut faire aujourd'hui avec une expertise et des moyens financiers bien plus puissants. Et je préfère de loin que ce soit le Fonds qui investisse dans les entreprises plutôt que les travailleurs eux-mêmes, car c'est beaucoup moins risqué.»

Il se remémore les expériences de sauvetage ou de relance d'entreprises vécues par la FTQ avant la création du Fonds de solidarité. Quelques réussites comme Tembec et plusieurs échecs comme la filature Tricofil à Saint-Jérôme, une expérience d'autogestion qui reste un symbole de la résistance ouvrière aux fermetures sauvages d'usines. «Les gens de Tricofil ont quand même réussi à conserver leur emploi sept ans de plus et c'était une expérience sociale unique... Mais on apprend de ce qu'on fait, même de ses échecs apparents.

Toutes ces luttes ont été utiles, les Tricofil autant que les Tembec.»

Ce que souhaite Laberge, c'est l'émergence de nouvelles stratégies syndicales qui renforceront le pouvoir des travailleurs dans les entreprises. Peu après sa visite à Témiscaming, il préside un colloque spécial de la FTQ à ce sujet. Il sait que les militants sont ambivalents: ils ne veulent pas avoir l'air de pactiser avec les patrons, y compris les «nouveaux patrons» qui veulent humaniser l'entreprise et y faire participer les travailleurs, mais ils redoutent tout autant leur absence de participation. «Nous avons pris un coup de réalisme avec la crise, leur dit-il, les mentalités ont commencé à changer: pour améliorer leurs conditions de travail, les syndiqués ont compris qu'ils doivent s'impliquer dans les formes de gestion de leur entreprise.»

Pour en discuter, la FTQ a même invité au colloque un «nouveau genre de patron», Bernard Lemaire, le président barbu de la papetière Cascades, qui vient de s'associer au Fonds de solidarité dans un projet. C'est la première fois que la FTQ convie un homme d'affaires à s'adresser à une assemblée syndicale.

Les temps ont bien changé. Si patrons et salariés ont des intérêts divergents et très souvent contradictoires, ils ont aussi des intérêts convergents, ne serait-ce que pour la survie et le développement de l'entreprise; ils doivent donc œuvrer ensemble dans une sorte de coopération conflictuelle.

* * *

Du côté du secteur public québécois, lors de la ronde de négociations de 86-87 avec le gouvernement Bourassa, Laberge déplore qu'il n'y ait pas de front commun syndical pour la première fois depuis 1972. La CSN a manifesté peu d'enthousiasme à le recréer, et la CEQ s'est vu refuser par ses membres le mandat d'y participer. Il n'y a donc pas de table commune de négociations, mais on réussit quand même à se concerter sur des objectifs minimaux.

La FTQ, la centrale qui compte le moins de membres concernés, déclenche une grève de 24 heures à l'automne 1986. Le gouvernement réplique dès le lendemain par une loi spéciale anti-grève d'une sévérité sans précédent, la loi 160, qui menace les syndiqués de bien des maux: fortes amendes, perte d'ancienneté, suspension de la retenue syndicale à la source, réduction de salaire pour les contrevenants. De nouvelles offres du gouvernement mettent fin à cette ronde de négociations qui se solde par un bon règlement, disent les syndicats.

Laberge s'en prend néanmoins au gouvernement Bourassa et à son arsenal de lois spéciales, surtout que les syndiqués de la FTQ ont respecté les services essentiels. Selon Claude Morrisseau, directeur du SCFP, «Louis a toujours plaidé pour des grèves civilisées dans les services publics, des grèves qui ne mettent pas en danger la santé et la sécurité du public. Mais de là à faire des grèves qui ne causent pas d'inconvénients...»

Du socialisme à la social-démocratie

«Je fais un peu moins d'écarts que dans les années 70. C'était pas mal turbulent dans ce temps-là. Suis-je plus rangé? Je dirais que oui, mais je ne suis pas plus facile, pas moins déterminé. Je sais peut-être mieux m'y prendre...»[78]

Cette confession révélatrice, Laberge la fait juste avant le congrès de la FTQ à Montréal à l'automne 1987. À 63 ans, le Vieux Lion a encore toutes ses griffes, mais il n'en abuse pas. Et il n'a aucune envie d'accrocher ses patins comme président de la plus grande centrale qui compte maintenant quelque 450 000 membres. Interrogé sur sa relève, il répond, goguenard: «Je n'ai pas de dauphin. Si t'as un dauphin trop vite et qu'il se met à trouver le temps long, il devient ton rival... Mais il y en aura un autre pour prendre ma place, la FTQ n'est vraiment pas en danger.»[79]

«Il faut repenser nos orientations générales pour les années à venir», prévient-il à l'ouverture du congrès où l'on doit rafraîchir le projet de société de la FTQ. Cette mise à jour prend d'abord la forme d'un léger virage sémantique: en référence au modèle suédois que l'on admire, on biffe dans les textes sacrés l'expression «socialisme démocratique» pour la remplacer par celle de «social-démocratie». Laberge explique: «L'expression "socialisme démocratique" n'a plus de nos jours de signification claire, dans la mesure où les partisans de régimes politiques extrêmement différents peuvent s'en réclamer.» On parlera donc de social-démocratie et de ses corollaires obligés, le plein emploi ainsi que la démocratie économique et sociale.

Par ailleurs, Laberge affirme un peu plus fort que «la logique de nos revendications à ce jour nous mène vers un appui à la souveraineté politique du Québec». Encore un pas en avant. Pourtant, le Parti québécois lui-même semble avoir mis en veilleuse son option souverainiste aussi bien que ses projets de réforme social-démocrates.

René Lévesque vient de mourir il y a un mois à peine, le 1er novembre 1987, et Laberge a pleuré avec une infinie tristesse la perte de son bon ami René... Peu après, celui qui avait pris la relève de Lévesque deux ans plus tôt, Pierre-Marc Johnson, contesté par l'aile plus radicale du PQ, annonce sa démission-surprise. Son successeur sera un souverainiste bon teint et un social-démocrate tempéré, l'ex-ministre Jacques Parizeau, qui effectue un retour. «Mon ami Parizeau», dit Ti-Louis en se réjouissant.

«Si quelque chose devait me tuer un jour...»

Le congrès de la FTQ en 1987 permet à Laberge de se vider le cœur à propos d'une blessure syndicale qui le mine depuis longtemps et, du même coup, d'en hâter la guérison.

L'abcès qu'il faut crever, ce sont les conflits de compétence et les rivalités entre syndicats de la FTQ, ces accrochages et ces maraudages incessants entre affiliés qui essaient de recruter ou de se piquer les mêmes membres, dans les mêmes «talles». Ce qui ne fait progresser ni la syndicalisation ni le syndicalisme. Le président de la FTQ est obligé de jouer continuellement les conciliateurs et les médiateurs et il en a «ras le bol».

«Ces luttes fratricides sont d'une gravité extrême, dit-il aux délégués. C'est ce qui m'est le plus difficile à supporter, car elles me sapent moralement et physiquement. Vous devez cesser ces tactiques égoïstes. La santé et la crédibilité de la FTQ en dépendent.» Il renchérit: «Il n'y a rien de pire que lorsque ça se pogne entre syndicats affiliés: deux syndicats qui recrutent dans la même entreprise, un syndicat qui en picosse un autre. Tout ça me vide parfois, et si quelque chose devait me tuer un jour, ce serait ça...»[80]

Bref, il met toute la pression pour qu'on vide ce panier de crabes et il va y parvenir. Tout de suite après le congrès, les pourparlers débutent entre la FTQ et ses syndicats en vue de la signature d'un protocole d'entente qui établira un mécanisme d'arbitrage pour trancher les conflits. Après bien des prises de bec, ce «protocole d'engagement» sera signé en 1989, et Laberge pourra dire au congrès qui suivra: «En signant cet accord, les syndicats reconnaissent à la FTQ le pouvoir d'enquête et de recommandation lorsqu'il y a des conflits de juridiction entre affiliés.» En pratique, le président de la FTQ impose son autorité morale.

Le protocole reçoit non sans peine l'aval du Congrès du travail du Canada qui, en vertu de la constitution du CTC, devrait arbitrer ce genre de différends. «Nous avons réussi à assumer ce nouveau pouvoir, dit Laberge: dorénavant au Québec, lors de conflits entre syndicats affiliés, c'est la FTQ qui décide à quel syndicat impliqué doit aller le groupe de travailleurs en cause.»

Il ajoute: «Nous avons gagné d'autres pouvoirs. Par exemple, nous avons réussi à mettre sur pied notre propre service d'organisation — de syndicalisation — conjointement avec nos syndicats. C'est par des gestes comme ceux-là que nous avons renforcé la FTQ.»

Autre dossier majeur qui préoccupe beaucoup Laberge durant ces années-là, celui de la santé et de la sécurité du travail. «J'y ai consacré des heures et des heures», dit-il en se rappelant le temps passé à siéger à la CSST. «J'ai essayé de défendre comme la prunelle de mes yeux les acquis qu'on avait gagnés grâce au gouvernement du PQ.»

Selon Émile Boudreau et Robert Bouchard, qui se sont succédé au poste de directeur du service de sécurité-santé de la FTQ, Laberge a livré «des luttes farouches» au sein de la CSST tout en étant ouvert à la concertation avec le patronat et le gouvernement. «Bob» Bouchard se souvient: «Louis a déjà dit publiquement à Bourassa: si tu touches à notre loi, on va fermer la province! Mais à quelques occasions, il s'est fait embarquer dans une pseudo-concertation et a dû faire des compromis douteux avec la machine à Ghislain Dufour du Conseil du patronat.» Selon Boudreau, «Louis a fait de petits accommodements, bien sûr, mais il a su aussi mettre son poing sur la table.»

* * *

Comme pour le récompenser de tous ses efforts et de toutes ses réalisations, Laberge se voit honoré en janvier 1988: il est fait Grand Officier de l'Ordre national du Québec, la plus haute distinction décernée par l'État. Une photo mémorable paraît dans les journaux: on y voit Laberge à côté du premier ministre Bourassa, qui est lui-même flanqué du financier Paul Desmarais.

Ti-Louis préfère quand même son portrait aux côtés de Desmarais et de l'ex-premier ministre René Lévesque croqué au Sommet de Pointe-au-Pic dix ans plus tôt. D'ailleurs, sa nomination à l'Ordre national avait été proposée par Lévesque, appuyé par Fernand Daoust.

Toujours au chapître des honneurs, il se voit décerner peu après le titre de «personnalité de *La Presse*» pour le succès remporté par le Fonds de solidarité. Le Fonds compte alors au-delà de 65 000 actionnaires, un actif de 180 millions de dollars et, surtout, il a déjà réalisé une quarantaine d'investissements qui ont aidé à créer et à maintenir quelque 12 000 emplois. Il est devenu la première société de capital de développement au Québec. Laberge, souligne *La Presse*, est le père d'un nouveau syndicalisme créateur d'emplois[81].

L'emploi... Un défi redoutable, toujours une obsession pour Laberge. En 1987, le taux de chômage n'a baissé qu'à 10,3 % malgré cinq années de croissance d'affilée depuis la reprise économique; il s'est créé environ 100 000 emplois, la meilleure performance depuis 1973 alors qu'il s'en était créé 125 000 et que le taux de chômage était tombé à 6,8 % — un chiffre presque surréaliste aujourd'hui. Mais en 1988, le taux de sans-emploi ne va descendre qu'à 9,4 %, et guère en deçà par la suite.

«Raison de plus pour continuer à travailler au plein emploi», répète Laberge en tapant sur le même clou.

Chapitre 21

Ti-Louis tombe et se relève

4 syndicalistes meurent tragiquement

«Je n'ai jamais été autant bouleversé depuis que je suis président de la FTQ»...

Un gros sanglot dans la voix, ému au point d'avoir du mal à dire un mot devant la presse, Louis Laberge est inconsolable après avoir appris la mort tragique de quatre de ses amis, syndicalistes de la FTQ-Construction.

C'était en plein hiver, le 23 février 1988. Partis de Montréal en avion pour se rendre à une assemblée syndicale à Chandler en Gaspésie, les quatre hommes ont péri dans l'écrasement de leur petit appareil qui s'est abîmé dans la baie des Chaleurs.

Guy Perreault, âgé de 52 ans, était directeur général de la FTQ-Construction et, à ce titre, le bras droit de Jean Lavallée. Électricien de métier, ancien leader de la Fraternité des ouvriers en électricité, c'était un homme toujours jovial, le cœur sur la main. Claude Proteau, 42 ans, était directeur adjoint de la Fraternité des électriciens. Il était responsable du service d'ordre très efficace de la FTQ lors des manifestations et ral-

Il y avait aussi Jean-Claude Sureau, 45 ans, un plombier qui dirigeait l'Association nationale des travailleurs en tuyauterie, le syndicat mis sur pied par la FTQ pour faire concurrence à la tristement célèbre section locale 144 des plombiers. Enfin Gaétan Boucher, 37 ans, était représentant de l'Association nationale des mécaniciens industriels de chantiers (les «millwrights»).

«C'est moi qui ai appris la nouvelle à Louis au téléphone et il a fondu en larmes», dit son ami Jean Lavallée. «Il était terriblement affecté et pleurait comme un enfant, se souvient Clément Godbout. Nous étions même inquiets à son sujet.»

Laberge raconte: «J'ai eu un immense chagrin en apprenant leur décès. Il y a des pertes irremplaçables. Ti-Guy Perreault avait travaillé cinq ans à la FTQ à notre service de santé et sécurité du travail. Il avait aussi été l'initiateur et le responsable de notre comité sur l'alcoolisme et les autres toxicomanies. C'était un gars d'un enthousiasme débordant et d'une grande chaleur. Quant au grand Claude Proteau, il était une sorte d'*alter ego* pour Jean Lavallée à la Fraternité des électriciens, ce qui a permis à Jean de consacrer plus de temps à la FTQ-Construction et à la FTQ.»

Les quatre hommes ont eu droit à des funérailles syndicales grandioses en la cathédrale Marie-Reine-du-Monde, en présence de plus de 3 500 personnes. Laberge prononce son homélie la gorge serrée par l'émotion: «Nous ne pouvons que pleurer car la peine qui nous afflige est indicible. Mais quand on fait du syndicalisme, on s'engage complètement...»

«J'ai été vraiment très affecté, insiste-t-il. J'y ai repensé bien souvent en me disant: ils sont morts à la tâche mais ils sont vraiment morts trop tôt...»

Non à l'accord de libre-échange

Le grand débat de l'année 1988 va porter sur l'accord de libre-échange. Le traité négocié entre le Canada et les États-Unis doit entrer en vigueur le 1er janvier 1989.

«On n'est pas d'accord une maudite miette avec le projet

du gouvernement Mulroney, on va perdre des milliers de jobs», gronde Laberge.

La FTQ, comme l'ensemble du mouvement syndical, s'oppose vertement à l'accord; elle ne craint pas tant la libéralisation des échanges, vue comme inévitable et souhaitable, que les modalités de l'entente qui risquent d'entraîner des pertes dramatiques d'emplois.

Laberge est l'un des leaders les plus volubiles de la coalition syndicale et populaire qui lutte contre le projet. Il cogne sur un clou en particulier: «Il n'y a rien de prévu pour les gens qui vont perdre leur emploi, pas de mesures spéciales de recyclage et de formation professionnelle.» Là-dessus, il a l'appui du nouveau chef du PQ, son ami Jacques Parizeau, pourtant un fervent partisan de l'accord de libre-échange. Il explique avec gros bon sens son opposition au projet: «Les gens qui allaient perdre leur emploi, c'étaient nos membres, on les connaissait et il fallait les défendre. Ceux qui pourraient peut-être avoir des emplois grâce au libre-échange, on ne les représentait pas et on ne les connaissait pas! La solidarité syndicale, c'était de défendre nos membres...»

En mai 1988, à l'issue d'une rencontre entre le premier ministre Mulroney et les leaders syndicaux canadiens, Laberge annonce que la FTQ va appuyer le NPD lors des prochaines élections fédérales. Et ce, en dépit des «bonnes relations personnelles» que Ti-Louis dit entretenir avec son ami Brian. Quant au NPD, s'il ne pige rien à la question du Québec, il est au moins social-démocrate et contre l'accord de libre-échange.

Lors de la campagne électorale à l'automne, la FTQ organise à Montréal une des plus grandes assemblées jamais tenue en faveur NPD au Québec. Au Centre Paul-Sauvé rempli à craquer, le chef social-démocrate, Ed Broadbent, a presque les larmes aux yeux quand il se fait chanter la ritournelle d'amour québécoise: «Mon cher Ed, c'est à ton tour...» Et Laberge le fait applaudir à tout rompre en disant: «Je vous présente mon ami Ed...»

Une semaine plus tard, le 21 novembre 1988, le gouvernement Mulroney est réélu malgré tout. Le libre-échange a le feu vert. Laberge marmonne: «On va essayer de s'accommoder du mieux qu'on pourra. On va tout faire afin d'obtenir des mesures de protection et de recyclage pour les travailleurs affectés.» Il ajoute avec son pragmatisme invétéré: «Avec l'avènement du libre-échange et la compétition accrue, il n'y a aucun doute qu'on devra patiner plus vite. Les syndicats sont conscients qu'il faut davantage travailler en collaboration avec les employeurs. On doit trouver de nouvelles formules pour assurer la survie des entreprises et le maintien des emplois.»[82]

«Comme nous l'avions hélas prévu, constate-t-il aujourd'hui, le traité de libre-échange n'a pas rempli ses promesses et a fait beaucoup de victimes.»

* * *

Qu'il faille patiner plus vite à l'avenir, Laberge en donne la preuve une semaine après les élections fédérales, de façon spectaculaire... Le Fonds de solidarité de la FTQ, avec une brochette de partenaires, se porte acquéreur du Club de hockey les Nordiques de Québec, gardant ainsi l'équipe — et sa propriété — au Québec. «Après ce coup-là, on ne pourra pas dire que la FTQ n'est pas vite sur ses patins», badine Ti-Louis. Plus sérieusement: «On s'est impliqué à cause des jobs et des retombées économiques pour la région.»

Le Fonds de solidarité réalise «un autre coup de maître» en contribuant, par son investissement, à garder au Québec le contrôle de la division des vaccins du célèbre Institut Armand-Frappier, en passe d'être cédée aux Laboratoires Connaught de Toronto. Le Fonds entend ainsi développer un secteur de pointe, la biotechnologie, créateur d'emplois d'avenir. Ses partenaires dans l'opération sont la compagnie pharmaceutique IAF BioChem International, la Caisse de dépôt de Jean Campeau et le Groupe Cascades de Bernard Lemaire.

Laberge raconte: «C'était presque rendu à Toronto quand

nous sommes intervenus! J'ai travaillé très fort dans ce dossier, en collaboration étroite avec le syndicat des employés de l'Institut affilié au SCFP et leur directeur Claude Morrisseau, ainsi qu'avec Claude Blanchet et Denis Dionne du Fonds. Je me suis servi de mes contacts avec le gouvernement, auprès du premier ministre Bourassa et du ministre responsable de l'Institut, Claude Ryan. Ils nous ont vraiment aidés. Le gouvernement se targuait de vouloir développer ce secteur, et j'en ai profité pour leur dire qu'on ne pouvait pas laisser démanteler la seule entreprise québécoise de réputation mondiale dans ce domaine. Finalement, Québec a reconnu la justesse de notre intervention.»

L'affaire Armand-Frappier est survenue au beau milieu d'une série noire de ventes d'entreprises québécoises à des intérêts étrangers. «Au train où vont les choses, s'est exclamé Laberge, nous nous apercevrons bientôt que nous appartenons à d'autres, collectivement et en anglais. Nous aurons gardé quelques rôtisseries Saint-Hubert — et j'aime bien le poulet barbecue... — mais nous aurons perdu presque toute autonomie économique.» Il demande à Robert Bourassa de convoquer un Sommet sur l'avenir économique du Québec. Il propose une plus grande concertation de «nos principales institutions financières collectives»: la Caisse de dépôt, le Mouvement Desjardins, la Société générale de financement (SGF), la Société de développement industriel (SDI) et... le Fonds de solidarité de la FTQ.[83]

* * *

Sur le front des conflits de travail, le seul affrontement majeur en 1988 concerne quelque 8 000 employés de Bell Canada, membres de la FTQ, qui mènent une longue grève de quatre mois. Laberge déplore publiquement les centaines d'actes de sabotage commis durant l'arrêt de travail. Lors du règlement, le Syndicat des communications et de l'électricité affirme avoir signé l'une des meilleures conventions collectives au Canada.

Par ailleurs, Laberge a participé le 7 juin à un événement tout à fait inusité organisé à son initiative: une manifestation qui a fait descendre dans la rue plusieurs milliers de syndiqués mais aussi quelques douzaines de patrons... Les manifestants exigent que Québec renouvelle les décrets régissant les conditions de travail et de salaire de quelque 150 000 personnes dans des secteurs comme le vêtement, le textile et la chaussure, le meuble, l'entretien ménager, les agences de sécurité, les garages, etc. Par ces décrets, on étend à tout un secteur les principaux gains des conventions collectives conclues entre un nombre représentatif d'employeurs et de syndicats, en grande majorité affiliés à la FTQ. Laberge peut annoncer, peu après, que le gouvernement a cédé aux pressions conjointes syndicales-patronales. «Une manif avec des patrons, quel bon moyen de pression!»

La FTQ redonne son appui au PQ

La coalition des syndicats, des mouvements nationalistes et du Parti québécois commence à se raffermir contre le gouvernement Bourassa, au début de 1989, et Laberge en est l'un des artisans.

Le 12 mars, par un dimanche après-midi réfrigérant, Montréal s'échauffe lors d'une des plus grandes manifestations de son histoire: au-delà de 60 000 personnes — 101 000 selon les organisateurs... — descendent dans la rue pour défendre les acquis de la loi 101, la Charte de la langue française. Ti-Louis, avec sa petite casquette, est en tête du cortège, au coude à coude avec les dirigeants des autres centrales, des groupes nationalistes et du PQ.

De plus en plus souverainiste, Laberge se voit même gratifier du titre de «Patriote de l'année» par la Société Saint-Jean-Baptiste. C'est la première fois que cet honneur est décerné à un syndicaliste. Il plaisante: «Cela aurait mieux convenu à mon ami Fernand Daoust... À ses côtés, il était impossible de ne pas avoir l'esprit patriotique...»

Le PQ, sous la houlette de Jacques Parizeau, est de nouveau identifié très clairement à la souveraineté du Québec. Et c'est ce parti franchement souverainiste que Laberge invite son monde à appuyer, lors des élections du 25 septembre 1989, pour se débarrasser du gouvernement Bourassa.

Cette recommandation, les délégués au congrès spécial convoqué par la FTQ vont la voter à plus de 70 %, contrairement à ce qui était survenu quatre ans plus tôt lorsqu'une telle proposition avait été défaite de justesse. Plusieurs militants n'ont pas encore passé l'éponge sur les réductions de salaires effectuées par le PQ, mais il s'agit d'un «appui critique», insiste Laberge. «Même si les cicatrices n'étaient pas encore disparues chez nos syndicats du secteur public, il n'en reste pas moins que le contexte avait changé», se souvient-il. Il ajoute, pince-sans-rire: «Et on s'était sans doute mieux préparés pour gagner le vote au congrès...»

«Malgré les reproches que nous adressons au Parti québécois, c'est la seule formation social-démocrate qui présente une alternative véritable au gouvernement Bourassa», explique-t-il aux délégués. Il note qu'un gouvernement péquiste, plus résistant à l'égard du néo-libéralisme ambiant, promet de faire de l'État un partenaire actif du développement économique en concertation avec le secteur privé, le mouvement coopératif et le monde syndical. Le fameux modèle «Québec inc.»

Et contrairement aux libéraux qui semblent se résigner à un taux de chômage de 10 % après sept années d'expansion, le PQ s'est doté d'une politique ambitieuse de plein emploi, sous la pression de son aile gauche où s'activent des gens comme Robert Dean et d'autres syndicalistes.

Le 25 septembre, le régime Bourassa est reporté au pouvoir avec 50 % des voix. Le Parti québécois, qui a le mot «souveraineté» écrit en grosses lettres dans le front, gagne 40 % de l'électorat, un peu plus qu'au scrutin précédent. Selon Laberge, Parizeau a remis le PQ sur ses rails et ça ne peut qu'avancer.

La campagne électorale a coïncidé avec une nouvelle ronde de négociations dans le secteur public qui touche au-delà de 350 000 employés. La FTQ et la plupart des syndicats indépendants ont conclu une entente avec le gouvernement pour prolonger d'un an la convention collective, avec une hausse de salaire de 4 % qui peut grimper à 5 % selon l'inflation.

Laberge se souvient: «C'est la CEQ qui nous avait proposé une prolongation d'une année. Elle a d'abord contacté la CSN, qui a donné son accord de principe. À la FTQ, notre coordonnateur des négociations, Henri Massé du SCFP, n'était pas emballé par l'idée mais il s'est engagé à consulter son monde. Finalement, nos membres ont accepté, surtout pour profiter de cette année afin de faire avancer le dossier de l'équité salariale. À la CSN, le projet a été rejeté par le congrès de la grosse Fédération des affaires sociales et, à la CEQ, par le conseil général. Nous n'avons donc pas décidé de faire bande à part en signant une entente avec le gouvernement, c'est tout le contraire qui est arrivé...»

Et l'on ne peut accuser la FTQ de «coucher avec le gouvernement Bourassa» puisqu'elle soutient le PQ! Dans l'opinion publique, la centrale de Laberge apparaît alors comme un exemple de maturité, contrairement à la CSN de Gérald Larose qui menace de célébrer à nouveau le rituel de la grève dans les services publics. Emportée par sa stratégie de confrontation, la CSN recourra d'ailleurs à la grève illégale, en pleine campagne électorale, et le gouvernement Bourassa imposera aux grévistes des sanctions extrêmement sévères. «Cette grève a été désastreuse, estime Laberge, surtout que le moment était très mal choisi.»

Le Forum pour l'emploi: la «chute» de Laberge

Pour Louis Laberge et tous ceux qui travaillent avec persévérance au plein emploi, l'automne 1989 est à marquer d'une pierre blanche.

Au-delà de 1600 personnes participent à la première rencontre nationale du *Forum pour l'emploi*, en novembre, au Palais des congrès de Montréal. «La plus grande opération de concertation jamais entreprise au Québec», lance le président du comité de parrainage du Forum, Claude Béland, le cordial leader du Mouvement Desjardins.

Le Forum pour l'emploi est une immense table de concertation, permanente, qui réunit des gens représentatifs de tous les milieux: syndicats, gens d'affaires, coopératives, groupes de femmes et de jeunes, municipalités et organismes régionaux, milieux de l'enseignement, communautés culturelles, etc. Il vise à mettre au point des stratégies concrètes de développement de l'emploi. La rencontre nationale a été précédée d'une douzaine de colloques régionaux et d'une vingtaine de réunions du comité de parrainage.

La FTQ et le Fonds de solidarité ont joué un rôle moteur dans le démarrage du projet. «Louis n'a pas ménagé ses efforts, dit Claude Béland. Je l'ai toujours admiré parce que ses actions correspondent à ses valeurs. Il est toujours fidèle à ses valeurs.»

Laberge explique: «Le Forum est un modèle de concertation à la québécoise. Si on veut parvenir au plein emploi un jour, tout le monde doit mettre l'épaule à la roue: les syndicats autant que les patrons et les gouvernements.» Il rappelle que le Fonds de solidarité est la principale action de la FTQ dans cette voie de l'avenir. Parmi les principales conclusions du Forum national, il note quelques priorités de sa centrale: la formation des ressources humaines, à tous les niveaux, pour assurer la qualité de notre main-d'œuvre; l'amélioration de la compétitivité et de la productivité; la participation du personnel au sein des entreprises.

* * *

Le Forum pour l'emploi reste associé à un événement malheureux pour Louis Laberge.

Le dimanche soir 5 novembre, il participe à une table ronde en compagnie du président de la CSN, Gérald Larose, des entrepreneurs Marcel Dutil (Canam Manac) et Serge Racine (Shermag) et de représentants des syndicats et du patronat suédois. Lorsqu'il prend la parole, il tient des propos plutôt flous, un brin incohérents, manifestement sous l'effet de l'alcool. Depuis longtemps, Ti-Louis parvient à «porter la boisson», mais ce soir-là, la fatigue aidant, il n'y arrive plus: il tombe bruyamment de sa chaise, une petite chaise tubulaire qui soutient mal sa corpulence. Les deux patrons assis à ses côtés, Dutil et Racine, l'aident à se relever.

Cette chute provoque la stupeur mais surtout la consternation et la tristesse. Dans la salle, tous ont ressenti la blessure, car l'affection et le respect pour Louis Laberge sont largement partagés. «Un des personnages les plus aimés du Québec a fait un fou de lui», écrit le chroniqueur Gérald LeBlanc dans *La Presse*, résumant l'opinion générale. Il ajoute: «Si la bourde de Laberge a soulevé si peu d'indignation, c'est en raison du personnage lui-même. Personne n'incarne en effet mieux que lui l'esprit et la démarche du grand Forum pour l'emploi. Qui, mieux que lui, incarne au Québec cette volonté de continuer à se parler, malgré les contradictions, au prix de compromis voisinant les compromissions? Louis Laberge pratique depuis des années le difficile art du possible en tenant, tant bien que mal, deux valeurs fondamentales: la défense de ses membres et celle de la grande famille québécoise.»[84]

L'incident soulève, certes, la question de «l'après-Laberge». D'autant plus que le congrès de la FTQ a lieu trois semaines plus tard et que Ti-Louis est à nouveau sur les rangs, à 65 ans et après un règne de 25 ans bien sonnés à la présidence. Doyen des leaders syndicaux au Québec, il est, de toutes les grandes figures de la Révolution tranquille, le seul qui soit encore en place.

«Laberge doit partir», écrit carrément l'éditorialiste de *La Presse*, Pierre Vennat, après lui avoir rendu un hommage bien senti: «La FTQ, dit-il, constitue aujourd'hui un exemple de syndicalisme responsable et ce virage, on le doit en bonne partie à M. Laberge.»[85] Mais à la FTQ, absolument personne ne veut pousser Laberge à prendre sa retraite et, encore moins, jouer le rôle de Brutus qui portera le coup fatal à ce père bien-aimé.

Selon son grand ami Jean Lavallée, «il n'était pas question que Louis parte mais il devait poser un geste. Il a pris le temps de réfléchir et nous avons été quelques-uns à l'aider à réfléchir, en lui parlant amicalement et bien franchement.» Fernand Daoust ajoute avec circonspection: «C'était douloureux, mais personne n'a eu de complaisance envers Louis. On s'est dit: ça n'a pas de maudit bon sens, il faut lui parler absolument. Il avait subi tout un choc et il a eu le courage de prendre les bonnes décisions.»

Sa secrétaire, Marie-Claude Deschênes, se souvient de l'humeur sombre de son patron: «Je ne l'ai jamais vu dans cet état de choc durant mes dix années avec lui. Il était mortifié et s'est comme replié sur lui-même. Il ne m'a presque pas parlé pendant plusieurs jours. C'était très dur pour son orgueil et il a craint qu'on le laisse tomber. Mais ses amis étaient tous là...»

Laberge raconte: «Mes amis et moi, nous nous sommes rencontrés à deux reprises et nous avons discuté très franchement de la situation. Nous avons aussi parlé des rumeurs de candidatures que certains médias se plaisaient à faire circuler. L'appui des principaux dirigeants de la FTQ m'a évidemment fait très chaud au cœur. Mais ce qui m'a vraiment décidé à plonger, ce fut la déclaration sans ambiguité aucune de Clément Godbout...»

Le directeur des Métallos avait dit aux médias: «Arrêtez donc de tourner le fer dans la plaie! Louis est assez grand pour prendre sa décision. Et n'oubliez pas que la FTQ a bien plus besoin de Laberge que Laberge a besoin de la FTQ...»

Laberge poursuit: «Quelques jours avant le congrès de la FTQ, je devais participer à l'assemblée annuelle des Métallos. J'appréhendais quelque peu la réception que me réserveraient les délégués. J'avais toujours été bien reçu chez eux mais cette fois-là, l'accueil a été tellement chaleureux que mes dernières craintes se sont dissipées.»

Il conclut: «J'ai regretté amèrement l'incident de la chaise. Mais tu penses bien que je n'allais pas quitter la présidence comme ça, sans rien faire! Je ne pouvais pas rester là-dessus, rester sur une sorte de défaite: il fallait que je me reprenne en main, que je montre que j'étais capable d'en sortir. C'était une question de fierté et de dignité...»

Mais tout en préparant en quelque sorte sa rentrée, il s'est dit, pour la première fois, qu'il lui fallait songer sérieusement à son départ et donc à sa relève.

«Le goût de la FTQ»

«Le goût de la FTQ est bien meilleur que le goût de la boisson...»

Très ému, une larme brillant au coin de l'œil, le Vieux Lion s'adresse aux délégués à l'ouverture du congrès de la centrale, le 27 novembre 1989, à Québec. Il leur annonce solennellement qu'il a décidé de ne plus prendre une goutte d'alcool, dans l'exercice de ses fonctions, jusqu'à sa retraite comme président qui n'est pas encore arrivée! «Ça ne me fera sans doute pas vivre plus longtemps mais le temps va me paraître plus long», trouve-t-il moyen de rigoler avec son humour gaillard.

À la suite de cette décision courageuse, l'incident est clos. En plus de l'ovationner à tout rompre, les congressistes lui rendent un hommage spécial pour célébrer ses 25 ans à la présidence de la FTQ, ainsi que les 20 ans de Daoust au poste de secrétaire général. La salle vibre de toute l'affection qu'on porte au vieux chef, dont le départ paraît proche. En effet, pour la première fois, Ti-Louis indique que ce sera «probablement» son dernier mandat et qu'il va s'occuper de sa relève.

«Il me reste des choses à compléter», explique-t-il, notamment le Fonds de solidarité «qui est sur une bonne lancée mais qui doit encore être consolidé».

Mais le projet qu'il tient absolument à parachever, c'est le regroupement sous un même toit de la FTQ, de ses syndicats affiliés et du Fonds: «J'y pense depuis 25 ans. Ça va rehausser la cohésion, la solidarité et l'efficacité de nos syndicats.» Et permettre de «profiter d'économies d'échelle», ajoute-t-il dans son nouveau langage d'homme d'affaires. Le congrès de la FTQ vote une hausse de 10 cents de la cotisation mensuelle *per capita* qui sera versée dans un fonds spécial à cette fin. Le projet de construction du Complexe FTQ, évalué à 45 millions de dollars, sera annoncé officiellement un an plus tard; on prévoit son inauguration au début de 1993.

Le thème du congrès de la FTQ — qui représente 475 000 membres — est «Un syndicalisme en changement». Laberge fait le point sur les mutations en cours: «Nous allons continuer de défendre nos membres mais nous devons mettre de côté toute vision corporatiste. Dans les années 80, le monde syndical a compris qu'il risquait gros en pressant le citron sans se soucier du reste de la société.»[86] Et d'ajouter: «Certains nous ont accusés de nous vendre au capitalisme, mais nous ne faisons que nous adapter aux temps qui changent.»[87]

Dans son rapport, il dresse un bilan de la FTQ après ses 25 années à la présidence: «Notre plus grande réalisation a été de créer une solidarité FTQ, de rassembler la grande famille que nous sommes, de nous donner un outil québécois bien à nous.» Il souligne les principales qualités de la centrale à son avis: «la faculté d'adaptation, la capacité d'obtenir les consensus nécessaires, le souci de rester collés aux réalités de tous les jours, de vous écouter quand vous nous disiez que nous allions trop vite ou pas assez loin...»

Ces qualités sont aussi celles de Laberge... Des qualités d'autant plus nécessaires que l'adhésion des syndicats à la FTQ reste volontaire et que la centrale doit forger des consensus si elle veut conserver son unité.

Après la bataille pour l'emploi, dit Laberge, la principale bataille reste toujours la syndicalisation: même si 41 % des salariés québécois sont syndiqués, il y a encore du pain sur la planche, comme le prouve la campagne d'une ampleur sans précédent menée par les Métallos dans l'industrie du taxi. Ce qu'il faut, c'est une loi sur l'accréditation multipatronale. «Nous devons mener le même genre de bataille rangée là-dessus que celle qui nous a conduits à la réforme des lois en santé et sécurité du travail.» Mais le gouvernement Bourassa continue de faire la sourde oreille.

Par ailleurs, la centrale élargit le champ de la négociation collective à de nouveaux enjeux tels la formation professionnelle, l'organisation du travail, l'ouverture des livres de l'entreprise et le partage des bénéfices.

Laberge fait une profession de foi écologiste alors que le congrès adopte une première déclaration de politique sur l'environnement: «Le moment est venu de prendre conscience que même si nous sommes prêts à combattre le chômage par tous les moyens, il y a des choses qui, une fois détruites, ne pourront être remplacées.» Il n'est pas question, par exemple, que le Fonds de solidarité s'engage dans les projets d'entreprises «qui veulent faire des profits sans se préoccuper de la pollution».

Enfin, poursuivant sa longue marche vers la souveraineté syndicale, la FTQ se donne un premier service des affaires internationales. Laberge dit: «Quand on peut le faire à l'amiable avec le CTC...»

* * *

Celui qui avait écrit «Laberge doit partir», l'éditorialiste Pierre Vennat de *La Presse*, commente le congrès en ces termes: «Malgré ses leaders vieillissants, la FTQ a beaucoup avancé, davantage que la CSN plus intransigeante.»[88]

Mais le vent du changement souffle aussi à la CSN. Lors de son congrès tenu peu de temps après, la centrale de Gérald Larose va amorcer une correction de trajectoire, un recentrage qui l'amènera vers des positions semblables à celles de la FTQ. Délaissant le dogmatisme et un certain jusqu'au-boutisme, la CSN se montre plus favorable à la concertation des partenaires sociaux; elle encourage la participation de ses syndicats à la bonne marche des entreprises.

Que pense aujourd'hui Laberge de l'évolution de la centrale rivale? «C'est mieux que c'était. Il fut un temps où ça faisait dur en maudit... Mais la CSN est en train de changer, Gérald Larose a changé. La CSN a pris récemment un virage marqué. Ça démontre aussi qu'il y a eu des changements importants à la plus grosse fédération de la CSN, celle des affaires sociales, qui a toujours exercé une influence décisive. En tout cas, nos différences d'approche s'atténuent et les occasions de travailler ensemble ont augmenté d'autant.»

Autre preuve que les temps changent: pour la première fois en 1989-1990, la FTQ et la CSN négocient en front commun le renouvellement de la convention collective dans l'industrie de la construction, là où les deux centrales s'étaient affrontées naguère avant tant de hargne. «Qui l'eût cru?», lance Laberge avec satisfaction.

Pour Guy Cousineau, qui a œuvré en faveur de l'unité syndicale à titre de secrétaire du Conseil du travail de Montréal, «Louis a toujours essayé de trouver des canaux d'entente avec la CSN et les autres syndicats, même si officiellement les orientations ou les stratégies du moment pouvaient diverger. Ce n'est pas dans sa nature de se couper des autres, pas plus des syndicats rivaux que des patrons ou des gouvernements. Il a soutenu beaucoup d'initiatives conjointes. Il n'aime pas vraiment la partisanerie syndicale, le patriotisme de centrale.»

Mais au moins une différence majeure subsiste: la direction de la CSN rêve toujours à la formation d'un nouveau parti politique «socialiste», à gauche du Parti québécois — malgré l'échec cuisant du Mouvement socialiste de Marcel Pepin — alors que la FTQ reste proche du PQ. Selon Laberge, une fois la souveraineté réalisée, si le PQ ne donne pas aux travailleurs la place qui leur revient, il sera toujours temps de penser à un autre parti social-démocrate.

Il déclare dans son rapport au congrès de 1989: «Les défis de taille qui s'imposent à la FTQ nous amèneront, au cours des prochaines années, à multiplier nos efforts de rapprochement, non seulement avec les autres centrales syndicales mais avec ce que nous appelons les forces vives du Québec.» Et ce, afin de relever deux défis cruciaux: la question de l'emploi et la question de l'avenir national du Québec.

Chapitre 22

Faire du Québec un pays

Le retour de la récession

Le début des années 90 ressemble étrangement au début des années 80: le spectre de la récession est de retour.

La nouvelle crise économique va faire grimper le taux de chômage à plus de 12 % en moyenne au Québec. Avec celle des années 80, ce sera la deuxième crise en importance depuis la Grande Dépression des années trente.

«Même si les temps s'annoncent durs, déclare Laberge lors de l'assemblée des actionnaires du Fonds de solidarité en février 1990, nous devons rester solidaires et garder le cap sur le plein emploi. Il faut qu'un jour le Québec puisse faire travailler tout son monde.» Il multiplie les interventions pour tenter d'atténuer les effets de la crise et aider à revitaliser plusieurs entreprises syndiquées FTQ et d'autres. Il réussit d'ailleurs quelques bonnes opérations avec ses amis du Fonds de solidarité.

En ces temps de récession mondiale et de restructuration de l'économie, en cette période douloureuse de transition, le forces. Laberge explique: «Bien que nous soyons toujours opposés aux concessions, nous savons pertinemment que, dans bien des cas, nos syndicats n'ont pas le choix et doivent en faire.»

Ainsi, dans le secteur public, le gouvernement exige encore des concessions lors d'une nouvelle ronde de négociations qui touche près de 400 000 employés de l'État. Laberge plonge dans la bataille, avec ses affiliés et les autres centrales, pour dénoncer le gouvernement Bourassa qui a annoncé, de façon unilatérale, un gel des salaires pour une année. Face aux pressions syndicales, Québec accepte d'engager des pourparlers qui se soldent par un gel négocié des salaires d'une durée de six mois — au lieu d'un an — et une hausse de 3 % pour les 12 mois suivants. Laberge, qui apparaît comme un vieux sage du mouvement ouvrier, a joué un grand rôle dans ce dénouement.

Il prêche le réalisme aux militants radicaux, adeptes des discours simplistes et de la pensée magique, qui ne veulent pas enlever leurs œillères malgré deux crises économiques dévastatrices. Il fait campagne pour la mise en œuvre d'une vigoureuse politique de l'emploi afin de relancer l'économie.

La commission Bélanger-Campeau

En 1990, Laberge va s'engager sans retour dans la grande bataille qui reprend de plus belle pour la souveraineté du Québec.

À l'occasion de la Fête nationale du 24 juin, il émet au nom de la FTQ, avec Fernand Daoust, une «Déclaration sur l'avenir du Québec». L'option est claire: la souveraineté est «la condition indispensable à la construction d'un pays». Et dans un pays souverain, la FTQ estime qu'on pourra plus sûrement réaliser le plein emploi et la social-démocratie. La déclaration est aussi un acte de confiance: «Aujourd'hui, en 1990, nous avons les moyens de nos ambitions.»

Laberge est invité à siéger à la Commission sur l'avenir politique et constitutionnel du Québec, mise sur pied par l'Assemblée nationale en septembre 1990 après l'échec de l'accord du Lac Meech. Une commission mieux connue sous l'appellation Bélanger-Campeau, coprésidée par son bon ami Jean Campeau, ancien grand manitou de la Caisse de dépôt, et par Michel Bélanger, l'ex-président de la Banque Nationale.

«Je savais que Jean était très nationaliste et quasiment souverainiste, raconte Laberge, mais j'ai été très agréablement surpris par les convictions très québécoises de Michel Bélanger et du secrétaire de la commission, l'économiste Henri-Paul Rousseau. J'ai apprécié que tous les dirigeants syndicaux soient sur la même longueur d'ondes et que mon ami Claude Béland se retrouve dans le camp souverainiste avec nous. Je crois qu'avec toutes les études économiques que la commission a pondues et les témoignages entendus, nous devrions être capables de vivre une campagne référendaire sans qu'on pousse le bouton de panique. Ça devrait être plus serein qu'en 1980, en tout cas je l'espère...»

Les délibérations de la commission ont été effervescentes: «Il s'en est fallu de peu que nous présentions un rapport minoritaire. Un rapport signé par les commissaires "non-alignés", les représentants du PQ et le chef du Bloc québécois, Lucien Bouchard, que j'avais surtout connu quand il était du côté patronal de la clôture. Les gens du PQ nous ont mis dans l'eau chaude à cause de leur impatience. Il y a eu un tas de conciliabules et de tractations. Finalement, on s'est entendus pour recommander un référendum sur la souveraineté.»

Laberge explicite son point de vue dans un bref *addendum* au rapport qu'il signe conjointement avec les autres dirigeants syndicaux — Gérald Larose de la CSN, Lorraine Pagé de la CEQ, Jacques Proulx de l'Union des producteurs agricoles — et avec Claude Béland du Mouvement Desjardins: «Nous nous réjouissons de la principale recommandation de la commission: la tenue d'un seul référendum sur l'accession du Québec au statut d'État souverain, au plus tard en octobre 1992. S'il est ressorti un consensus fort, voire unanime, des trois mois d'auditions publiques de la commission, c'est celui de la souveraineté d'un peuple, de la prépondérance de son choix quant au statut d'avenir du Québec.» Et d'ajouter: «Nous aurions apprécié que le rapport fasse mention d'un autre consensus tout aussi important: une adhésion claire et massive des Québécoises et Québécois en faveur d'un Québec souverain, un pays moderne, dynamique, pluraliste et ouvert sur le monde.»

Laberge conclut: «Les séances de la commission ont été longues, harassantes même, et nous avons dû abattre beaucoup de travail. Je n'aurais pas voulu manquer ça pour tout l'or du monde, j'ai été très assidu, mais je n'ai pu en faire autant que j'aurais voulu. D'abord, le jour même de la séance d'ouverture, j'ai été ébranlé par un accident d'automobile que j'ai subi avec Lucille en me rendant à Québec. Puis j'ai manqué un peu d'endurance et j'ai constaté, pour la première fois, que je commençais à tirer de la patte...»

«On avait bien besoin de Louis pour donner plus de poids au camp souverainiste», témoigne Jean Campeau. Selon un autre membre de la commission, Serge Turgeon, président de l'Union des artistes affiliée à la FTQ, «Louis a exprimé bien haut ses convictions. Il a aussi contribué à décrisper l'atmosphère tendue à certains moments.»

Parmi ses bons mots lors des audiences, on peut noter sa description imagée d'un avocat anglo-québécois connu pour ses idées extrémistes, Julius Grey: «On dirait un astronaute venu d'une autre planète...» Et aussi sa réplique au ministre Gil Rémillard, qui avait déclaré suavement: «Le Canada est une belle grande maison. Pourquoi la détruire alors qu'on peut en remodeler certaines pièces?» Et Ti-Louis de s'exclamer: «Comment voulez-vous refaire les pièces alors qu'ils nous ont foutus en dehors de la maison?...»

Un ardent souverainiste

Quand Louis Laberge est-il devenu aussi ardemment souverainiste?

Sans doute vers le mitan des années 80. Et d'abord sous l'influence de ses enfants.

D'après son confident Jean Lavallée, «Louis est devenu un fervent souverainiste il n'y a pas si longtemps. Je me souviens que lors du référendum de 1980, il était pour le OUI mais souhaitait encore un changement en profondeur du Canada. Ce sont ses fils qui l'ont finalement convaincu. Il dit: le pays du Québec, c'est pour mes enfants et mes petits-enfants...»

Laberge confirme: «Ce sont mes garçons qui ont fini par me convaincre. Et aussi mes amis de la FTQ: les Lavallée, Daoust, Godbout, Brûlé, Dean, Boudreau et tant d'autres. Je me suis dit: il faut donner un pays à ceux qui poussent, les jeunes. Un pays et des emplois. J'ai longtemps été fédéraliste parce que je croyais que la séparation du Québec allait mettre en danger les emplois de nos membres. Aujourd'hui, je suis souverainiste parce je crois qu'on a plus de chance d'avoir enfin une politique de plein emploi avec un gouvernement complet. C'est la principale raison de mon choix. La souveraineté, c'est le moyen de développer le Québec.»

Laberge sait que le passage à la souveraineté impliquera certains sacrifices: «Bien sûr, il faudra collectivement aider ceux et celles qui seront les plus touchés par la transition et être solidaires. Mais nous pourrons enfin régler nos problèmes nous-mêmes, à notre façon, avec nos outils, et être responsables de nos actes.»

Laberge veut aussi que le Québec soit un pays pluraliste et tolérant envers ses minorités, le pays de tous ceux et celles qui y vivent et qui veulent y vivre. Une société ouverte, généreuse et faite pour tous. «Et je dis à mes nombreux amis anglo-québécois: nous vous reconnaîtrons comme un des deux peuples fondateurs du Québec, ce que le Canada a toujours refusé de faire avec nous.»

Selon Lavallée, «Louis est très convaincu de sa cause. Je l'ai entendu expliquer avec brio la position de la FTQ lors d'une réunion du conseil exécutif du Congrès du travail du Canada où je siège avec lui à Ottawa. Nos collègues canadiens-anglais nous demandaient: "Qu'est-ce qu'on peut faire pour vous aider?" Louis leur a répondu franchement: "Ne vous mêlez-pas de ça, fichez-nous la paix, laissez-nous mener nos affaires au Québec. Et de votre côté, donnez-vous le genre de Canada que vous voulez. Après on continuera d'avoir des relations harmonieuses, des liens fraternels. La souveraineté-association quoi!"»

Laberge se souvient fort bien de cette réunion du CTC à Ottawa: «Je leur ai rappelé qu'ils ne m'avaient jamais entendu gueuler contre le Canada qui est un beau pays, démocratique. Un pays admirable à bien des égards, où nous partageons avec les travailleurs canadiens un même idéal de justice et de progrès social. Ce n'est toutefois pas notre pays mais leur pays. Nous allons décider de ce que nous voulons faire au Québec, ils doivent décider pour eux au Canada. Et on ne mettra pas de clôtures: on va coopérer, on va s'associer économiquement.»

Son message a été bien compris si l'on en juge par la réaction du nouveau président du CTC, Robert White, que Laberge a bien connu au Syndicat de l'automobile dans les années 60 et pour lequel il a une grande estime. Selon «Bob» White, un Irlandais entêté et charmeur, «les Québécois ont le droit absolu de décider de leur avenir. Si le Québec se sépare, il faudra s'asseoir à la table et trouver calmement une solution négociée.»

Il ajoute même que le CTC ne parle plus au nom des travailleurs québécois sur cette question, que ceux-ci sont représentés par la FTQ. Ce qui permet au CTC de présenter une position unifiée au nom de ses membres canadiens-anglais, une position favorable à un gouvernement central fort à Ottawa.

Et la souveraineté sur le plan syndical? Laberge a sa réponse toute prête: «Dès que le Québec sera un pays, la FTQ deviendra une centrale syndicale complète et entière. Avec de nouveaux liens "internationaux" avec le CTC. Quant à nos syndicats affiliés, ceux qui sont des syndicats canadiens comme le SCFP auront à l'avenir des membres dans deux pays. Ceux qui sont des syndicats nord-américains comme les Métallos auront des membres dans trois pays: le Québec, le Canada et les États-Unis. Pas de problème avec ça! On ne veut pas vivre dans un ghetto au Québec, on va conserver des liens syndicaux comme on l'a toujours fait.»

Pour Clément Godbout, l'ex-directeur des Métallos, «les syndicats de la FTQ ont déjà beaucoup d'autonomie au Québec, et la transition vers la souveraineté ne nous énerve pas. Tout compte fait, Louis a fini par nous rejoindre dans le camp souverainiste! Au bureau de direction de la FTQ, l'immense majorité a été indépendantiste bien avant lui...»

Et l'influence des enfants de Laberge? Son fils aîné Michel, militant du RIN dans les années 60, n'a pas compté les conversations ni les prises de bec avec son père sur la question de l'indépendance: «À 21 ans, j'ai commencé à travailler à Bell Canada sous la direction d'Anglophones et j'étais révolté. J'étais encore un jeune "flo", je ne pouvais pas convaincre mon père. Mais je mettais du bois dans le poêle et je l'ai eu à l'usure. Sa grande force, c'est son ouverture, sa capacité d'évoluer.»

Un autre de ses garçons, Pierre, ajoute: «Mon père, même s'il est progressiste, conservait certaines valeurs traditionnelles: la famille, la religion, le Canada. Pour ce qui est du Canada, il y a eu une brisure chez lui finalement.»

Le troisième des garçons, Jean, croit que son père va mener «une grosse bataille pour la souveraineté du Québec. Il va la faire pour ses enfants et ses petis-enfants, c'est vrai, mais aussi pour René Lévesque qu'il aimait beaucoup et avec Jacques Parizeau, qu'il aime bien aussi.» Michel Laberge ajoute son grain de sel: «Et contre Trudeau et Jean Chrétien qu'il déteste! »

Selon Émile Boudreau, «Laberge sent les mouvements de fond. Il les détecte comme je n'ai jamais vu personne le faire autant que lui. Son virage vers la souveraineté, ce fut une évolution graduelle.» Pour Jean Gérin-Lajoie, «Louis est un personnage très politique, et c'est pourquoi il reste prudent: il est souverainiste mais associationniste aussi. Il garde un sens aigu de l'appartenance continentale du Québec.» Un autre ancien vice-président de la FTQ, Fernand Boudreau — un des pionniers du RIN — pose candidement la question: «Louis est-il vraiment devenu souverainiste dans le fond de son cœur? Je crois que oui mais...»

Pour l'industriel Tony Accurso, un de ses amis intimes et partenaire de cartes, «Louis ne bluffe pas, il va aller jusqu'au bout.» Accurso raconte cette anecdote: «Quand il a vu ma résidence à Deux-Montagnes, une belle maison, il m'a dit: "Avec une cabane comme ça, mon Tony, t'es pas à la veille de partir du Québec... Tu vas rester même si le Québec devient souverain!" Et il a raison: je reste quoi qu'il arrive...»

Selon son ami l'homme d'affaires Marcel Melançon, «Louis se culpabilise encore de ne pas avoir bûché assez lors du référendum de 1980. C'est pourquoi il va donner la claque cette fois-ci, c'est le nouveau défi qu'il s'est lancé. Ça va être du grand Laberge.» D'après Claude Blanchet, «la souveraineté est une bataille que Louis veut terminer, il se dit: c'est le temps que ça accouche.» Même sentiment chez Jean Campeau: «C'est devenu comme une urgence chez lui.» Selon Claude Ducharme, «c'est devenu l'objectif politique de sa vie: il veut voir ça avant de mourir...»

Pour Jacques Parizeau, l'évolution de Laberge s'explique, en partie, par les changements survenus dans les relations entre la FTQ et le CTC, entre les syndicats québécois et les syndicats canadiens et nord-américains: «Il a toujours eu des contacts étroits avec les syndicalistes du Canada anglais et il a vu les limites de ce qu'on pouvait faire au niveau canadien. Comme Jean Gérin-Lajoie, comme Fernand Daoust, il a fini par tirer ses conclusions. Ils ont vu que les chemins se séparaient, ils l'ont vu plus vite même que certains dirigeants de la CSN pure laine...»

Robert Bourassa, malicieux, a un autre point de vue: «Laberge souverainiste... c'est une question de sémantique... Je suis sûr qu'il ne souhaite pas la souveraineté intégrale, il a trop les pieds sur terre. Il n'est sûrement pas hostile à des arrangements concrets avec le reste du Canada.»

Selon Parizeau, «quand on parle de l'avenir du Québec, Louis peut s'enflammer, ça le prend aux tripes. Il est émotionnel et romantique, mais en même temps il reste pragmatique. Une combinaison remarquable.»

Qu'en pense Louis Laberge? «On a manqué notre coup en 1980, on le manquera pas cette fois-ci. On va travailler encore plus fort pour la souveraineté. Je suis optimiste parce que je suis vivant, en santé et prêt à aller sur la ligne de feu. Personne ne va nous faire de cadeau, il va falloir mener une bataille d'enfer.»

Chapitre 23

Partir et... ne pas partir

L'heure du départ

La veille et l'avant-veille, Louis Laberge n'a pas pu dormir de la nuit.

Voilà d'ailleurs plusieurs nuits qu'il a un mal fou à fermer l'œil. Secoué par l'émotion, angoissé même, il pense continuellement à la grande décision qu'il a enfin prise et qu'il va annoncer officiellement ce jour-là, le 10 avril 1991: à 67 ans, après vingt-sept années à la présidence de la FTQ et près de cinquante ans de vie syndicale, le timonier a décidé de laisser la barre.

Le Vieux Lion part... tout en ne partant pas vraiment. Il va désormais occuper à temps plein son poste de président du conseil d'administration du Fonds de solidarité des travailleurs du Québec (FTQ), son enfant chéri.

Ce n'est pas de gaieté de cœur que Ti-Louis tire sa révérence. Mais il sait bien qu'il n'est pas éternel, qu'il commence à tirer de la patte et, surtout, que la relève est prête. Et comme un bon joueur de poker et un négociateur avisé, s'il sait quand

Comme le grand joueur de hockey Guy Lafleur, une idole nationale, Laberge avait dit qu'il continuerait la partie tant qu'il serait assez vite sur ses patins et qu'il aurait du plaisir sur la glace. C'est maintenant l'heure d'accrocher ses patins à la FTQ et de laisser la glace à la relève. Et c'est une ovation de plusieurs minutes, digne de Ti-Guy au Forum, que reçoit Ti-Louis en se présentant devant les membres du conseil général de la FTQ, réunis au Grand Salon de l'*Hôtel Méridien* à Montréal. Plusieurs ne peuvent retenir leurs larmes ou ont des picotements dans les yeux.

Il quittera son poste le 1er juin et sera remplacé par son vieux frère d'armes, Fernand Daoust. Ce dernier remplira un mandat comme président, aux côtés du nouveau secrétaire général Clément Godbout venu des Métallos. Godbout, le dauphin de Laberge, doit accéder à la présidence lors du congrès qui aura lieu à la fin de 1993.

Présenté par Daoust qui n'a pas tari d'éloges à son égard, Laberge a commencé son discours d'adieu par une boutade qui en dit long sur son état d'esprit: «Si je suis si bon que ça, pourquoi m'en irais-je?...» Il ajoute aussitôt, les yeux un peu rougis: «Que nous aimions cela ou non, on n'est pas éternel... Jamais je n'aurais pensé rester aussi longtemps à la tête de la FTQ. Le syndicalisme, c'est ma vie, je n'ai rien fait d'autre. La FTQ dans ma vie, c'est impossible à remplacer, c'est comme ma famille. Ça va me faire un maudit grand vide... Je vous ai bien aimés et je vous aime encore...»

Sa décision de partir n'est pas liée à son état de santé. «C'est l'usure régulière», dit-il candidement. «J'y pense sérieusement depuis mes vacances de l'été dernier. Et il y a des nuits récemment où j'ai beaucoup pensé à vous et à la FTQ... Comme si ce n'était pas assez d'y penser le jour!» Il insiste: «Je ne me retire pas, je ne vous fais pas mes adieux. Je ne serai pas loin. Je vais surveiller vos dirigeants, mais je ne serai pas dans leurs jambes...»

Comme il l'a confié à son ami Jean Lavallée, «je n'ai pas le goût de faire comme Marcel Pepin à la CSN et de rester président même une fois parti...» Nommé président honoraire de la FTQ, il pourra néanmoins être délégué d'office à tous les congrès. Daoust se rappelle: «Louis m'a dit: "Quand je vais quitter, je vais partir pour vrai. La page sera tournée. Mais en cas de besoin, je serai toujours à votre disposition." Et il a tenu parole.»

Sur son engagement au Fonds de solidarité, Laberge explique: «Je ne peux pas décrocher vraiment. Et le Fonds c'est la FTQ, c'est le même monde.» Il ne part pas en semi-retraite, loin de là: «Je ne m'en vais pas au Fonds pour me poigner le moine! Mon ambition, c'est qu'on ait au moins 100 000 actionnaires venant de la FTQ, soit le double du nombre actuel. C'est de l'ouvrage pour un petit bout de temps. Le Fonds de solidarité, c'est l'un de nos plus beaux fleurons, et je rêve que ce soit un jour comme la Caisse de dépôt...»

Il continuera d'ailleurs de participer au conseil d'administration de la Caisse où il siège depuis plus de vingt ans. Il reste également président de l'Association immobilière FTQ inc., la société de gestion du Complexe FTQ en construction à Montréal et qui doit loger la centrale, certains de ses syndicats affiliés et le Fonds de solidarité.

Dans son discours d'adieu, Laberge salue Daoust et Godbout mais aussi son conseiller Jean-Guy Frenette: «Je lui ai crié des petites bêtises de temps en temps, mais il est toujours resté là...»

Il réaffirme que le syndicalisme est absolument indispensable et qu'il faut travailler en priorité au plein emploi, «malgré les politiques néfastes des gouvernements Mulroney et Bourassa». Le plein emploi sera plus facilement réalisable dans un Québec souverain, insiste-t-il.

Dans son hommage à Laberge, Fernand Daoust a rappelé, sous les applaudissements, que la plus grande réalisation de son vieux compère, c'est d'abord l'édification de la FTQ comme centrale. Et, tout de suite après, le Fonds de solidarité, «le cadeau de Louis Laberge à la société québécoise». Daoust rappelle que les deux hommes ont fait preuve de «la plus grande des loyautés l'un envers l'autre» et qu'ils ont formé un tandem: «Dans le dictionnaire, le tandem est un cabriolet découvert attelé de deux chevaux... C'est aussi une association de deux personnes qui participent à une œuvre commune...»

Pour Clément Godbout, Laberge et Daoust ont «tenu ensemble la barre du navire amiral de la flotte syndicale au Québec». Il se dit prêt à prendre la barre et à tenir le cap.

La succession: de Daoust à Godbout

Fernand Daoust, qui a 65 ans, sert en quelque sorte de figure paternelle à Clément Godbout, 51 ans, qui va se familiariser avec la machine de la FTQ à titre de secrétaire général.

Daoust sera confirmé à son poste de président lors du congrès de novembre 1991, pour un mandat régulier de deux ans. «Le seul que je remplirai», dit-il[89].

Contrairement à ce qu'il représentait en 1964 lorsqu'il a affronté Laberge, le grand Fernand incarne maintenant la vieille garde. Et son choix comme président de transition n'a pas été sans tiraillements. «Quand tu veux donner une image de renouveau, tu penses davantage à Clément qu'à Fernand», dit sans ambages Jean Lavallée, le confident de Laberge. Il ajoute: «Fernand a été très fidèle et très loyal à Louis, un excellent secrétaire général. Mais Louis n'était pas d'accord pour qu'il lui succède, moi non plus. Nous le lui avons dit franchement.»

En fait, Laberge a été surpris par l'entêtement de Daoust à vouloir la présidence, il s'est hérissé et a boudé un peu. Homme de compromis, il a fini par accepter. Il a compris que Daoust attendait patiemment cette occasion depuis plus de 25 ans, depuis que Laberge l'avait battu à la présidence de la FTQ par une seule voix. Il a aussi compris que, dans le fond, «il le méritait bien».

Daoust raconte avec sa diplomatie proverbiale: «Personne n'a poussé Louis vers la sortie et jamais, personnellement, je ne l'ai incité à quitter la FTQ. Mais quand il a commencé lui-même à m'en parler, à l'automne 90, je l'ai avisé franchement que s'il partait je me porterais candidat à la présidence. Je lui ai annoncé mes couleurs, j'ai mis cartes sur table. Plusieurs m'encourageaient d'ailleurs à me présenter. C'était la continuité, la transition en douceur.» Et le dauphin Godbout? Daoust répond: «Louis a beaucoup d'amitié pour Clément, moi aussi. Les souhaits que pouvait avoir Louis à propos de Clément.... À un moment donné il s'est rallié et le bureau de la FTQ a fait l'unanimité...»

Laberge met quand même les points sur les «i»: «Mon scénario, c'était d'avoir Clément comme président car il représente la relève à plus long terme. Fernand est un travailleur acharné, il a fait une job sensationnelle, mais je ne le voyais pas à la présidence. Mais enfin... par intérim, s'il le veut, pour un mandat. On a une entente là-dessus,. sinon Clément n'aurait pas quitté son poste à la direction des Métallos.»

Godbout dit prudemment: «Je ne voulais pas me présenter contre Fernand. Après 22 ans de loyaux services, c'était le meilleur homme pour succéder à Louis. Et puis la marche est moins haute à grimper pour moi si je commence comme secrétaire général.»

* * *

Mais pourquoi Laberge a-t-il jeté son dévolu sur Clément Godbout? Pourquoi a-t-il choisi cet ancien mineur de l'Abitibi devenu directeur québécois du Syndicat des métallurgistes unis d'Amérique, le deuxième syndicat en importance numérique à la FTQ (après le SCFP et avant la Construction) et le plus grand syndicat du secteur privé au Québec?

Sans doute un peu parce que Godbout lui ressemble comme leader syndical. Col bleu du secteur privé, énergique, batailleur, parfois gueulard, il a la réputation de se «tourner de bord vite» et d'être un homme pragmatique. Comme Laberge, il est intelligent, ambitieux, entièrement dévoué à ses tâches syndicales et c'est un bourreau de travail. Primesautier, il est parfois soupe au lait mais il a le cœur sur la main.

Godbout est devenu membre des «Steelworkers» à l'âge de 18 ans, en 1958, alors qu'il travaillait à la mine de cuivre de la Noranda à Normétal. À 22 ans, il est élu secrétaire financier de sa section locale (4514) des Métallos, fondée par son prédécesseur Émile Boudreau. À 26 ans, il devient permanent syndical en Abitibi et, quatre ans plus tard, coordonnateur des Métallos sur la Côte-Nord. «J'étais monté là-bas pour quinze jours afin d'aider Boudreau lors de la grève du fer: j'y suis resté neuf ans.» En 1973, il est candidat du Parti québécois à Sept-Îles (Duplessis) et n'est défait que par 1 500 voix.

Il devient directeur adjoint des Métallos en 1977 puis succède à Jean Gérin-Lajoie en 1981. Membre du conseil d'administration du Fonds de solidarité dont il a été l'une des bougies d'allumage, Godbout dit souvent qu'on ne doit pas avoir peur du changement mais qu'il faut trouver le point d'équilibre entre la contestation et la concertation.

Jean Lavallée est le premier à avoir contacté Godbout pour lui parler de la présidence de la FTQ: «Louis a commencé à me jaser de sa relève au printemps 90, un an avant son départ. Il commençait à être essoufflé. Il savait que je n'étais pas intéressé et on s'est dit: pourquoi pas Clément? Je savais que Louis l'aimait bien et, à sa demande, je l'ai rencontré pour tâter le terrain. J'ai senti qu'il pourrait être intéressé.»

Godbout se rappelle la première fois où Laberge a fait allusion à sa succession devant lui. C'était au sortir d'une réunion du bureau de la FTQ, à l'été 1990. Ti-Louis lui a demandé à brûle-pourpoint:

— Penses-tu à la FTQ des fois?

— Mais Louis, tu sais bien que j'y pense tout le temps à la FTQ!

— Clément, arrête de niaiser, veux-tu...

Godbout ajoute: «Il voulait dire: penses-tu au poste de président? J'avais pris sa question au pied de la lettre et j'avais cru qu'il parlait de la FTQ en général... À partir de ce jour-là, j'ai vraiment commencé à penser à mon avenir. Johnny

Lavallée m'en a parlé puis Louis m'a invité à dîner pour en jaser.»

Laberge se souvient de ce repas au restaurant Mirada, rue Sherbrooke Est: «Je n'aurais pas pensé que j'aurais pu le convaincre si facilement... J'étais content parce que Clément représentait la relève pour une bonne douzaine d'années. Les derniers temps, je me suis fait accompagner par lui lors de plusieurs rencontres avec les gouvernements. En fait, à titre de président de la FTQ, je n'ai jamais rencontré un premier ministre ou même un ministre seul: j'avais toujours avec moi au moins un vice-président de la FTQ, et souvent deux ou trois. Depuis plusieurs années, Jean Lavallée était toujours présent et, vers la fin, Clément y était aussi.»

Laberge note que Godbout siégeait avec lui au Conseil consultatif du travail et de la main-d'œuvre ainsi qu'à la Commission de la santé et de la sécurité du travail, «deux gros morceaux». Il a «de bons contacts avec le monde patronal» et favorise le partenariat entre employeurs et syndicats, en particulier sur la question de l'emploi. Bref, «c'est l'homme de la relève».

* * *

Le 1er juin 1991, Laberge quittait pour de bon son bureau à la FTQ, étreint par l'émotion.

Son adjointe, Marie-Claude Deschênes, se souvient qu'il était non seulement d'une grande tristesse mais d'une humeur fort bourrue! D'après Jean Lavallée, «Louis n'était pas encore prêt à partir psychologiquement. Il avait comme une période de deuil à vivre et il a eu du mal à passer à travers. Aussitôt parti, il avait la nostalgie de la FTQ.»

Le fils aîné de Louis, Michel, raconte le départ déchirant de son père de la FTQ: «Quelques jours avant Noël en 1990, il nous a emmenés dîner, les trois garçons. Il nous a dit que ce serait son dernier mandat mais, franchement, on ne l'a pas cru! Comme bien du monde, on pensait qu'il ne prendrait jamais sa retraite de la FTQ, qu'il allait mourir sur la job...

Quand il a annoncé officiellement sa décision, j'ai eu un pincement au cœur. Je suis allé le voir et il m'a dit qu'il était un petit peu fatigué. Je lui ai demandé:

— Es-tu malade? Nous caches-tu quelque chose?

— Pas du tout, a-t-il répondu. C'est le bon moment, il y a une relève pour plusieurs années, on a établi un plan. Et puis t'imagines-tu que je m'en vais? Je reste au Fonds de solidarité, pas loin de la FTQ.

Et Michel Laberge de continuer: «Malgré tout, mon père a vécu à l'été 1991 des moments très difficiles. Certains de ses amis lui disaient que depuis son départ, ce n'était plus pareil à la FTQ... C'était le plus souvent pour lui signifier qu'ils s'ennuyaient de lui, mais il s'est fait du souci à propos de la centrale, ça l'a grugé. La FTQ, c'est comme sa famille, il prend ça très à cœur.

«Alors après son départ il a tourné en rond, comme un ours en cage. Même ses vacances loin de L'Assomption ne l'ont pas reposé: sa semaine de pêche en Abitibi, ses deux semaines au bord de la mer avec la famille en Virginie. Et comme un malheur n'arrive jamais seul, à peine étaient-ils revenus des États-Unis que Lucille est tombée malade et qu'elle est rentrée d'urgence à l'hôpital. Ce n'est qu'au bout de plusieurs jours qu'on a su que ce n'était pas trop grave. Mais mon père a été très affecté, il était loin d'être en forme.»

Quand il a occupé son nouveau bureau au Fonds de solidarité en septembre 1991, «il avait l'air désemparé», raconte son adjointe au Fonds, Carole Parent. «C'est comme s'il sortait d'une petite dépression. Il lui a fallu une période d'ajustement puis il est reparti en grande.»

Laberge confirme ce passage pénible, lors d'une entrevue en septembre 1991: «Je me suis dépensé sans compter à la FTQ, peut-être un petit peu trop longtemps, et j'ai bien de la misère à me replacer. La transition n'est pas facile, loin de là...» Et d'ajouter avec amertume: «J'ai l'impression que je suis moins utile et nécessaire qu'avant. Je continue, mais j'ai l'impression que c'est juste l'erre d'aller...»

Mais le temps arrange souvent bien les choses et Ti-Louis,

ce chat à neuf vies, allait bientôt retomber sur ses pattes. Comme tant d'autres fois durant sa vie tumultueuse.

Une soirée-hommage en forme de trêve

Le 2 octobre 1991, quatre mois après son départ de la FTQ, tout le Québec disait merci à Louis Laberge à l'occasion d'une soirée-hommage grandiose qui n'a guère de précédent dans notre histoire.

«Cette soirée m'a drôlement remonté le moral et m'a touché droit au cœur», dit-il, encore troublé par tant d'affection.

Pour célébrer ses cinquante ans de vie syndicale et sa contribution exceptionnelle à la société québécoise, au-delà de 2 500 personnes se sont rassemblées au Palais des congrès à Montréal sous le thème, tout simple, de «Merci, Louis». Syndicalistes, gens d'affaires, hommes politiques — dont les premiers ministres du Canada et du Québec —, représentants de tous les secteurs de la société, «Québec inc. au grand complet a rendu hommage au syndicaliste Louis Laberge», titrait *La Presse* du lendemain.

Une soirée de gala aux allures de «fête intime», qui s'est déroulée sur une note d'humour, à l'image de Laberge présenté lors du spectacle comme «le King du syndicalisme»!

Sous un titre attendrissant («Ti-Louis, dit le bien-aimé»), le chroniqueur Robert Duguay écrivait: «Rarement, dans ce délicat exercice qui consiste à rendre hommage à un homme encore vivant, a-t-on entendu autant de gens lui dire avec autant de simplicité combien ils l'aimaient.»[90] Des témoignages de travailleurs, bien sûr, de syndiqués mais aussi de patrons, de politiciens et d'amis de tous les milieux qui l'ont remercié de s'être battu pour mettre plus de pain sur la table des petites gens, pour une plus grande justice sociale.

L'idée de cet événement avait germé dans la tête de ses amis intimes, les hommes d'affaires Antonio Accurso et Marcel Melançon et le syndicaliste Jean Lavallée, qui ont formé un comité d'organisation présidé par le fils aîné de Laberge, Michel. Les profits de la soirée ont été versés au comité de la

FTQ sur l'alcoolisme et les autres toxicomanies.

Exprimant le sentiment général, l'ex-ministre Lise Payette a dit que cette soirée marquait «une trêve extraordinaire» dans les bonnes vieilles chicanes québécoises. Ce fut la rencontre d'un soir, civilisée et tolérante, entre syndicalistes et patrons, gens de gauche et gens de droite, souverainistes et fédéralistes. Certains esprits bilieux ont réagi en jouant les vierges offensées, telle la *columnist* Lysiane Gagnon de *La Presse:* «Lors du fameux party pour Ti-Louis, patrons et syndicats ont copiné comme larrons en foire à l'ombre de Québec inc. Le rêve corporatiste.»[91]

C'est là bien mal connaître la nature du syndicalisme et Laberge l'avait d'ailleurs souligné ce soir-là: «Ceci est une fête, une trêve avant de reprendre la bataille. Mes positions sont bien connues et demain je serai à nouveau d'attaque contre mes adversaires.» Et d'abord contre les deux premiers ministres, Robert Bourassa et Brian Mulroney, dont il a dit en boutade: «Vous voulez dire l'homme qui m'a mis en prison et l'autre qui a essayé de le faire?...» Il a ajouté: «On a quand même réussi à régler des choses ensemble. Même si on a des divergences d'opinions, ça ne devrait pas nous empêcher de nous estimer pour ce que nous sommes.»

Dans son discours de clôture, il a interpellé les deux premiers ministres sur la question de l'emploi, sans arrogance mais sans complaisance: «Nous venons d'avoir une fête extraordinaire, mais cela ne doit pas nous faire oublier la lutte à faire contre le chômage épouvantable qui sévit chez nous, surtout chez les jeunes qui sont de plus en plus désespérés.» Il revient à la charge à la fin de son allocution: «N'oubliez pas que demain recommence la bataille contre le chômage éhonté qu'on endure au Québec. Et la bataille pour avoir les outils qui nous manquent si on veut mieux combattre le chômage. C'est ensemble, en retroussant nos manches, qu'on va faire la job.»

Il souligne le travail du Fonds de solidarité de la FTQ et, lorgnant du côté de Gérald Larose, il le taquine: «Même la CSN parle de lancer elle aussi un fonds pour créer de l'emploi...» Puis se tournant vers l'archevêque de Montréal, Mgr Jean-Claude Turcotte, Ti-Louis se fait facétieux: «Ce n'est pas seulement en garrochant de l'eau bénite qu'on réglera nos problèmes de chômage, n'est-ce pas, monseigneur?...»

De Louis Laberge à Gustave Francq

Mais que disent de Laberge ses grands adversaires qui, presque tous sans exception, sont dans la salle en cette soirée de trêve?

Le premier ministre Mulroney, accueilli au podium par à peine quelques huées, choisit de parler sur un ton plutôt détendu. Il rappelle que durant ses 27 années comme président de la FTQ, Laberge a eu affaire à cinq premiers ministres du Canada, six premiers ministres du Québec et une kyrielle de ministres du Travail. Les dirigeants politiques passent et Ti-Louis reste: «Quand Louis parle de sécurité d'emploi, il sait de quoi il parle!» Mulroney loue «la fougue, la générosité, la droiture» d'un homme qui incarne le triomphe d'une cause: la solidarité des travailleurs.

Dans une plaisanterie pour amuser la galerie, il évoque ses quelques séances de négociations intensives et tardives avec Laberge: «On travaillait fort chez Butch Bouchard et à la Casa d'Italia, le rythme était infernal: une clause de la convention collective, une bière. Une autre clause, un cognac. Plus on travaillait, plus on devenait joyeux...»

Plus réservé, le premier ministre Bourassa rend hommage à «celui qui, pendant des décennies, a contribué de façon exceptionnelle au progrès des travailleurs et de la société québécoise». Qualifiant Laberge d'homme «innovateur et réaliste», il conclut: «Il n'a jamais cessé de se battre. La sécurité économique des travailleurs, à court et à long terme, a toujours été sa priorité.»

Parmi la kyrielle d'autres témoignages exprimés à droite et à gauche lors du départ de Laberge de la FTQ, retenons-en deux, l'un en provenance du patronat et l'autre du mouvement syndical, ceux de Ghislain Dufour et de Gérald Larose.

Pour le président du Conseil du patronat, «Laberge est un bonhomme ouvert à la négociation mais c'est d'abord un batailleur: il en a porté des pancartes et il en a mené des grèves qui ont fait mal à des patrons et à des entreprises. Nous avons pourtant développé des liens de respect mutuel et même d'amitié, presque une ligne directe... Dans les relations patronales-syndicales, on peut se chicaner tout en réglant des problèmes: nous avons siégé ensemble pendant dix ans à la Commission de la santé et de la sécurité du travail, la CSST, et nous avons pu régler un paquet de problèmes. En plus, Louis a su ouvrir le syndicalisme aux problèmes de l'entreprise et de l'économie grâce, entre autres, au Fonds de solidarité. Sur la question de l'intervention de l'État et du statut du Québec, nous restons toutefois en profond désaccord.»

Quant au président de la CSN Gérald Larose, à la fois rival et complice de Ti-Louis, il livre un témoignage bien senti en recourant d'abord au jargon de sa centrale: «Le camarade Laberge a tout vécu, ou presque, et il a fini par forcer le respect dans tous les milieux.» Il poursuit: «Sur l'essentiel, les principes de Louis se rapprochent des miens. C'est un homme de flair qui sait s'élever au-dessus de la partisanerie syndicale. Il a été un artisan du rapprochement des centrales. Louis a le réflexe de base de l'ouvrier pour qui les intérêts sont mieux servis par une plus grande unité. Grâce à lui, on a pu faire des choses en commun comme la campagne contre l'accord de libre-échange et la campagne pour la souveraineté du Québec.»[92]

Un observateur attentif de la scène syndicale, Matthias Rioux, ancien dirigeant de la CEQ, salue à sa façon le départ de Laberge: «Une grande gueule, certes, avec un cœur encore plus grand, mais surtout un homme remarquable par ce qu'il a fait. Un grand leader qui a su unifier une fédération composite, aux intérêts divergents, et en faire une centrale authentiquement québécoise et un instrument de lutte redoutable.» Rioux conclut: «Son petit dernier, le Fonds de solidarité, n'est pas le moins prometteur. Et la bonne nouvelle est que le papa continuera de s'en occuper.»[93]

Dans ce concert d'éloges, inévitablement, on entend au moins une note discordante... celle d'un ancien dirigeant de la CSN, le vieux baroudeur Michel Chartrand, un syndicaliste pur et dur, un être attachant et excessif. «Laberge est un bon gars, reconnaît-il, on a été amis un temps. On peut dire qu'il a rendu des services. Mais il a couché avec les patrons en siégeant à la CSST, un organisme dégueulasse qui fourre les accidentés du travail. C'est un traître à la classe ouvrière!»[94]

Le plus curieux, c'est d'entendre un ancien compagnon d'armes de Laberge à Canadair, Robert Lavoie — celui qui l'avait battu à son poste de représentant syndical en 1959 — dire spontanément que, parmi les grands leaders ouvriers, Ti-Louis lui fait penser à... Michel Chartrand!

Il est vrai que les deux hommes ressemblent à de vieux lions qui peuvent rugir encore, capables de coups de gueule et de coups de patte formidables. Et pleins de verve et de truculence, avec un cœur gros comme ça. Mais pour le reste... Chartrand est un intellectuel, qui a fait ses études classiques au collège Brébeuf chez les Jésuites. Généreux et idéaliste, c'est un verbomoteur d'une outrance et d'une violence verbale rares, d'un extrémisme carabiné. Un sympathique emmerdeur.

* * *

Tout compte fait, s'il est un syndicaliste auquel on pourrait comparer Laberge, c'est à l'un des dirigeants historiques de la FTQ, Gustave Francq. Un des pionniers du syndicalisme au Québec, Francq (1871-1952) exerça une influence si considérable qu'on l'a parfois surnommé le «parrain» du mouvement ouvrier[95].

Typographe de métier, d'origine belge, Francq était un homme trapu, rondouillet et bon vivant, un personnage haut en couleur avec son éloquence flamboyante et ses colères légendaires. Directeur fondateur en 1916 du journal *Le Monde ouvrier*, aujourd'hui l'organe officiel de la FTQ, le «père Francq» fut l'un des leaders du Conseil des métiers et du travail de Montréal et le premier secrétaire de la Fédération provinciale du travail du Québec, ancêtre de la FTQ.

Esprit progressiste, longtemps un des chefs de file du Parti ouvrier, c'était aussi un homme pragmatique et réaliste, ayant de bons contacts avec les gouvernements à qui il réussit à arracher plusieurs lois ouvrières et sociales. Il fut le propriétaire fondateur de l'Imprimerie Mercantile (aujourd'hui Boulanger), devenant ainsi à la fois syndicaliste et chef d'entreprise. C'était un réformiste qui favorisait la concertation syndicale-patronale; son nom a d'ailleurs servi à baptiser la grande salle où siège le conseil d'administration du Fonds de solidarité. Et comme Laberge, c'était un amateur de pêche et un bon joueur de cartes...

Gustave Francq, connu en son temps comme le loup blanc, fut la figure dominante du syndicalisme au Québec dans la première moitié du XXe siècle, selon l'historien réputé Jacques Rouillard. Pourra-t-on dire un jour que Louis Laberge l'aura été pour la seconde moitié du XXe siècle?

Le syndicalisme en 1992

Que pense Louis Laberge du mouvement syndical ces dernières années et du syndicalisme en 1992?

«Nous avons au Québec, constate-t-il, un des taux de syndicalisation les plus élevés en Amérique du Nord: au-delà de 40 % des salariés. Et la FTQ, qui représente près de la moitié de ces syndiqués, est la plus grande force syndicale québécoise avec pas loin d'un demi-million de membres. Nous avons travaillé fort pour en arriver là et nous devons non seulement conserver mais augmenter le taux de présence syndicale. Il y a encore tellement à faire, surtout dans le secteur privé.

«Quand je pense qu'en Suède, le taux de syndicalisation dépasse 80 % de la main-d'œuvre... Ça va nous prendre des lois pour favoriser l'expansion du syndicalisme. Juste un exemple: à cause des lois restrictives, on n'a pas pu gagner encore la reconnaissance du syndicat des chauffeurs de taxi de Montréal, malgré une campagne extraordinaire menée par les Métallos. On travaille comme des damnés pour syndiquer les non-syndiqués, mais ça n'avance pas vite. Pourtant, sans un syndicalisme fort et responsable, les travailleurs et les travailleuses ne seront pas aussi bien protégés et respectés. Et ils ne pourront pas autant participer aux changements dans les entreprises et dans la société.

— Quelle évolution peut-on prévoir?

— Un mouvement syndical, le mot le dit, ça doit être en mouvement, ça doit évoluer. Ça nous prend toujours de nouvelles idées, des projets innovateurs comme le Fonds de solidarité. Et de nouveaux services à donner aux membres qui nous le demandent. Je suis persuadé que la FTQ, tout en continuant de jouer son rôle politique et social, deviendra aussi, de plus en plus, une centrale de services. Les syndicats affiliés nous incitent à le faire. Nous devons aussi nous ouvrir davantage aux femmes, aux jeunes, aux gens des communautés culturelles, aux défis nouveaux que tout ça entraîne.

— Le syndicalisme est-il aussi militant qu'autrefois?

— Le militantisme n'a pas disparu, il prend d'autres formes. C'est vrai qu'on n'est plus obligés de se battre à chaque jour pour se faire reconnaître: on a quand même gagné du terrain et quelques bonnes lois, comme la loi anti-briseurs de grève qui a pratiquement fait disparaître la violence dans les conflits de travail. On vit moins d'affrontements, et le climat social est généralement meilleur. Malgré tout, il y aura toujours des intérêts divergents et même contradictoires entre patrons et travailleurs. Et des injustices à corriger. Et des grèves qui vont faire mal: une grève qui ne dérange personne n'intéresse personne et ne devrait pas être faite!

Laberge reconnaît du même souffle: «C'est évident que nous avons parfois exagéré dans certaines grèves, certaines revendications, certaines manifestations. Et quand on presse le citron jusqu'à la dernière goutte, la peau qui reste sèche plus vite! Aujourd'hui, les syndicats font généralement preuve de plus de maturité et de sagesse. On sait qu'il y a aussi des intérêts convergents, et nous avons contribué à développer une nouvelle mentalité des deux côtés, syndical et patronal. Aussi bien travailler ensemble que les uns contre les autres. Nous avons fait de gros efforts pour bâtir à la FTQ un syndicalisme responsable, qui assume ses responsabilités sociales.»

— Le syndicalisme québécois s'inspire-t-il désormais des modèles allemand, suédois ou japonais?

— Pourquoi pas un modèle québécois? rétorque aussitôt Laberge. Un modèle original, fondé sur la concertation des partenaires sociaux et de l'État, un État dont le rôle est toujours aussi indispensable. Un modèle qui nous permettrait de mettre en œuvre une vraie politique de plein emploi. Chose certaine, je n'ai pas de modèle révolutionnaire, je suis un homme pratique, pas un rêveur. Je ne crois pas à la révolution mais à l'évolution, aux réformes qui changent progressivement les règles du jeu.

— Les centrales syndicales sont-elles sur la même longueur d'ondes là-dessus?

— Je pense bien que oui. Pour l'essentiel, ça va dans la même direction. Et on travaille de plus en plus ensemble. Nous à la FTQ, ce qu'on veut c'est de l'action, pas des discours. J'ai souvent dit à la blague: la CSN le dit, la CEQ l'écrit et nous on le fait! Mais c'est une blague...

— Quels conseils peut-on donner aux syndicalistes en 1992?

— Les syndicalistes de demain devront être de mieux en mieux formés, de plus en plus aguerris. Les militants doivent acquérir davantage de compétences techniques, surtout économiques. Si les entreprises ouvrent leurs livres, il faut être capable de les lire! Je suis fier de constater combien le Fonds de solidarité contribue à cette formation continue de nos militants. La formation, dans tous les domaines, c'est la clé.

Mais Laberge ajoute: «La compétence ne remplacera jamais le cœur au ventre, la solidarité, les convictions profondes, la foi dans les objectifs du mouvement syndical. C'est ça qui fait notre force et c'est grâce aux militants et militantes de la base, finalement, que la FTQ s'est bâtie, tout comme le mouvement ouvrier. Et puis il faut toujours être disponible pour rendre service aux membres. De cette façon-là, on va se rendre utile, puis nécessaire et peut-être un jour indispensable...»

Il donne aussi ce bon vieux conseil qui le caractérise bien: «On doit faire des batailles mais on ne doit pas chercher la bataille. Ce qu'il faut chercher, ce sont des règlements. Je dis souvent à notre monde: allez pas vous maudire la tête sur un mur, attendez de trouver une porte. Et s'il n'y a pas de porte, allez vous chercher un pic, ça aide à défoncer le mur!»

Enfin, bien sûr, il faut rester proche de la base: «On doit marcher un petit peu en avant des membres pour les entraîner, pas courir dans la direction opposée à celle de nos membres...»

La bataille de l'emploi

Pour Louis Laberge, la plus grande bataille que doit mener le mouvement syndical, en cette fin de siècle, reste la bataille de l'emploi.

C'est celle qu'il a décidé de mener en priorité en allant œuvrer, à plein temps, au Fonds de solidarité des travailleurs du Québec (FTQ).

Il explique: «Une énorme partie des problèmes que nous vivons, comme société, vient de ce qu'il n'y a pas assez d'emplois pour tous ceux et celles qui peuvent et qui veulent travailler. En incluant les chômeurs, les assistés sociaux aptes au travail et les gens découragés qui ne cherchent même plus de job, c'est au moins 20 % de sans-emploi. Une personne sur cinq ne travaille pas et dépend des quatre autres pour la faire vivre. Un fardeau bien trop lourd à porter pour une société! Moins d'emplois, c'est moins d'impôts versés à l'État et plus de dépenses en programmes sociaux de toutes sortes.

«As-tu calculé tout ce que le chômage nous coûte, collectivement, en assurance-chômage et en aide sociale, en soins de santé et en services sociaux, en criminalité, en itinérance et en maux de toutes sortes? En pauvreté et en misère? Moi, je n'ai pas le goût de passer tout mon temps à me battre pour améliorer notre système d'assurance-chômage et d'aide sociale. Je préfère me battre pour qu'il y ait le moins de monde possible qui soit chômeur ou assisté social.

«Pour ça il faut créer des emplois. Des emplois stables et durables, des emplois de qualité, grâce à une vraie stratégie concertée de développement économique. Et préparer les gens à un emploi par une meilleure formation, à tous les niveaux, autant chez les jeunes que chez les plus vieux qui doivent se recycler. Quand les gens seront au travail, il y aura moins de problèmes sociaux. Et la social-démocratie sera plus aisément réalisable.»

Un message simple et clair. Et tout un programme! Mais s'il faut en croire le vieux dicton, il n'est pas nécessaire d'espérer pour entreprendre ni de réussir pour persévérer...

Louis Laberge s'est donc attelé résolument à la tâche de créer et maintenir des emplois au Québec. À titre de président du conseil d'administration du Fonds de solidarité, il veille de près sur cette institution financière de souche syndicale à laquelle il tient comme à la prunelle de ses yeux. «On n'a encore rien vu de ce que nous sommes capables de faire.»

Aux côtés du P.-D.G. Claude Blanchet, il symbolise et affirme le contrôle de la FTQ sur le Fonds: «Mon ami Claude et moi, nous avons d'excellentes relations, même si nous venons de milieux bien différents. Nous l'avons choisi comme P.-D.G. parce qu'il nous avait donné un gros coup de main, bénévolement, pour mettre le Fonds sur pied. Nous avons toujours été très francs l'un envers l'autre et je ne suis pas là pour lui faire ombrage. Lui et toute son équipe ont abattu de l'excellente besogne, les Denis Dionne, Pierre Laflamme, Normand Caron, Jean Martin et tous les autres, les 150 personnes qui travaillent maintenant au Fonds...»

Il ajoute: «Je contribue aux bons rapports entre le Fonds

de solidarité et la FTQ. J'ai souvent servi d'interprète entre les deux organismes. Et parfois de tampon! Le Fonds fait désormais totalement partie de notre vie syndicale et c'est un gros atout pour nous.» Et un bel héritage qu'il entend laisser à la FTQ.

Selon le conseiller politique de la FTQ, Jean-Guy Frenette, la présence de Laberge au Fonds de solidarité n'est pas une sinécure de fin de carrière, une retraite de sénateur! «C'est un positionnement stratégique pour la FTQ. Et Louis a plein d'idées nouvelles et de projets pour le Fonds.» Pour Claude Blanchet, «Louis est dans son élément, comme un poisson dans l'eau. Il nous apporte beaucoup avec sa grande expérience.»

«Il veut en faire tellement... C'est sûr qu'il est encore loin de sa retraite», observe son adjointe au Fonds, Carole Parent, qui a déjà occupé le même poste auprès de Blanchet. Son épouse, Lucille, ne peut que constater: «Il est incapable d'arrêter de travailler. C'est l'histoire de sa vie. Et le Fonds, c'est comme sa deuxième vie... Un second début!»

Laberge conclut avec sérénité: «Être au Fonds de solidarité, c'est un peu comme si j'étais encore à la FTQ...»

Épilogue

Un bon «swing» de hache

En novembre 1991, lors du congrès de la FTQ, Louis Laberge recevait le titre de président honoraire de la centrale qu'il a dirigée pendant 27 ans, contre vents et marées.

Il déclarait alors aux délégués: «Depuis mon départ, je me suis fait le plus petit possible, justement pour laisser la place à mes successeurs.» Mais il prévient qu'il va se battre avec acharnement, sur la place publique, pour la souveraineté du Québec. Il espère que ses enfants et ses petits-enfants vont pouvoir vivre, un jour prochain, dans un vrai pays.

Puis il termine en déclenchant un éclat de rire général dans la salle: «Je vais me battre de toutes mes forces et je vais y aller comme je l'ai toujours fait dans ma vie, avec délicatesse, doigté et humilité...»

Laberge ne fait pas dans la dentelle, certes. Quand on a passé sa vie à se battre, on a du front tout le tour de la tête. Et quand on a travaillé à la hache, on continue de bûcher, même si on frappe parfois des nœuds. Comme son père Éphrem, le charpentier-menuisier, Ti-Louis a encore un bon «swing» de hache...

Remerciements

L'auteur tient à exprimer ses remerciements sincères aux personnes qu'il a interviewées pour l'élaboration de cet ouvrage:

Antonio Accurso, Claude Blanchet, Robert Bouchard, Émile Boudreau, Fernand Boudreau, Bernard Boulanger, Robert Bourassa, Michel Bourdon, Jacques Brûlé, Jean Campeau, Lucille Chaput, Yvon Charbonneau, Normand Cherry, Jean Cournoyer, Guy Cousineau, Fernand Daoust, Robert Dean, Alphonse De Césaré, Rosaire Déry, Marie-Claude Deschênes, Claude Ducharme, Ghislain Dufour, Marcel Fournier, Jean-Guy Frenette, Mona-Josée Gagnon, Edmond Gallant, Jean Gérin-Lajoie, Clément Godbout, Aimé Gohier, Michel Grant, Jean Joly, Laurette Laberge Grégoire, Anita Laberge Poulet, Aimé Laberge, Gérald Laberge, Michel, Pierre et Jean Laberge, Jean Lavallée, Robert Lavoie, André Leclerc, Julien Major, Jean Martin, Marcel Melançon, Jean-Paul Ménard, Claude Mérineau, André Messier, Jacques-Victor Morin, Claude Morrisseau, Carole Parent, Jacques Parizeau, Marcel Pepin, Noël Pérusse, Matthias Rioux, Pierre Richard, René Rondou, Gisèle Roth, Robert Soupras, André Thibaudeau, Lauraine Vaillancourt, Thérèse Vaillancourt, Adrien Villeneuve.

Je remercie également de leur précieuse collaboration Gérard Monette et Yves Martin du Centre de documentation de *La Presse*, Robert Demers et Michel Plamondon du Centre de documentation de la FTQ, André Messier du Service des communications de la FTQ, Jean-Léo Côté de la Loge 712 des Machinistes de Canadair, Hélène Fortin du Fonds de solidarité (FTQ), Marie-Claude DeSève du Centre de documentation de la CSN, Daniel Gourd de Radio-Canada, Louis Le Borgne de l'UQAM.

Un merci particulier à mes amis de la FTQ et du Fonds de solidarité des travailleurs du Québec (FTQ) qui m'ont aidé de leurs encouragements.

Un merci spécial à ceux qui ont aimablement épluché mon manuscrit: mon vieil ami Émile Boudreau, Jean Gérin-Lajoie et l'historien Jacques Rouillard.

Un merci affectueux à mes parents, Donat Fournier et Laurette Tessier-Fournier, qui m'ont toujours soutenu dans mes «écritures» tout au long des années.

Enfin un merci tout à fait à part, et toute mon affection, à Marie-France Wagner.

Bibliographie: quelques ouvrages de référence

* BOUDREAU, Émile et Léo ROBACK, *L'histoire de la FTQ, des tout débuts jusqu'en 1965*, Montréal, FTQ, 1988.
* CALUORI, Aldo, *Chronologie de la Loge d'avionnerie 712 de Montréal de l'Association internationale des machinistes (1939-1959)*, Montréal, Loge 712, 1959.
* CARDIN, Jean-François, *Comprendre Octobre 1970. Le FLQ, la Crise et le Syndicalisme*, Montréal, Éditions du Méridien, 1990.
* CSN-CEQ, *Histoire du mouvement ouvrier au Québec, 150 ans de luttes*, en collaboration, Montréal, coédition CSN-CEQ, 1984 (nouvelle édition revue et augmentée).
* DIONNE, Bernard, *Les Unions internationales et le Conseil des métiers et du travail de Montréal, de 1938 à 1958*, thèse de doctorat, Université du Québec à Montréal (Histoire), 1988.
* FOURNIER, Louis, *Solidarité inc. Un nouveau syndicalisme créateur d'emplois* — le Fonds de solidarité des travailleurs du Québec (FTQ), Montréal, Éditions Québec/Amérique, 1991.
* GÉRIN-LAJOIE, Jean, *Les Métallos 1936-1981*, Montréal, Éditions du Boréal, 1982.

* LABERGE, Louis, *En prison pour nous. Historique du Front commun*, Montréal, FTQ, 1973.
* LEBLANC, André E., *Gustave Francq. Un pionnier du mouvement syndical au Québec*, traduit de l'anglais et adapté par Marie Stewart et Louis Fournier, Montréal, FTQ, 1991.
* MURRAY, Sylvie et Élyse TREMBLAY, *Cent ans de solidarité. Histoire du Conseil des travailleurs et travailleuses du Montréal métropolitain (FTQ), 1886-1986*, Montréal, VLB Éditeur, 1987.
* ROUILLARD, Jacques, *Histoire du syndicalisme québécois*, Montréal, Éditions du Boréal, 1989.

LOUIS LABERGE: CHRONOLOGIE

1924 : Naissance à Sainte-Martine (le 18 février).
1930 : Déménagement à Montréal, sur le Plateau Mont-Royal. Études primaires à l'École Saint-Stanislas.
1936 : Études secondaires à l'École supérieure Saint-Stanislas. Diplômé en 1941.
1941 : Premiers emplois (Genin et Trudeau, Biscuiterie Sélect).
1942 : Ouvrier au chantier naval de la United Shipyards. Congédié pour activités syndicales.
1943 : Assembleur puis mécanicien à l'avionnerie Canadair.
1944 : — Adhère à la «loge» 712 de l'Association internationale des machinistes et des travailleurs de l'aéronautique (AIM);
— Mariage avec Thérèse Vaillancourt.
1945 : Naissance d'un premier enfant, Michel.
1946 : Élu délégué d'atelier de la Loge 712 à Canadair.
1947 : Élu secrétaire-archiviste puis membre à plein temps du comité des griefs.
1948 : — Naissance des triplets, trois garçons: Pierre, Jean et Jacques;
— Élu en décembre représentant syndical («agent d'affaires») de la Loge 712.

1950 : Élu à l'éxécutif du Conseil des métiers et du travail de Montréal (CMTM).

1951 : Élu secrétaire correspondant du CMTM.

1952 : Un des fondateurs de la caisse d'économie des employés de Canadair.

1954 : Nommé (en octobre) l'un des trois représentants du CMTM au conseil municipal de Montréal, comme conseiller de classe «C» (jusqu'en 1960).

1955 : — Élu (en septembre) président du Conseil des métiers et du travail de Montréal;

— Expulsé d'une séance du conseil municipal pour avoir qualifié le maire Jean Drapeau de «partial» (le 17 octobre).

1956 : Participe au congrès de fondation du Congrès du travail du Canada (CTC).

1957 : — Participe au congrès de fondation de la FTQ (le 16 février). Élu directeur pour le secteur de l'équipement de transport;

— Un des organisateurs de la Marche d'appui aux grévistes de Murdochville (le 19 août).

1958 : — Élu (le 20 mars) président du Conseil du travail de Montréal (réunifié). Il occupera ce poste jusqu'en 1964.

— Élu vice-président (régional) du CTC.

1959: Défait (en décembre) lors de l'élection au poste d'«agent d'affaires» de la Loge 712 des machinistes à Canadair. Réélu l'année suivante.

1961 : — Nommé représentant international de l'Association des machinistes au Québec;

— Participe au congrès de fondation du Nouveau Parti Démocratique (NPD); appui au «socialisme démocratique» (social-démocratie). Membre du comité de direction du NPD-Québec.

1962 : Élu vice-président du comité exécutif de la FTQ.

1964 : — Nommé directeur de l'organisation au Québec du Syndicat des Travailleurs unis de l'automobile et de l'aérospatiale (TUA);

— Élu à la présidence de la FTQ (le 30 octobre), par

le conseil exécutif, avec une voix de majorité contre son adversaire Fernand Daoust;

— Devient d'office vice-président du Congrès du travail du Canada (CTC).

1965 : — Appuie activement le syndicat lors de la première grande grève (illégale) des Postes;

— S'engage dans la campagne électorale du NPD dirigé par Robert Cliche;

— Élu par acclamation président de la FTQ lors du congrès (en décembre).

1966 : Participe à la campagne de syndicalisation du SCFP à Hydro-Québec.

1967 : Réélu président de la FTQ, poste qu'il occupera désormais à plein temps.

1968 : — Dirige une grande manifestation d'appui aux grévistes de Seven Up (27 février);

— Appui au NPD lors des élections fédérales. Les libéraux de Trudeau élus (25 juin).

1969 : — Soutient le lancement du journal pro-syndical *Québec-Presse* (19 octobre);

— Congrès «chaud» (en novembre) au cours duquel la FTQ se prononce pour un «Québec français». Fernand Daoust, élu secrétaire général, forme un tandem avec Laberge.

1970 : — Nommé au conseil d'administration de la Caisse de dépôt et placement du Québec;

— Élection du Parti libéral de Bourassa. A voté pour le Parti québécois (29 avril);

— Lors de la Crise d'octobre, s'engage dans la coalition contre la Loi des mesures de guerre et dans l'opposition au «régime Trudeau-Bourassa-Drapeau».

1971 : — Dirige une grande manifestation d'appui aux travailleurs de La Presse et se fait matraquer par la police (29 octobre);

— Lors d'une assemblée au Forum (2 novembre), lance une petite phrase célèbre: «Nous voulons casser le régime»;

— Le congrès de la FTQ (en décembre) appuie *le droit* à la souveraineté du Québec «en fonction des besoins et des aspirations des classes laborieuses».

1972 : — Du 9 au 23 mai, incarcéré pour outrage au tribunal à la prison d'Orsainville — avec Marcel Pepin de la CSN et Yvon Charbonneau de la CEQ — lors de la grève du Front commun du secteur public, pour avoir incité les grévistes des hôpitaux à défier les injonctions ordonnant leur retour au travail.

1973 : Emprisonnement à Orsainville (5 février-16 mai).

1974 : — Lors des assises du Congrès du travail du Canada à Vancouver (en mai), la FTQ gagne un statut spécial d'autonomie au sein du CTC;

— Accusé d'incitation à la violence à la suite d'une assemblée du syndicat des machinistes de Hupp Canada à L'Assomption (le 29 mai). Condamné à 3 ans de prison en juin 75. Acquitté en appel, après trois procès, en juin 78;

— À la suite des révélations de la commission d'enquête Cliche, la FTQ annonce la mise en tutelle de la FTQ-Construction (le 24 novembre) et le départ de son directeur André («Dédé») Desjardins.

1975 : — Dirige une grève générale de solidarité de 24 heures avec les grévistes de la United Aircraft de Longueuil (le 21 mai);

— Le congrès de la FTQ donne son appui au Parti québécois.

1976 : — Un des leaders de la première grève générale de 24 heures tenue dans l'histoire du Canada, le 14 octobre, pour dénoncer la «loi Trudeau» de contrôle des salaires;

— Élection du Parti québécois de René Lévesque (15 novembre).

1977 : Lors du premier Sommet québécois de concertation socio-économique, à Pointe-au-Pic (en mai), photo historique: René Lévesque, Louis Laberge et Paul Desmarais.

1979 : — Laberge dirige une importante délégation de la FTQ en Suède (en mars).

1980 : — Mariage avec Lucille Chaput (29 mars);

— Le congrès extraordinaire de la FTQ (le 19 avril) se prononce à 90 % pour le OUI à la souveraineté-association du Québec lors du référendum du 20 mai.

1981 : — Réélection du gouvernement du PQ, le 13 avril. La FTQ a donné son appui au PQ;

— Début (en juillet) de la récession, la pire crise économique depuis les années 30.

1982 : Lancement (en juin) du programme Corvée-Habitation dans la construction.

1983 : Loi créant le Fonds de solidarité des travailleurs du Québec-FTQ (23 juin). Cette institution financière syndicale, «bébé» de Laberge, sera officiellement lancée en février 84.

1984 : Élection du gouvernement conservateur de Mulroney (4 septembre). La FTQ a donné comme d'habitude son appui au NPD.

1985 : — Le congrès spécial de la FTQ (2 novembre) refuse d'appuyer le PQ, contre l'avis de Laberge et de la direction de la centrale. Le 2 décembre, le PQ est battu par le Parti libéral de Robert Bourassa;

— Le congrès de la FTQ modifie le nom de la centrale qui devient la Fédération des travailleurs et *travailleuses* du Québec.

1986 : Participe activement à la lutte du «comité de survie» de Canadair.

1988 : — Nommé Grand Officier de l'Ordre national du Québec (21 janvier);

— Mort tragique de quatre syndicalistes de la FTQ-Construction dans un accident d'avion (23 février);

— La FTQ fait campagne contre l'accord de libre-échange canado-américain et, à ce titre, appuie le NPD lors des élections fédérales (21 novembre).

1989 : — Réélection du gouvernement Bourassa (25 septembre). La FTQ a appuyé le PQ;

— Forum national pour l'emploi à Montréal (5-6 novembre); «chute» de Laberge;

— Choisi «Patriote de l'année» par la Société Saint-Jean-Baptiste.

1990 : — Membre de la Commission Bélanger-Campeau sur l'avenir politique et constitutionnel du Québec. Défend l'option de la souveraineté du Québec;

— Annonce le projet de construction du Complexe FTQ qui regroupera la centrale, ses syndicats affiliés et le Fonds de solidarité.

1991 : — Quitte la présidence de la FTQ (1er juin) et devient président, à temps plein, du conseil d'administration du Fonds de solidarité de la FTQ.

Notes et références

1. Richard Desrosiers, «Bob Haddow, militant syndical», dans Robert Comeau et Bernard Dionne, *Le droit de se taire: histoire des communistes au Québec de la Première Guerre mondiale à la Révolution tranquille*, Montréal, VLB Éditeur, 1989, p. 440 *et seq.*
2. *La Presse*, 9 décembre 1948.
3. *La Presse*, 10 décembre 1948, p. 3.
4. C'est la conclusion de l'historien Bernard Dionne dans *Les Unions internationales et le Conseil des métiers et du travail de Montréal, de 1938 à 1958*, thèse de doctorat, Université du Québec à Montréal (Histoire), 1988.
5. *Montréal-Matin*, 18 octobre 1955, «Un conseiller municipal expulsé de la salle du conseil»; *Le Devoir*, 18 octobre 1955, «M. Drapeau expulse un conseiller récalcitrant».
6. *Histoire du mouvement ouvrier au Québec (1825-1976), 150 ans de luttes*, en collaboration, Montréal, coédition CSN-CEQ, 1984 (nouvelle édition revue et augmentée), p.175-176.
7. Bernard Dionne, *op. cit.*, p. 246 *et seq.*
8. *Ibidem.*
9. *Le Monde ouvrier*, décembre 1958.
10. *Le Monde ouvrier*, octobre 1962.
11. Émile Boudreau et Léo Roback, *L'Histoire de la FTQ, des*

tout débuts jusqu'en 1965, Montréal, FTQ, 1988, p. 335-336.

12. *Le Monde ouvrier*, janvier 1964.
13. *Histoire du mouvement ouvrier au Québec, op. cit.*, p. 220-221.
14. Émile Boudreau, *op. cit.*, p. 374-375.
15. Pour un récit détaillé des événements, voir Émile Boudreau, *op. cit.*, p. 369 *et seq.*
16. Entrevue réalisée par Évelyn Dumas-Gagnon, *Le Devoir*, 7 décembre 1965.
17. *Le Devoir*, 2 novembre 1964.
18. Louis Laberge, *Le combat inévitable*, discours inaugural au congrès de la FTQ, 3-7 décembre 1973, p. 65-66.
19. *Le Monde ouvrier*, mars-avril 1965.
20. *Le Devoir*, 7 décembre 1965.
21. *La Presse*, 1er mars 1965.
22. Pour un récit plus détaillé de cette grève, voir l'ouvrage de Jacques Rouillard, *Histoire du syndicalisme québécois*, Montréal, Éditions du Boréal, 1989, p. 451-454.
23. *Le Monde ouvrier*, juillet-août 1965.
24. Évelyn Dumas- Gagnon, *Le Devoir*, 7 décembre 1965.
25. Jacques Rouillard, *op. cit.*, p. 420-422.
26. Louis Fournier, *FLQ: Histoire d'un mouvement clandestin*, Montréal, Éditions Québec/Amérique, 1982, p. 161.
27. Communiqué de presse de la FTQ, 17 décembre 1968.
28. Louis Fournier, *op. cit.*, p.174-175.
29. *Histoire du mouvement ouvrier au Québec, op. cit.*, p. 231.
30. Claude Ryan, «La guerre intersyndicale dans le secteur de la construction, éditorial», *Le Devoir*, 16 août 1968.
31. *La Presse*, 30 octobre 1969.
32. Entrevue réalisée par Gérald Godin, *Québec-Presse*, 23 novembre 1969.
33. Gilles Gariépy, *La Presse*, 21 février 1970.
34. Louis Fournier, *op. cit.*, p. 287 *et seq.*
35. Jean-François Cardin, *Comprendre Octobre 1970: le FLQ, la Crise et le syndicalisme*, Montréal, Éditions du Méridien, 1990, p. 94.

36. Peter C. Newman, *Toronto Star*, 26 octobre 1970. Newman cite des «top level sources» à Ottawa.
37. Jean-François Cardin, *op. cit.*, p. 105 *et seq.*
38. Louis Laberge, *Un seul front*, discours inaugural au congrès de la FTQ, 30 novembre 1971, p. 67.
39. *Ibidem*, p. 25-26.
40. *Québec-Presse*, 31 octobre 1971.
41. Compte-rendu de Michel Roy, *Le Devoir*, 3 novembre 1971.
42. *Québec-Presse*, 7 novembre 1971.
43. Jean-Claude Leclerc, *Le Devoir*, 1er mars 1972.
44. *La Presse*, 8 mars 1972.
45. *La Presse*, 22 avril 1972.
46. *Histoire du mouvement ouvrier au Québec*, *op. cit.*, p. 266-267.
47. Louis Laberge, *En prison pour nous. Historique du Front commun*, Montréal, FTQ, 1973.
48. *La Presse*, 6 février 1973.
49. *La Presse*, 26 mai 1973.
50. Mona-Josée Gagnon, «Les femmes dans le mouvement syndical québécois», revue *Sociologie et Sociétés*, mai 1974.
51. *Appel aux syndiqués de tout le Canada*, document (bilingue) de la FTQ préparé pour le congrès du CTC, 13-17 mai 1974.
52. *Rapport de la commision d'enquête sur l'exercice de la liberté syndicale dans l'industrie de la construction* (Commission Cliche), Éditeur officiel du Québec, mai 1975.
53. *Le Petit Journal*, 17 décembre 1972. D'après un communiqué de la CSN émis le 7 décembre 1972.
54. *La Presse*, 25 novembre 1974.
55. Analyse de Pierre Vennat, *La Presse*, 3 mai 1975.
56. *La Presse*, 9 mai 1975.
57. Pour une description détaillée de cette grève, voir Jacques Rouillard, *op. cit.*, p. 454-457.
58. *La Presse*, 21 octobre 1974.
59. *Le Devoir*, 21 juin 1975.
60. *La Presse*, 6 mai 1977.

61. Pierre Vennat, *La Presse*, 18 mars 1977.
62. La délégation de la FTQ en Suède est composée, en outre de Laberge, des vice-présidents Robert Dean (TUA), Roger Laramée (SCFP), Richard Mercier (Commerce), Guy Dumoulin (FTQ-Construction) et Aimé Gohier (Services-298). Elle comprend aussi Clément Godbout, directeur adjoint des Métallos, Normand Fraser, directeur adjoint du SCFP, Jean Joly, représentant des Machinistes, Michel Grant, adjoint au bureau de la FTQ et Jean-Guy Frenette, directeur du service de recherche de la FTQ.
63. Jacques Rouillard, *op. cit.*, p. 385-387.
64. *Ibidem*, p. 313.
65. *Ibidem*, p. 428.
66. Lettre de Brian Mulroney à *La Presse*, 5 mai 1980.
67. Louis Fournier, *Solidarité inc. Un nouveau syndicalisme créateur d'emplois*, Montréal, Éditions Québec/Amérique, 1991, p. 18 *et seq.*
68. *Ibidem*, pp. 26-27.
69. *La Presse*, 14 mai 1982.
70. Jacques Rouillard, *op. cit.*, p. 388 *et seq.*
71. Pour un récit détaillé, voir *Solidarité inc.*
72. Discours inaugural du président au congrès de la FTQ, décembre 1983, p. 14.
73. *La Presse*, 14 janvier 1985.
74. *La Presse*, 12 janvier 1986.
75. *La Presse*, 22 juin 1985.
76. *La Presse*, 9 novembre 1985
77. *Solidarité inc.*, p. 123-126.
78. *Le Devoir*, 29 octobre 1987.
79. *Ibidem.*
80. *La Presse*, 30 octobre 1987.
81. *La Presse*, 21 février 1988.
82. *Le Devoir*, 1er décembre 1988.
83. *Solidarité inc.*, p. 189-191.
84. Gérald LeBlanc, *La Presse*, 8 novembre 1989.
85. Pierre Vennat, *La Presse*, 14 novembre 1989.
86. *Le Journal de Montréal*, 15 décembre 1989.

87. *The Globe and Mail*, 4 décembre 1989.
88. *La Presse*, 29 novembre 1989.
89. *Le Devoir*, 11 avril 1991.
90. Robert Duguay, *La Presse*, 6 octobre 1991.
91. Lysiane Gagnon, *La Presse*, 22 octobre 1991.
92. *Le Devoir*, 12 avril 1991.
93. Matthias Rioux, *Magazine Avenir*, mai 1991.
94. *Le Devoir*, 12 avril 1991.
95. Voir *Gustave Francq, un pionnier du mouvement syndical au Québec*, par André E. LeBlanc, traduit de l'anglais et adapté par Marie Stewart et Louis Fournier, FTQ, novembre 1991.

Index des noms cités

C

M

R

S

DOSSIER
PHOTOS

1

2

3

4

4th WEDNESDAY
F EACH
48
POUR 1948
712
D'UNION
FIGHTS
FOR UNION
LOGE
Campagne D'Organisation
712
Organizing Drive
Au 1er Août
1000
Nouveaux
1170
August 1st
1000
New
bers

5

1- Ti-Louis avec sa casquette, l'air frondeur (déjà!), à l'âge de 7 ans en 1931. Il est en compagnie de son frère cadet, Robert, devant la maison familiale sise au 5231 rue De Lanaudière, dans le quartier du Plateau Mont-Royal. Né à Sainte-Martine, Laberge est arrivé à Montréal avec sa famille au début de la Crise, en 1930.

2- 8 septembre 1935. La famille Laberge devant son logement du 5153 rue Garnier sur le Plateau. Au centre, Éphrem Laberge — charpentier-menuisier et militant des syndicats catholiques (CTCC) — et sa femme Clémentine Roy, entourés de leurs 9 enfants. De gauche à droite, à l'avant: Aimé, Robert (la face en grimace), Gérald et Louis, alors âgé de 11 ans. À l'arrière: Juliette, Anita, Lionel, Yvette et Laurette. Une autre enfant, Rose-Éva, est décédée en bas âge.

3- 22 juin 1941. La famille Laberge «élargie», devant la maison du 5237 rue Fabre sur le Plateau Mont-Royal. Louis, 17 ans, portant lunettes, est à droite sur la photo derrière son père Éphrem, tout contre son amie de cœur Thérèse.

4- 4 septembre 1944. Mariage de Louis Laberge, 20 ans, et de Thérèse Vaillancourt, 19 ans, célébré par l'abbé Caron (derrière eux) à la paroisse Saint-Stanislas-de-Kostka. À gauche des nouveaux mariés, Clémentine et Éphrem Laberge. À droite: Edgar et Orthélia Vaillancourt.

5- Août 1948. Le jeune Louis Laberge, 24 ans, est secrétaire-archiviste et membre du comité des griefs de son syndicat à l'avionnerie Canadair, la Loge 712 de l'Association internationale des machinistes et des travailleurs de l'aéronautique. Il sera bientôt élu, en décembre 48, «agent d'affaires» de la Loge, c'est-à-dire représentant syndical permanent. Sur cette photo, on le voit au centre sous l'affiche avec, à sa gauche, Adrien Villeneuve (le «Renard argenté»), représentant de la Grande Loge des Machinistes et parrain de Laberge dans le mouvement syndical. Les autres syndicalistes sont, à l'avant, Oscar Mathieu, Roger Laframboise, Steve Lyons (vice-président canadien des Machinistes) et Alcide Jarry. À l'arrière: Jean-Paul Douville, Louis Gagnon, A.E. Hutchison, Rosaire Déry, Gérard Désilets et Leslie Adamson. (Photo René Julien)

6

7

8

9

10

6- Des triplets!... Le 6 décembre 1948, Thérèse Vaillancourt donne naissance à trois garçons qu'on appellera Pierre, Jean et Jacques! On les voit ici, trois jours plus tard, reposant dans leurs incubateurs à l'hôpital Sainte-Justine, sous l'œil encore un peu ahuri de leur père... Aux côtés de Laberge, la grand-mère paternelle, Clémentine; l'arrière-grand-mère maternelle, Glaphire Ricard-Levert et la grand-mère maternelle, Orthélia Vaillancourt. Quatre générations sont ainsi représentées sur cette photo.

7- Baptême des triplets à la chapelle de l'hôpital Sainte-Justine, le 9 décembre 1948. Entourant Pierre, Jean et Jacques, les six parrains et marraines, les deux grands-mères, l'arrière-grand-mère, le père et l'aumonier de l'hôpital. Dans l'ordre habituel: Yvette Laberge-Primeau, Glaphire Ricard-Levert, Nestor Primeau, Anita Laberge-Poulet, Clémentine Roy-Laberge, Albert Poulet, Rita Laberge, Orthélia Vaillancourt, Aimé Laberge, Louis Laberge et l'abbé Charles-Édouard Guilbault.

8- La «petite famille» Laberge en 1949: Thérèse, 24 ans et Louis, 25 ans, avec leurs enfants Pierre, Michel (né en 1945), Jean et Jacques. Ce dernier mourra, hélas, à l'âge de 14 mois.

9- Portant sa pancarte «Dupuis est antisyndical», Laberge, secrétaire du Conseil des métiers et du travail de Montréal, participe à une manifestation d'appui aux grévistes du grand magasin Dupuis Frères, membres des syndicats catholiques (CTCC), au printemps 1952. À ses côtés, son compagnon d'armes Adrien Villeneuve des Machinistes, secrétaire-trésorier de la Fédération provinciale du travail du Québec. (Photo Archives CSN)

10- Signature de la convention collective à Canadair, en octobre1953. Debout derrière Laberge et les dirigeants de la compagnie, le comité syndical de négociations: Ovila Lefebvre, Jos Gideon, Henri Bonanni, Gérard Désilets, Robert Soupras, Robert Lavoie, «Charlie» Durocher, deux représentants patronaux et Aldo Caluori.

11

12

13

CONGRES DU T
3e CONVENTION CONST
IN EMPL
é Économique! -
ALAIRES PLUS

14

11- Laberge lors de son élection comme président du Conseil des métiers et du travail de Montréal, en septembre 1955. Il est également à l'époque conseiller municipal de Montréal. (Photo René Julien)

12- Assermentation des dirigeants du Conseil du travail de Montréal, le 20 mars 1958. Le président Laberge, au centre (et en mortaise), est flanqué, à sa gauche, du vice-président Roméo Girard et, à sa droite, du secrétaire Jean Philip.

13- Laberge vers la fin des années 50, lors d'une réunion de la Fédération des travailleurs du Québec à l'auberge Alpine Inn de Sainte-Marguerite. Il est entouré de quelques-uns de ses bons amis: le président de la FTQ, Roger Provost, l'ex-secrétaire, Armand Marion, le vice-président canadien des Machinistes, George P. Schollie et le président du Congrès du travail du Canada (CTC), Claude Jodoin. (Fédéral Photos)

14- Lors du congrès du CTC à Montréal en 1960, Laberge est assermenté par le président, Claude Jodoin, comme vice-président régional pour le Québec, en même temps que Huguette Plamondon du Syndicat des salaisons, la première femme élue à l'exécutif du Congrès du travail du Canada. (Fédéral Photos)

15

16

18

17

19

15- Laberge, ardent supporteur du Nouveau Parti démocratique (NPD) qui vient d'être fondé, en compagnie du chef du parti social-démocrate canadien, Tommy Douglas, et du président de la FTQ, Roger Provost, en novembre 1961 à Montréal. (Fédéral Photos)

16- Laberge en compagnie du maire de Montréal, Jean Drapeau — qui l'avait fait expulser d'une séance du conseil municipal en 1955... — et du président du CTC, Claude Jodoin, en avril 1964.

17- Le 30 octobre 1964, par suite du décès de Roger Provost, Laberge est élu président de la FTQ. Lors de la réunion du conseil exécutif — l'instance suprême entre les congrès — il l'emporte par une seule voix de majorité (10 contre 9) sur... Fernand Daoust — qui deviendra secrétaire général en 1969. Sur cette photo prise après le vote, les membres du conseil exécutif et, assis, les cinq membres du comité exécutif de la FTQ: André Thibaudeau, directeur québécois du Syndicat canadien de la fonction publique (SCFP); Fernand Daoust, représentant du Syndicat du pétrole et de la chimie (SITIPCA); Louis Laberge, qui est depuis juillet 1964 directeur de l'organisation au Québec du Syndicat des travailleurs unis de l'automobile et de l'aérospatiale (TUA); Jean Gérin-Lajoie, qui sera élu en 1965 directeur québécois du Syndicat des Métallos et René Rondou, vice-président du Syndicat du tabac. (Fédéral Photos)

18- Laberge peu après son élection comme président de la FTQ en 1964. Il sera réélu par acclamation pendant un long règne de 27 ans.

19- Au congrès du NPD-Québec, début 1965, Laberge en compagnie du leader du parti, Robert Cliche et du président de la Confédération des syndicats nationaux (CSN), Jean Marchand — qui joindra peu après les rangs du Parti libéral du Canada avec Pierre Elliott-Trudeau. (Fédéral Photos)

20

21

CANADIEN DE
22

23

CONSEIL DES METIERS DE LA CONSTRUCTION
MONTREAL
24

20- Laberge et le successeur de Jean Marchand à la présidence de la CSN, Marcel Pepin. Ti-Louis s'entendra relativement bien avec «Marcel», en dépit des rivalités inter-centrales.

21- Lors de la première grève — illégale — des postes, à l'été 1965. L'air de Laberge en dit long sur sa détermination. Les grévistes du Québec, appuyés par la FTQ, ont tenu tête au gouvernement fédéral et à leurs dirigeants syndicaux canadiens. À gauche de Laberge, Willie Houle, président du syndicat des postiers de Montréal. (Fédéral Photos)

22- 30 septembre 1966: la majorité des salariés d'Hydro-Québec votent leur adhésion au Syndicat canadien de la fonction publique (FTQ) plutôt qu'à la CSN. Laberge a fait activement campagne aux côtés du SCFP qui deviendra, avec les années, le plus important syndicat affilié à la FTQ (80 000 membres en 1992) avec les Métallos et la FTQ-Construction.

23- Le bureau de direction de la FTQ élu au congrès de 1967: Jean Gérin-Lajoie (Métallos), Roger Perreault (Construction), René Rondou (Tabac), Gérard Rancourt (secrétaire général), André Thibaudeau (SCFP), Louis Laberge (qui devient alors président à plein temps, quittant le Syndicat de l'automobile), Fernand Daoust (SITIPCA) et Jean-François Laroche (Papier).

24- Manifestation à Montréal de 10 000 travailleurs membres du Conseil des métiers de la construction (FTQ), le 6 septembe 1968. À gauche de Laberge, Claude Mérineau, secrétaire général de la centrale. À sa droite, André («Dédé») Desjardins, l'étoile montante des syndicats du bâtiment à la FTQ (Fédéral Photos)

25

26

27

28

29

25- Lors de la Crise d'octobre 1970, les centrales syndicales, le Parti québécois et le NPD dénoncent, à la fois, la Loi des mesures de guerre du «régime Trudeau-Bourassa-Drapeau» et le terrorisme du Front de libération du Québec. Lors d'une conférence de presse, le 18 octobre: Fernand Daoust et Louis Laberge de la FTQ, Marcel Pepin de la CSN, le chef du PQ René Lévesque et Matthias Rioux de la CEQ. (Photo Pierre McCann, *La Presse*)

26- Laberge lors de la célèbre manifestation tumultueuse de solidarité avec les lock-outés de *La Presse*, le 29 octobre 1971, quelques minutes avant d'être matraqué par la police. (Photo Ronald Labelle)

27- Condamnés à un an de prison, les présidents des trois grandes centrales syndicales s'apprêtent à prendre le chemin d'Orsainville, le 9 mai 1972. Yvon Charbonneau de la CEQ, Marcel Pepin de la CSN et Louis Laberge passeront 15 jours derrière les barreaux avant d'aller en appel, puis devront retourner «en dedans» pour 5 mois en 1973. Leur «crime» : avoir incité des grévistes à défier les injonctions ordonnant leur retour au travail, lors de la grève générale du Front commun des employés du secteur public en avril 1972. (Photo Paul Taillefer)

28- Journée chaude, le 27 août 1973, alors que Louis Laberge et Marcel Pepin encadrent le ministre du Travail, Jean Cournoyer, dont les bureaux sont occupés par près de 400 grévistes membres de la FTQ et de la CSN. Cournoyer va promettre aux occupants une loi «antiscabs»... qui sera finalement adoptée sous le gouvernement du PQ en 1977. (Photo Québec-Presse)

29- Manifestation lors de la comparution de Laberge au Palais de Justice de Joliette, en octobre 1974. Le président de la FTQ, accusé d'incitation à la violence dans le conflit de Hupp Canada à L'Assomption, sera acquitté au bout de trois procès! À sa droite, son grand ami Jacques Brûlé, directeur québécois du SCFP, que l'on voit aussi derrière Laberge en mortaise.

SERVICE EMP. INT. UNION
WE SUPPORT CLC
PROGRAM — REPEAL
WAGE

31

30

DU TRAVAIL
TOUS

33

32

30- Laberge au Centre Paul-Sauvé le 21 mai 1975, jour de la grève générale de solidarité menée par la FTQ en guise d'appui aux grévistes de la United Aircraft de Longueuil. Plusieurs de ceux-ci avaient occupé leur usine, neuf jours plus tôt, et en avaient été délogés sauvagement par la police. (Photo Michel Elliott)

31- Laberge devant le Parlement à Ottawa, le 22 mars 1976, lors de la grande manifestation contre le contrôle des salaires instauré par le gouvernement Trudeau. Pour dénoncer ce contrôle, plus d'un million de travailleurs vont participer, le 14 octobre 1976, à la première grève générale de 24 heures dans l'histoire du Canada. (Photo Michel Elliott)

32- Le premier ministre du Québec, René Lévesque, en conversation avec Laberge lors du premier Sommet économique convoqué par le nouveau gouvernement du Parti Québécois, à La Malbaie, en mai 1977. Lors du même sommet, René Lévesque, Louis Laberge et Paul Desmarais (président de Power Corporation). (Photo Michel Elliott)

33- Manifestation du Premier Mai en 1978 à Montréal. Laberge et sa compagne, Lucille Chaput, qu'il épousera deux ans plus tard, le 29 mars 1980. À gauche, Robert Dean, directeur québécois du Syndicat de l'automobile et vice-président de la FTQ.

34

35

36

37

34- Manifestation d'appui lors de la grève des travailleurs du caoutchouc à la compagnie Miner de Granby en 1980.

35- 21 novembre 1981. Tuque sur la tête, Laberge harangue une foule immense de près de 100 000 personnes venues manifester devant le Parlement, à Ottawa, durant la pire crise économique depuis la Grande Dépression. À sa droite, le président du Congrès du travail du Canada, Dennis McDermott. Derrière celui-ci, la future présidente du CTC, Shirley Carr.

36- Pour contribuer à maintenir et créer des emplois, la FTQ met sur pied, en 1983, le Fonds de solidarité des travailleurs du Québec, aujourd'hui une grande institution financière syndicale. Le premier conseil d'administration du Fonds comprend, de gauche à droite, première rangée: Fernand Daoust, Louis Laberge, Nicolle Forget et Raymond Bachand. Deuxième rangée: Edmond Gallant (Syndicat du papier), Lise Fortin (Conseil du travail de l'Outaouais), Claude Ducharme (Automobile) Claude Morrisseau (SCFP), Clément Godbout (Métallos) et Claude Blanchet, PDG du Fonds de solidarité. Troisième rangée: Aimé Gohier (Services) et Jean-Guy Frenette, conseiller politique de la FTQ. (Photo Normand Rajotte)

37- Laberge reçoit Brian Mulroney, le nouveau premier ministre du Canada, aux bureaux de la FTQ en janvier 1985. (Photo Michel Cloutier)

38

39

40

41

42

43

38- Une des innombrables conférences de presse de Laberge. Celle-ci, tenue au siège de la FTQ en janvier 1987, a trait au conflit des mécaniciens chez les concessionnaires d'automobiles de Montréal. En mortaise, la moue et le sourire de Ti-Louis avec les médias. (Photos Serge Jongué)

39- Avec son air coquin... lors du congrès de la FTQ en 1987. (Photo Louise Bilodeau)

40- Laberge est nommé grand officier de l'Ordre national du Québec, en janvier 1988. On le voit ici avec le premier ministre Robert Bourassa et le grand financier Paul Desmarais, président de Power Corporation. La trinité syndicale-patronale-gouvernementale. (Photo *La Presse*)

41- Le plus vieux couple du mouvement syndical, Louis Laberge et son compagnon d'armes Fernand Daoust, secrétaire général de la FTQ, en août 1988. (Photo Jacques Lavoie)

42- 26 octobre 1990. Première pelletée de terre avant la construction du Complexe FTQ, situé sur le boulevard Métropolitain à l'angle de la rue Saint-Denis. L'immeuble permet de regrouper sous un même toit la FTQ, plusieurs de ses syndicats affiliés et le Fonds de solidarité. Laberge est flanqué à gauche de Normand Cherry, ministre québécois du Travail et, à droite, de Jean Lavallée, président de la FTQ-Construction. (Photo Serge Jongué)

43- 10 avril 1991. Laberge vient d'annoncer son départ de la présidence de la FTQ. À ses côtés, le nouveau président, Fernand Daoust et le nouveau secrétaire général, Clément Godbout, dauphin de Ti-Louis. (Photo Serge Jongué)

44

45

46

47

48

44- Louis Laberge et sa femme Lucille. (Photo Guy Beaupré)

45- Avec ses trois fils: Pierre, ingénieur à Hydro-Québec; Michel, informaticien à Bell Canada et Jean, fonctionnaire à la Commission de la santé et de la sécurité du travail.

46- Avec sa femme Lucille et son ami l'homme d'affaires Antonio Accurso

47- Anniversaire de naissance, le 18 février, sous le signe du Verseau. Derrière Laberge, ses amis Jacques Brûlé et Marcel Melançon.

48- Septembre 1991. Laberge est maintenant président, à plein temps, du Fonds de solidarité des travailleurs du Québec (FTQ), son enfant chéri. «C'est un peu comme si j'étais encore à la FTQ», dit-il... (Photo Features)

Ce livre est imprimé par les
employés syndiqués,
de l'Imprimerie Gagné Ltée,
affiliés au Local 145-SQIC-FTQ.